En 2018, Harlequin fête ses 40 ans !

Chère lectrice,

Comme vous le savez peut-être, 2018 est une année très importante pour les éditions Harlequin qui célèbrent leur quarantième anniversaire. Quarante années placées sous le signe de l'amour, de l'évasion et du rêve… Mais surtout quarante années extraordinaires passées à vos côtés ! Azur, Blanche, Passions, Black Rose, Les Historiques, Victoria mais aussi HQN, &H et bien d'autres encore : autant de collections que vous avez vues naître, grandir et évoluer, avec un seul objectif pour toutes – vous offrir chaque mois le meilleur de la romance. Alors merci à vous, chère lectrice, pour votre fidélité. Merci de vivre cette formidable aventure avec nous. Les plus belles histoires d'amour sont éternelles, et la nôtre ne fait que commencer…

Mariés par convenance

———

Conquise par un cow-boy

ANDREA LAURENCE

Mariés par convenance

Traduction française de
MURIEL LEVET

Passions

H HARLEQUIN

Collection : PASSIONS

Titre original :
THE BABY PROPOSAL

Le visuel de couverture est reproduit avec l'autorisation de :
Bébé : © FOTOLIA/JUL14KA - STOCK.ADOBE.COM/ROYALTY FREE
Réalisation graphique couverture : E. COURTECUISSE (HarperCollins France)

Tous droits réservés.

HARPERCOLLINS FRANCE
83-85, boulevard Vincent-Auriol, 75646 PARIS CEDEX 13
Service Lectrices — Tél. : 01 45 82 47 47
www.harlequin.fr
ISBN 978-2-2803-8327-1 — ISSN 1950-2761

- 1 -

Le spectacle allait commencer.

Sous la lumière des projecteurs, la troupe de danseurs de Maui prit d'assaut la scène à grand renfort de cris et de roulements de tambours.

Un peu plus loin, Kalani Bishop observait la foule amassée sur la pelouse du jardin, des centaines de clients fascinés par la beauté des danses hawaïennes traditionnelles. Il fallait dire qu'il avait embauché les meilleurs professionnels de toute l'île — son hôtel méritait bien ça.

Le Mau Loa Maui avait été le grand projet de Kal et de son frère cadet, Mano. L'hôtel fondé par leur famille, le Mau Loa originel, était quant à lui situé sur la plage de Waikiki, à Oahu. Dès leur plus jeune âge, les deux frères avaient rêvé de reprendre cet établissement, mais aussi de développer d'autres hôtels sur l'archipel. Celui de la plage de Ka'anapali, sur l'île de Maui, avait été le premier. Kal était tombé amoureux des lieux dès son arrivée, sous le charme du paysage très différent de celui d'Oahu, luxuriant, d'une beauté sereine. Même les femmes étaient plus sensuelles et pulpeuses.

Son hôtel était sans conteste le plus luxueux de toute l'île. Ses grands-parents, lorsqu'ils y étaient venus, avaient été émerveillés — et les touristes paraissaient tout aussi enchantés. D'ailleurs, depuis son ouverture, l'établissement avait toujours affiché complet, sans doute parce qu'il offrait de véritables vacances de rêve.

Et le rêve hawaïen, c'étaient également les danses traditionnelles du *luau*, telles qu'on les voit dans les films. Au Mau Loa Maui, on proposait ce spectacle trois fois par semaine, accompagné d'un dîner de porc *kalua*, de *poï*, d'ananas frais, de riz à la mangue et d'autres spécialités locales, que les clients pouvaient savourer assis sur des coussins disposés autour de tables basses.

Kal s'était donné beaucoup de mal pour créer une ambiance parfaite ; des flambeaux placés autour de la vaste pelouse éclairaient les convives quand le soleil se couchait sur la mer, derrière l'estrade, et leurs flammes projetaient des ombres qui embrassaient par moments le visage des artistes.

L'une des danseuses occupait désormais seule le centre de la scène. Il sourit à sa meilleure amie, Lanakila Hale, qui captivait l'attention de tous. Avec sa beauté traditionnelle hawaïenne, elle avait attiré les regards sur elle avant même son solo. Ses longs cheveux noirs ondulés flottaient sur sa peau de bronze doré tandis que des couronnes de fleurs de frangipaniers ornaient sa tête, ses poignets délicats et ses chevilles fines. Sa jupe en feuilles de roseaux des Indes dévoilait de temps à autre le haut de ses cuisses, et son T-shirt court en coton jaune vif moulait son opulente poitrine, laissant admirer sa taille mince.

Lana avait une silhouette parfaite et, malgré l'amitié qui les liait, il lui était impossible d'ignorer la beauté de son corps ferme et sculpté par des années de danse, qu'elle avait étudiée à l'université d'Hawaï. Elle s'était spécialisée dans le traditionnel, mais elle était versée dans tous les styles, y compris le classique, le modern jazz et le hip-hop.

Les tambours battaient désormais plus vite, et elle

avait suivi leur rythme. Ses hanches ondulaient rapidement, ses bras se mouvaient avec grâce pour conter l'histoire particulière de ce *hula*. Car le *hula* n'était pas un simple divertissement destiné aux touristes ; c'était une méthode traditionnelle de transmission des récits. Lana était époustouflante, meilleure encore qu'elle ne l'avait été le soir où il l'avait vue danser pour la première fois à Lahaina et avait décidé de l'embaucher comme chorégraphe.

Lana. Elle était la contradiction incarnée, à la fois sportive et coquette ; forte, mais féminine ; athlétique, mais avec de gracieuses courbes. Parfaite sur le plan physique… et merveilleuse en tant que personne. Intelligente, vive et talentueuse, elle n'avait pas peur de le remettre à sa place, chose dont il avait parfois besoin.

Sentant son corps réagir au spectacle sensuel qu'elle offrait, il se détourna d'elle pour observer le public. Il ignorait pourquoi il se soumettait à cette torture alors qu'il savait très bien où cela allait le mener. À chaque ondulation de ses hanches, son pouls s'accélérait et son sexe durcissait.

Pour essayer de refréner ses ardeurs, il desserra sa cravate et prit une profonde inspiration. Il s'en voulait un peu, mais qui aurait pu lui reprocher d'être attiré par elle ?

Elle avait beau être sa meilleure amie, elle était indéniablement son type. S'il avait recherché la femme parfaite pour lui, il l'aurait trouvée en elle. Mais il y avait deux problèmes : d'une part, cela aurait mis en danger leur amitié, si précieuse à ses yeux, et d'autre part, il ne souhaitait ni se marier ni fonder de famille alors qu'elle ne rêvait que de robe blanche et d'enfants. Il ne pouvait pas prendre le risque de mordre dans ce fruit défendu. Céder au désir qu'il ressentait pour elle ne pouvait le mener qu'à une catastrophe, car si elle en voulait davantage et lui pas, que deviendraient-ils, tous les deux ?

Des ex-meilleurs amis.

Et comme c'était inenvisageable, leur relation devait donc rester platonique, il en était convaincu. Enfin, dans son esprit, car hélas, pour ce qui était de son corps, les choses étaient bien différentes : cela faisait plus de trois ans qu'ils se connaissaient, et l'attirance physique qu'il éprouvait pour elle était toujours aussi vive.

Après le solo de Lana, les autres danseuses la rejoignirent pour la suite du spectacle. Cette distraction lui fit un peu de bien. Quand elles eurent terminé, des danseurs vinrent les remplacer sur scène tandis qu'elles s'éclipsaient pour se changer. Au Mau Loa, le spectacle couvrait toute l'histoire du *hula*, tous ses styles et tous ses costumes. Il n'avait pas voulu d'une simple prestation destinée à divertir les touristes ; il avait envie de faire connaître et apprécier son peuple et sa culture.

— Alors, qu'en pensez-vous, patron ? demanda quelqu'un derrière lui, coupant court à ses réflexions.

Il n'eut pas besoin de se retourner pour reconnaître la voix basse et sensuelle de Lana. De toute façon, elle était déjà venue se poster à son côté. En qualité de chorégraphe, elle participait à quelques numéros et remplaçait les danseuses en cas d'absence, mais elle était libre durant la plus grande partie du spectacle.

— Certains sont excellents, répondit-il en se tournant vers elle.

En réalité, la seule danseuse qui l'intéressait vraiment se tenait juste à côté de lui.

— Mais je trouve Alek un peu mou, ce soir, ajouta-t-il.

Pour mieux juger le danseur en question, elle fixa la scène en étrécissant les yeux.

— Je crois qu'il a la gueule de bois. Pendant les répétitions, cet après-midi, je l'ai entendu dire qu'il avait passé une super soirée, hier, à Paia. J'irai lui parler demain. Depuis le temps, il devrait tout de même savoir qu'on ne fait pas de folies avant une représentation.

Le perfectionnisme. S'ils s'entendaient si bien, c'était entre autres parce qu'ils partageaient ce trait de caractère, plus prononcé encore chez elle que chez lui. Il aimait que tout soit exactement comme il l'avait imaginé, et Lana était pour sa part toujours très concentrée sur ce qu'elle faisait. En outre, elle était aussi déterminée que lui — sans cela, de toute façon, elle n'en serait jamais arrivée là. Tout le monde ne parvenait pas à s'extirper de la pauvreté pour se forger la vie de ses rêves, il fallait pour cela beaucoup de volonté. Et de la volonté, elle en avait à revendre.

Il se plaisait parfois à pointer du doigt les erreurs des danseurs juste pour la voir s'énerver. Sous le coup de la colère, ses joues s'empourpraient et sa poitrine se gonflait au rythme saccadé de sa respiration, ce qui avait toujours eu pour effet de l'exciter.

— Mais tous les autres sont très bien, ajouta-t-il pour l'apaiser.

Croisant les bras, elle lui donna un petit coup d'épaule. Elle n'était pas du genre à prodiguer des preuves physiques de son affection. Une bourrade, une tape dans le dos... ses manifestations d'amitié se limitaient généralement à cela — sauf quand elle était triste. Quand quelque chose la tourmentait, spontanément, elle le prenait dans ses bras, et il la serrait de bon cœur contre lui jusqu'à ce qu'elle se sente mieux, se réjouissant de la sensation de son corps chaud contre le sien.

Le reste du temps, elle était plutôt rigide. Il s'estimait d'ailleurs heureux de ne pas compter parmi ses danseurs, chez qui elle exigeait toujours la perfection qu'elle cherchait elle-même à s'imposer.

Il était quasiment certain que, en dépit de leur amitié,

s'il tentait une quelconque manœuvre de séduction, elle n'hésiterait pas à le gifler. Mais c'était là une chose qu'il appréciait chez elle : la plupart des femmes de Maui savaient très bien qui il était, et combien il avait. Elles se montraient toujours beaucoup trop douces avec lui. Lana, elle, avait du piquant.

Alors que ses pensées étaient entièrement tournées vers elle, la scène avait été brusquement plongée dans le noir et le silence, attirant leur attention. Quand les lumières se rallumèrent, les hommes étaient partis, laissant place à de nouvelles danseuses vêtues de longues jupes d'herbe, de soutiens-gorge en noix de coco et de larges coiffes. Elles se mirent à remuer des hanches à une vitesse impressionnante.

— Il y a beaucoup de gens, ce soir, commenta-t-elle.

— On est toujours complet le dimanche. Tout le monde sait que c'est le meilleur *luau* de Maui.

Elle le fixa quelques instants de ses yeux noirs avant de se retourner vers la scène. Lassé des danses, il préféra se reconcentrer sur elle. Une brise légère soufflait vers lui son parfum de fleurs des îles et de beurre de cacao. Il inspira à pleins poumons. Ces senteurs lui rappelaient toutes les soirées heureuses assis sur son canapé à bavarder et à rire en savourant des sushis.

Ils passaient une grande partie de leur temps libre ensemble. Ils avaient chacun des aventures régulières, mais cela ne les menait jamais bien loin — lui parce qu'il le choisissait ; elle parce qu'elle avait très mauvais goût en matière d'hommes. Il avait beau l'adorer, il devait reconnaître qu'elle était un véritable aimant à ratés. Elle ne trouverait jamais le mari et père de famille de ses rêves en continuant de fréquenter le genre d'individus avec qui elle sortait. Quoi qu'il en soit, ils étaient très souvent ensemble. Sa famille à lui vivait à Oahu ; sa famille à elle ne valait pas le détour.

De temps en temps, elle allait voir sa sœur, Mele, et sa petite nièce Akela, mais elle rentrait toujours de ces visites d'humeur maussade.

Ces considérations sur la famille et le temps libre lui donnèrent soudain une idée.

— Tu as des projets pour Noël ? lui demanda-t-il.

On était encore en novembre, mais les jours filaient si vite…

— Pas vraiment. Comme tu le sais aussi bien que moi, on va avoir beaucoup de travail en fin d'année, répondit-elle. Je suis en train de faire répéter des chants de Noël à la troupe ; on devrait commencer à les intégrer au spectacle dans dix jours. Et on réfléchit également à un nouveau final. Bref, il y a de quoi faire. Et toi, des projets ?

Il se prit à rire.

— J'envisage de rester ici, naturellement, pour veiller à ce que mes clients passent de bonnes fêtes. Alors, est-ce qu'on reste fidèles à notre tradition d'échange de sushis et de cadeaux devant ma cheminée ?

— Je pense, oui, acquiesça-t-elle en hochant la tête avec enthousiasme.

Soulagé, il se demanda ce qu'il adviendrait de lui si elle finissait par trouver l'homme de ses rêves. Si elle partait faire sa vie loin du Mau Loa, il se retrouverait totalement seul. Elle avait été à son côté depuis le début de l'aventure de l'hôtel, et il s'était habitué à sa présence.

Depuis qu'il avait appris que son frère et sa fiancée attendaient un bébé, un vague sentiment d'inquiétude faisait régulièrement surface en lui. Mano s'était toujours juré de ne jamais tomber amoureux, et pourtant, Paige avait fini par voler son cœur. Cependant, Kal ne pensait pas qu'une telle chose puisse lui arriver ; il était beaucoup trop obstiné.

Mais Lana… Elle méritait tout de même mieux

qu'un repas de sushis avec lui le soir du réveillon. Elle méritait la vie et la famille dont elle rêvait. Il savait qu'elle avait eu une enfance difficile. Elle n'avait jamais rien dit de tel, mais il avait bien compris que fonder sa propre famille était pour elle un moyen de créer ce qu'elle n'avait pas eu. Il faudrait simplement qu'il trouve quelque chose pour atténuer sa solitude et sa jalousie quand elle serait partie.

En se tournant à nouveau vers elle, il s'aperçut qu'elle s'était adossée au mur, l'air fatigué.

— Ça va ?

— Oui, répondit-elle en continuant de fixer la scène. Mais la journée a été longue. Je vais aller me changer dans ma chambre. Que dirais-tu de dîner avec moi, après ?

— Ce serait avec plaisir.

Il ne se souvenait d'ailleurs pas de la dernière fois qu'il avait mangé. Il avait tendance à se perdre complètement dans son travail.

— On se retrouve au bar dans une demi-heure ? Tu me donneras ton avis sur la fin du spectacle.

— Tu peux compter sur moi.

Lanakila monta à l'étage pour gagner sa suite — cette suite qui était devenue sa demeure. Kal venait de terminer la construction de sa résidence privée, située à l'autre extrémité de l'établissement, derrière le terrain de golf. Il avait fallu beaucoup de temps pour achever cette somptueuse villa, dotée de quatre chambres avec salles de bains, d'un garage pour trois voitures et d'une immense piscine. Pendant toute la durée des travaux, il avait logé dans l'hôtel, mais après la pendaison de crémaillère, il lui avait proposé de récupérer son ancienne suite.

Elle vivait alors dans un petit appartement au bord de la mer à Kahakuloa, mais elle l'avait abandonné sans regret et avait vendu tous ses meubles pour venir s'installer sur place. Comme elle terminait tard presque tous les soirs, ne pas avoir à faire de la route pour rentrer chez elle était un luxe appréciable.

La suite, par ailleurs, était plus grande que son studio et offrait une vue encore plus belle sur l'océan. Après en avoir ouvert la porte avec la carte qui tenait lieu de clé, elle entra et se hâta de gagner sa chambre, dans laquelle elle retira son costume pour enfiler des habits normaux.

Elle n'aimait pas arpenter les couloirs de l'hôtel en tenue de scène, cela lui donnait l'impression d'être un phénomène de foire. D'autre part, elle voyait bien que Kal n'était pas à l'aise lorsqu'elle était à moitié nue. Il évitait de la regarder, se dandinait d'un air gêné, autant de choses qu'il ne faisait jamais quand elle était en habits de ville.

Mais à bien y réfléchir, s'il avait été en costume de danse, elle aurait été mal à l'aise, elle aussi. Les danseurs ne portaient rien d'autre qu'un pagne en feuilles de roseaux, ce qui sur lui aurait été particulièrement déstabilisant. Elle avait suffisamment de mal comme ça à se concentrer sur ce qu'il disait quand il était vêtu de l'un de ses costumes sur mesure, qui dissimulaient sa peau hâlée.

Kalani Bishop était sans conteste l'homme le plus séduisant qu'elle ait jamais rencontré, et elle était allée à l'école de danse, ce qui n'était pas peu dire. Mais dans son esprit, il était un peu comme un bébé tigre : beau et rare, il donnait l'impression de pouvoir devenir un adorable compagnon… mais, de par sa nature sauvage, il ne pourrait jamais être totalement domestiqué. Et elle avait beau aimer vivre dangereusement, elle craignait trop de se faire blesser.

Après avoir enfilé son jean et son débardeur, elle retourna dans le séjour de sa suite pour récupérer son téléphone, mais quand elle le trouva, elle crut que son cœur allait s'arrêter. L'écran indiquait un appel manqué et un message vocal du commissariat de police de Maui.

Encore.

Entre son père, de plus en plus violent, et sa sœur aînée, Mele, qui avait beaucoup de problèmes, les appels du commissariat n'étaient pas aussi rares qu'ils auraient dû l'être.

Sa mère était morte quand elle n'avait que deux ans. À l'époque, son père était quelqu'un de bien, d'après ce qu'on lui avait raconté, mais les choses avaient changé après cela. Il avait eu beaucoup de mal à faire face à la situation — c'est-à-dire faire son deuil tout en élevant ses deux jeunes enfants. Peu à peu, il était tombé dans le piège de l'alcool, qui avait exacerbé son comportement emporté. Même s'il n'avait jamais frappé ses filles, ses accès de colère étaient mémorables, et il avait également tendance à déclencher des bagarres dans des bars et à se faire arrêter par la police.

Lana avait toujours tout fait pour le rendre heureux. C'était d'ailleurs dans cette optique qu'elle s'était lancée dans la danse, car malgré tous ses défauts, son père était resté fier de ses racines et convaincu de la nécessité d'honorer la culture hawaïenne. Il ne paraissait jamais aussi fier que quand il la regardait danser.

Sa sœur, Mele, ne s'était pas donné autant de peine. Persuadée que quoi qu'elle puisse faire, leur père ne serait jamais satisfait, elle avait décidé de passer son temps à s'amuser — c'est-à-dire de sortir avec tous les garçons qu'elle pouvait trouver, à l'exception des natifs de l'île dont il aurait de toute évidence approuvé le choix. Et lorsqu'elle avait enfin jeté son dévolu sur l'un d'entre eux, cela n'avait naturellement pas été le meilleur : Tua Keawe était un bon à rien doublé d'un délinquant. Quand Mele l'avait rencontré, il gagnait sa vie en escroquant les touristes, et il avait diversifié ses activités criminelles depuis. Lasse de la voir constamment ivre ou droguée, Lana avait fini par couper les ponts avec sa sœur.

Mais l'année passée, quand elle avait appris qu'elle était enceinte, Mele, contre toute attente, avait fait de vrais efforts. La nièce de Lana, Akela, était venue au monde sans problème de dépendance ni syndrome d'alcoolisation fœtale. C'était une adorable petite poupée que Lana aimait de tout son cœur. Elle avait elle-même toujours voulu avoir une fille, et parfois elle se prenait à rêver qu'Akela soit à elle plutôt qu'à sa sœur. Cela aurait sans doute été mieux, ne serait-ce que pour le bien du bébé, car le comportement modèle de Mele n'avait pas survécu à l'accouchement, et Lana, qui craignait que les services sociaux ne lui retirent la garde d'Akela, ne pouvait pas faire grand-chose.

Elle ne s'était jamais confiée à Kal sur les activités criminelles de son aînée. Il était au courant pour son père et pour la tendance de Mele à s'attirer des ennuis, mais elle n'avait jamais évoqué devant lui ses multiples arrestations. D'abord parce qu'elle trouvait cela embarrassant — naturellement, elle savait qu'il n'était pas homme à la juger sur les erreurs de sa sœur, mais d'un autre côté, il était issu d'une lignée prestigieuse, puissante et respectée… et pas elle. Elle avait beau essayer de faire comme si elle ne venait pas d'une famille de cas sociaux, celle-ci ne manquait jamais une occasion de le lui rappeler.

Mais si elle évitait le sujet, c'était aussi parce qu'elle espérait que Mele finirait par changer et devenir la grande sœur responsable qu'elle aurait dû être. Jusqu'ici, son rêve ne s'était pas réalisé et, à défaut de grande sœur responsable, c'était sur Kal qu'elle se reposait. C'était toujours lui qu'elle allait trouver quand elle avait besoin d'aide ou de conseils.

Cette fois-ci, cependant, elle n'était pas sûre qu'il puisse faire quoi que ce soit pour elle. Anxieuse, elle jeta un nouveau coup d'œil au téléphone et, après une dernière seconde d'hésitation réticente, elle finit par appuyer sur l'écran pour écouter le message.

« Lana, c'est Mele. On s'est fait arrêter, Tua et moi. Il faudrait que tu viennes nous chercher. C'est n'importe quoi, je te jure. On a été piégés ! Piégés ! »

Lana soupira. Apparemment, elle allait encore devoir passer sa nuit à attendre de payer la caution de Mele. Mais avant de prendre le volant, elle allait appeler le commissariat. Le message datait d'un peu plus de deux heures ; il se pouvait très bien que la situation de Mele ait changé.

On décrocha au bout de la deuxième sonnerie.

— Bonsoir, je suis Lana Hale. Ma sœur, Mele Hale, m'a laissé un message il y a deux heures au sujet d'une caution.

— Je transfère votre appel à la personne qui s'occupe du dossier, lui répondit son interlocutrice après quelques secondes de silence.

La musique d'attente reprit.

— Officier Wood, fit soudain une voix d'homme.

— Bonsoir, je suis Lana Hale. Je viens de recevoir un message de ma sœur qui disait être retenue ici il y a deux heures. Avant de me déplacer, je voulais m'assurer qu'elle était encore là.

— Hum. Votre sœur et son ami ont en effet été arrêtés aujourd'hui pour possession de stupéfiants avec intention d'en distribuer. Ils ont essayé de vendre de l'héroïne à un officier sous couverture.

Sous le coup de la colère et de la déception, Lana crispa les poings. C'était pire encore qu'elle ne l'avait pensé : jusqu'à ce soir, elle ignorait que Mele était passée du cannabis aux drogues dures.

— Quel est le montant de la caution ?

— La caution ? Votre sœur devait être mal informée quand elle vous a appelée : son compagnon et elle ne peuvent être libérés. Ils sont détenus ici jusqu'à demain. Mlle Hale rencontrera un avocat commis d'office lundi matin et sera ensuite présentée devant le juge.

Ce n'était pas bon. Pas bon du tout.

— Quel juge ?

— Le juge Kona.

Cette fois-ci, Lana ne put retenir le juron qui s'échappa de ses lèvres. Le juge Kona était réputé pour sa rigueur. Il était très conservateur, très traditionnel et très strict. Par ailleurs, ce ne serait pas la première fois qu'il statuerait sur le cas de Mele… Et il se montrait toujours plus sévère en cas de récidive.

Tout à coup, quelque chose lui vint à l'esprit. Et cette fois-ci, elle crut bien que son cœur allait s'arrêter.

— Et leur fille ?

Sa nièce, Akela, n'avait que six mois, et Lana se mit à prier pour qu'ils ne l'aient pas laissée chez eux pendant qu'ils parcouraient les rues pour vendre de la drogue. Mais malheureusement, elle n'aurait pas été surprise si on lui avait annoncé que si.

— Le bébé dormait dans la voiture quand nous avons procédé à l'arrestation. Il a été pris en charge par les services sociaux.

La panique qui s'empara d'elle fut telle que, l'espace d'une seconde, elle eut peur de s'évanouir.

— Non ! s'exclama-t-elle. Vous ne pouvez pas la

laisser avec des étrangers. Écoutez, je vais venir la récupérer, je peux m'en occuper.

— Je comprends ce que vous ressentez, mais malheureusement il va vous falloir faire une demande auprès du juge pour obtenir sa garde provisoire. Entre-temps, l'enfant sera placée dans une famille d'accueil. Et je peux vous assurer qu'elle sera bien traitée. Peut-être même mieux qu'elle ne l'était avec ses parents.

Sentant ses jambes se dérober sous elle, elle s'effondra sur le canapé. Après avoir pris congé d'elle et lui avoir souhaité bonne chance, l'officier raccrocha, la laissant seule, le regard rivé sur l'écran noir du téléphone.

Au bout de quelques secondes — ou quelques minutes, elle n'aurait su le dire —, elle appuya dessus pour consulter l'heure. 23 heures, un samedi soir. Elle allait devoir attendre le lendemain pour contacter un avocat. De toute façon, quoi qu'elle fasse, Akela allait passer la nuit en famille d'accueil. Mais elle comptait bien se battre pour la récupérer.

Avec un passé comme le sien, Mele pouvait rester des mois en prison, voire des années. Cette fois-ci, ce ne serait pas pour la soirée ou le week-end que Lana garderait Akela. Mais malgré les craintes que lui inspiraient son manque d'expérience et cette immense responsabilité, elle était prête à s'occuper de la petite de bon cœur durant tout le temps qu'il faudrait pour que son aînée règle ses dettes envers la société.

Cependant, elle allait avoir besoin d'aide. Même si cette idée la rebutait, il fallait qu'elle parle à Kal de ce qui s'était passé. Il devait bien connaître un avocat plus doué que celui commis d'office, un homme ou une femme qui pourrait aider sa sœur à se défendre et l'aider elle-même à obtenir la garde d'Akela.

Déterminée, elle se leva pour aller le rejoindre au bar. Elle savait qu'elle pouvait compter sur lui.

- 2 -

Assis devant le bureau de son avocat, Kal faisait de son mieux pour rester discret. Il n'était pas là pour lui, mais pour Lana et Akela. Cependant, plus le temps passait, plus il avait du mal à s'empêcher d'intervenir.

La veille au soir, quand Lana l'avait rejoint au bar, elle avait le regard perdu et désespéré, l'air égaré — jamais il ne l'avait vue comme ça. Après lui avoir fait boire un verre, il l'avait encouragée à lui expliquer ce qui s'était passé et avait alors pris la mesure de tout ce qu'elle lui avait caché sur sa famille. Jusqu'à présent, il savait que son père n'était pas un homme recommandable, mais il ignorait totalement que sa sœur était pire. Quoi qu'il en soit, rien qu'à imaginer la nièce de Lana, encore un bébé, entre les mains d'étrangers, il sentait son sang bouillir dans ses veines. Il n'avait vu Akela qu'une fois, un jour où Lana devait s'occuper d'elle pour l'après-midi, mais il avait gardé le souvenir d'une adorable poupée, avec des joues rondes, de longs cils noirs et un irrésistible sourire creusé de fossettes. Lana l'aimait de tout son cœur, et désormais, cette toute petite fille se retrouvait Dieu savait où…

Il avait immédiatement appelé son avocat, Dexter Lyon, qu'il payait assez cher pour ne pas avoir de scrupules à le réveiller au beau milieu de la nuit. Jusqu'alors, il n'avait lui-même jamais eu de raison de le faire, mais

Lana en avait une nettement suffisante, et c'était tout ce qui comptait. Dexter avait accepté de les rencontrer le lundi suivant, à la première heure.

— Je vais être honnête, affirma ce dernier. Votre situation me paraît très compliquée.

— Comment ça ? demanda Lana, les yeux encore rouges — on aurait cru qu'elle pouvait fondre en larmes à n'importe quel moment.

— Le juge Kona est un homme sévère, mais juste. Or, il semble tout à fait logique que vous obteniez la garde de votre nièce. Mais je vais vous dire pourquoi il va refuser votre requête : vous êtes danseuse ; vous vivez dans une chambre d'hôtel ; vous terminez tard le soir ; vous êtes célibataire. Pris isolément, aucun de ces éléments ne fait légalement de vous une personne inapte à s'occuper d'un enfant, mais ajoutés les uns aux autres, ils rendent votre demande difficile à négocier.

L'air blessé, elle fronça les sourcils.

— Premièrement, je suis chorégraphe, et non danseuse. Deuxièmement, j'habite dans un hôtel pour des raisons pratiques, mais je peux très bien relouer un appartement, si nécessaire. Et troisièmement, je suis peut-être célibataire, mais je peux me permettre d'embaucher une nourrice pour garder la petite pendant mes horaires de travail.

— Même la nuit ? demanda Dexter. Je me fais l'avocat du diable, mais ces questions, le juge va vous les poser. Mieux vaut donc vous y préparer.

— Ce que je ne comprends pas, c'est comment Lana pourrait être considérée comme incapable de s'occuper de cette enfant alors que ses responsables légaux sont des dealers. Même si elle était strip-teaseuse et vivait dans une caravane, elle serait plus apte à garder ce bébé que sa sœur et son compagnon.

Kal avait de plus en plus de mal à se contenir. Il n'avait

pas l'habitude qu'on lui dise non, et moins encore que Dexter le fasse. Le rôle de Dexter, c'était d'arranger les choses, et ses réticences commençaient à l'irriter au plus haut point.

— J'ai très bien compris cela, répondit l'avocat en levant les mains en signe conciliateur. Et c'est pour cette raison que j'ai pris les devants en faisant une demande d'adoption temporaire. Nous avons rendez-vous avec le juge jeudi.

— Jeudi ? s'exclama Lana.

Elle paraissait extrêmement déçue, sentiment qu'il partageait : si sa nièce s'était retrouvée confiée à des étrangers, lui aussi aurait remué ciel et terre pour la récupérer le plus vite possible.

— Le système judiciaire ignore tout de la signification du mot « impatience ». Nous avons de la chance d'avoir pu obtenir un rendez-vous si tôt.

— De la chance ? répéta-t-elle d'un air sceptique.

— Oui. D'autant plus que cela vous laisse trois jours pour vous préparer. Trouver un appartement, embaucher une nourrice, acheter un lit à barreaux, épouser votre compagnon si vous en avez un… Tout cela ira dans votre sens.

— Attends, tu lui recommandes de se marier avec le premier venu pour avoir la garde de sa nièce ? intervint Kal.

— Je n'ai pas dit « le premier venu ». Mais si elle est avec quelqu'un de sérieux, je pense que c'est le moment idéal pour sauter le pas.

Sans faire de commentaire, Lana baissa la tête, se prit le visage entre les mains.

Kal n'aimait pas la voir ainsi, l'air totalement désespéré.

— C'est une bonne idée, Dexter, mais elle n'est pas forcément avec quelqu'un avec qui elle peut passer à l'étape suivante si facilement.

— C'est dommage. Dans ce cas, concentrez toute votre énergie sur la nourrice et le logement. Il vous faut un grand appartement. Un studio ne fera pas meilleur effet qu'une chambre d'hôtel.

S'étant levé, il contourna le bureau pour se rapprocher d'eux.

— Je sais que ça fait beaucoup de chamboulements juste pour une garde provisoire, mais votre sœur et son compagnon sont dans une situation très délicate. Ça ne sera peut-être pas aussi temporaire que vous le croyez.

Il la regarda quelques secondes avant de poursuivre :

— La vie peut vite devenir très compliquée avec un bébé dans un petit logement : ma maison fait trois cents mètres carrés, mais quand nous sommes revenus de la maternité après la naissance de mon fils, j'avais l'impression d'habiter dans un placard bourré d'affaires de puériculture. Tout est dix fois plus complexe avec un enfant en bas âge. Il faut par exemple vingt bonnes minutes rien que pour se préparer à aller faire des courses.

— Vous tentez de me dissuader ? grommela-t-elle.

L'air surpris, Dexter écarquilla les yeux.

— Non, bien sûr que non. D'ailleurs, j'adore les enfants — j'en ai quatre, maintenant. J'essaie simplement de vous encourager à prendre les mesures nécessaires pour faciliter la transition. Et jeudi, je donnerai tout ce que j'ai pour que votre requête soit acceptée. Mais si, d'ici là, vous pouviez entreprendre quelques démarches pour m'aider, vous mettriez toutes les chances de votre côté.

Ce fut à ce moment-là que quelqu'un frappa doucement à la porte.

— Oui ? fit Dexter d'une voix sonore.

Son assistante apparut sur le seuil.

— Je suis désolée, maître Lyon, mais nous avons M. Patterson sur la ligne deux. Il refuse de parler à quelqu'un d'autre que vous.

Dexter regarda Lana, puis Kal.

— Ça ne vous gêne pas si je prends cette communication dans une autre pièce ? Ça ne devrait pas être long.

L'avocat disparut avec sa secrétaire après que Kal eut donné son accord. Irrité, ce dernier peinait toujours à se contenir. Il n'aimait pas la façon dont se présentaient les choses, et surtout, il n'aimait pas ce juge. Qui était-il pour imposer son système de valeurs ? Lana n'aurait pas dû se voir contrainte de réorganiser toute sa vie pour obtenir la garde de sa nièce. Il n'y avait rien de mal dans son mode de vie.

Il eut envie de lui faire part de ses sentiments, mais en observant son visage, il se dit qu'il valait mieux attendre. Comme quand elle travaillait sur une chorégraphie, elle paraissait profondément concentrée et immergée dans sa réflexion, et il préférait ne pas l'interrompre.

Enfin, elle se tourna vers lui. Ses longs cheveux, retenus par un ruban, se balancèrent sur ses épaules. Noirs et soyeux, ils étaient magnifiques, et il se prenait souvent à rêver de passer ses doigts dedans. Fort heureusement, quand elle n'était pas sur scène, elle les attachait généralement en chignon ou queue-de-cheval, ce qui atténuait un peu la tentation — un peu, mais pas complètement.

— J'ai une idée, affirma-t-elle.

— Je t'écoute, répondit-il en lui jetant un regard curieux.

— Bon. Pour ce qui est du travail, je ne peux pas en changer et je ne vois aucune raison valable de le faire.

— Parfaitement d'accord.

— En revanche, je peux trouver quelqu'un pour garder Akela la journée, quand je m'occupe des répétitions, et même la nuit, pour le spectacle.

— Oui. Et je peux aussi te donner un peu de temps

libre, tu sais ? Si mes calculs sont bons, tu dois avoir dans les deux mille heures de congé à récupérer.

Le regard rivé sur le sien, elle fronça les sourcils. Il n'aimait pas ça. Il avait envie de passer sa main sur son front pour défroisser sa peau, d'embrasser ses lèvres pleines pour la voir sourire à nouveau — n'importe quoi pour qu'elle ne paraisse plus si bouleversée —, mais, comme toujours, il se retint.

— Ce n'est pas possible, avec les fêtes de fin d'année, on est débordés, protesta-t-elle. Je ne peux pas prendre de jours. D'autre part, si je dois garder Akela plus d'un mois ou deux, comme le dit ton avocat, je vais avoir besoin de mes congés si elle tombe malade. Surtout si elle va à la crèche : ils attrapent tous les virus qui traînent, là-bas.

Il n'avait pas vraiment pensé à cela. Si les choses duraient, Akela allait prendre beaucoup de temps à Lana. À cette idée, il ressentit une petite pointe de jalousie. Il ne pouvait pas en vouloir au bébé, naturellement. Mais il se sentirait très certainement seul quand Lana serait occupée à prendre soin d'elle.

— OK. Je voulais juste que tu saches que ton patron serait d'accord si c'était absolument nécessaire.

— Merci, répondit-elle en hochant la tête. Contente d'apprendre que cet individu peut se montrer raisonnable de temps en temps.

Pour la première fois depuis qu'elle avait reçu le message de sa sœur, elle lui sourit, et un immense sentiment de soulagement déferla sur lui. Bien qu'il fût en quelque sorte dirigé contre lui, ce sourire lui avait redonné un peu d'espoir.

— Un grand appartement à Maui, en revanche, ça risque d'être difficile, poursuivit-elle. Si je trouve quelque chose dans mes moyens, ce sera dans un quartier pas très fréquentable.

Le prix de l'immobilier, à Maui, était exorbitant. Il n'osait même pas resonger à la somme qu'il avait dû débourser pour acquérir le terrain sur lequel il avait fait bâtir son établissement. Et il avait donc du mal à imaginer comment on pouvait vivre sur l'île avec des revenus standards. Lana gagnait bien sa vie, mais elle n'était pas non plus milliardaire.

À bien y réfléchir, l'appartement qu'elle louait avant de s'installer à l'hôtel était vraiment petit. Pour sa part, quand il avait quitté la suite où elle résidait actuellement pour emménager dans sa nouvelle maison, il avait eu l'impression d'avoir de la place à ne pas savoir quoi en faire.

De la place à ne pas savoir quoi en faire ?

— Que dirais-tu de loger chez moi ? s'entendit-il demander.

Étrécissant ses yeux en amande, elle le regarda un instant en silence, interloquée.

— Ça m'aiderait beaucoup, finit-elle par répondre. Mais tu es sûr de toi ? Ça va faire un grand changement dans ta vie de célibataire d'avoir une femme et un bébé à demeure.

Après avoir réfléchi quelques secondes à la question, il haussa les épaules. À cette période de l'année, il avait rarement le temps de faire autre chose que travailler. Et puis, si elle était chez lui avec sa nièce, il ne manquerait pas de moments avec elle, même s'il n'avait aucune intention d'admettre devant elle ces motivations très égoïstes.

— J'ai trois chambres d'amis. Si ça peut t'aider, tu m'en vois ravi.

Cette fois-ci, ce fut un sourire radieux qu'elle lui adressa.

— Je suis contente que tu dises ça, parce que je

comptais maintenant en venir à la partie la plus folle de mon plan.

S'attendant au pire, il ravala sa salive avec peine. Comment pouvait-elle avoir une idée en tête qui soit plus folle que celle de s'installer ensemble avec le bébé ?

Alors qu'il s'interrogeait, elle s'était levée et avait posé un genou à terre devant lui. Déconcerté, il fronça les sourcils tandis qu'elle lui prenait la main.

— Qu'est-ce que tu fais ? finit-il par demander.

Il avait désormais du mal à respirer. Au moment où sa peau était entrée en contact avec la sienne, une étrange et agréable sensation de chaleur s'était répandue partout en lui, libérant au passage tout le désir qu'il cherchait à refouler. Il avait envie de dégager sa main de la sienne pour reprendre le contrôle de lui-même, mais il savait que cela lui serait impossible.

Affichant un sourire plein d'espoir, elle releva la tête vers lui.

— Veux-tu m'épouser ?

Le cœur noué, Lana attendait la réponse de Kal. L'idée venait tout juste de lui traverser l'esprit, mais elle avait décidé de la lui exposer immédiatement, avant de perdre courage. C'était complètement fou, elle en était consciente, mais elle était déterminée à faire le nécessaire pour obtenir la garde d'Akela. Et désormais elle était là, un genou à terre, à demander la main de son meilleur ami, qui n'avait jamais envisagé de se marier.

À en juger par l'expression de panique qu'il afficha soudain, il ne s'attendait pas à cela. Instinctivement, elle serra plus fort sa main, et remarqua qu'il ne cherchait pas à la libérer. Au contraire, il lui rendit son étreinte. Il était son soutien, son idéal, son tout. Cela pouvait marcher. Cela devait marcher.

— Je suis désolée de ne pas avoir apporté de bague de fiançailles, dit-elle d'une voix légère pour briser la tension. Je ne pensais pas faire une demande en mariage aujourd'hui.

Il ne sourit pas comme elle l'avait espéré. L'air incrédule, il écarquilla les yeux et secoua la tête.

— Tu es sérieuse ?

— Absolument. Tu viens de dire que tu serais ravi de faire tout ce que tu pourrais pour m'aider à obtenir la garde d'Akela. Si nous sommes mariés et que nous vivons ensemble dans ta grande maison, je ne vois pas pourquoi le juge refuserait ma requête.

De nouveau, il serra plus fort sa main dans la sienne.

— Tu sais que je ferais n'importe quoi pour toi… Mais t'épouser ? Je n'ai jamais… Enfin… C'est quand même un truc immense.

Elle l'aimait encore plus pour ne pas lui avoir dit non directement.

— Pas nécessairement. Écoute, je suis au courant de ce que tu penses du mariage, j'ai bien compris ça. Je ne te demande pas de rester avec moi pour toujours ni de tomber amoureux de moi — et on ne va pas coucher ensemble. Ce serait complètement fou. Ce que je veux, c'est un mariage de façade. On passe tellement de temps ensemble que personne ne trouvera bizarre qu'on a fini par tomber amoureux. C'est une super couverture : on se marie et on reste mariés le temps qu'il faudra pour contenter le juge et les services sociaux. Et ensuite, on annule, on divorce ou je ne sais quoi. Il faudra juste que tu m'embrasses deux ou trois fois en public. Ça ne devrait tout de même pas être si horrible que ça, non ?

L'espace d'un bref instant, il prit une mine contrariée. Mais pour quelle raison ? Elle l'ignorait. Il ne pouvait quand même pas être déçu de ne devoir tenir son rôle qu'en public… Curieux.

Après avoir inspiré à pleins poumons, il finit par hocher la tête.

— Donc, on se marie, tu emménages chez moi et on joue les couples heureux devant tout le monde jusqu'à ce qu'Akela puisse retrouver ses parents. C'est bien ça ?

Elle acquiesça.

— Oui, je t'assure. Et de toute façon, si tu essaies de profiter de la situation, je veillerai à te mettre une bonne correction pour te rappeler à qui tu as affaire.

Enfin, il esquissa un sourire, ce qui arracha un soupir de soulagement à Lana. À présent, elle était certaine qu'il accepterait de se conformer à son plan, même s'il impliquait une démarche qu'il n'aurait jamais envisagé de faire, et moins encore avec une femme qu'il ne se serait jamais abaissé à aimer.

— Donc, Kalani Bishop, me feriez-vous l'honneur de devenir mon mari de façade ? lui demanda-t-elle, comme il n'avait pas vraiment répondu la première fois.

Il pinça les lèvres quelques secondes, mais finit par lui adresser un signe affirmatif.

— Je crois, oui.

— Génial ! s'exclama-t-elle en se jetant dans ses bras pour le serrer contre elle.

Enfouissant son nez dans son cou, elle inspira à pleins poumons, surprise de découvrir que l'odeur boisée si familière de son meilleur ami déclenchait au plus profond d'elle une réaction de désir primitif qu'elle n'aurait pas dû ressentir compte tenu de la situation. Son cœur se mit à battre à tout rompre alors qu'elle savourait son parfum viril, se réjouissant de la chaleur de son étreinte. Personne ne savait la rassurer comme il le faisait, et elle n'avait de toute façon aucune envie que quelqu'un d'autre que lui le fasse.

Mais soudain, elle le sentit se crisper contre elle. À contrecœur, elle s'extirpa donc des pensées sensuelles et romantiques dans lesquelles elle s'était immergée. Ce n'était pas la réaction de quelqu'un d'à l'aise. Prenant un peu de recul, elle observa les traits de son visage, qui évoquaient moins l'enthousiasme et la confiance que l'indécision et l'embarras. Il ne fallait pas qu'elle oublie qu'il ne s'agissait que d'une façade. Son rêve allait peut-être se réaliser, mais s'il avait accepté, c'était parce que c'était important et parce qu'ils étaient amis, rien de plus. Il fallait qu'elle garde ses manifestations d'affection pour leurs apparitions publiques, sans quoi elle risquait de l'effrayer.

— Tu es sûr que ça ne te dérange pas ?

— Ça me dérange, répondit-il, honnête comme à son habitude. Mais je vais le faire quand même. Pour toi.

À ces mots, elle faillit fondre en larmes. Mais, s'étant reprise, elle le serra derechef dans ses bras pour chuchoter à son oreille :

— Merci d'être le meilleur ami qu'une fille puisse avoir. Je te revaudrai ça.

Il se mit à rire, un son grave qu'elle sentit vibrer contre sa poitrine et qui lui donna envie de se blottir un peu plus contre son corps musclé.

— Tu as intérêt.

Il venait de prononcer ces mots quand la porte s'ouvrit à nouveau. Déterminée, elle s'écarta de lui pour se tourner vers l'avocat.

— Nous allons nous marier, annonça-t-elle rapidement, de crainte que Kal ne change d'avis.

Dexter Lyon la regarda quelques secondes avant de pivoter vers Kal, qui affichait toujours un air aussi gêné.

— Excellent. Dois-je rédiger un contrat ? Séparation des biens, j'imagine.

— Tout à fait, répondit-elle.

Elle n'avait aucune envie de discuter papiers, mais

elle voulait lui conférer un sentiment de sécurité. Elle ne convoitait pas sa fortune et tenait à ce qu'il le sache.

— Je ne voudrais pas qu'il s'en aille avec ma chaîne hi-fi.

— Quoi ? demanda Kal en se retournant vivement vers elle.

— Je plaisante, bien sûr.

Il secoua la tête, avant de se tourner vers l'avocat.

— Fais ce qu'il y a à faire, et on reviendra signer ça demain. On se mariera demain après-midi, à condition que la grande salle de l'hôtel ne soit pas réservée. Tu crois que ça sera assez bien pour le juge ?

— Vous deux mariés et vivant dans ton immense maison ? Je ne vois pas ce qu'il pourrait demander de mieux. Après ça, il faudra juste que vous jouiez bien votre rôle devant les services sociaux quand ils effectueront les visites de contrôle.

— OK, on se voit demain, alors, répondit Kal en se levant.

À la grande surprise de Lana, il lui prit la main, chose qu'il n'avait jamais faite auparavant.

— Viens, ma chérie. On va avoir du pain sur la planche si on veut se marier demain après-midi.

Elle dut se retenir de sourire. Le sérieux avec lequel il avait prononcé ces mots prouvait bien qu'il était mal à l'aise avec la situation, mais qu'il était trop gentil pour lui dire non. Elle ne fit cependant pas de commentaire. Serrant sa main dans la sienne, elle se laissa guider.

Ils gardèrent le silence jusqu'à la voiture, une Jaguar décapotable qu'il avait garée à l'ombre, à l'autre bout du parking. Elle avait toujours adoré cette voiture. Comme elle conduisait elle-même une vieille jeep sans portes, celle-ci lui paraissait particulièrement luxueuse, mais en s'installant sur le siège passager, elle se rendit compte que ce véhicule constituait désormais un problème.

— Kal ?

— Oui ? dit-il en démarrant.

— Tu as une voiture deux places, et moi une jeep ouverte.

— Et alors ?

— On ne peut mettre de siège auto dans aucune d'elles.

— Je n'avais pas pensé à ça, admit-il d'une voix méditative. Il va falloir qu'on en prenne une autre. Je vais en louer une pour le temps qu'on aura Akela. À ton avis, qu'est-ce qui ferait le plus responsable ? Un mini-van, un SUV avec des airbags partout, ou un break ? Qu'est-ce que tu préfères ?

— Pas un mini-van, c'est tout ce que je demande. Après, à partir du moment où il y a assez de place à l'arrière pour mettre un siège auto, ça me va très bien. Merci.

— Pas de problème, répondit-il en désignant le centre commercial devant lequel ils s'apprêtaient à passer. Tant qu'on en est à parler de notre absence totale de préparation, je crois qu'on ferait bien d'aller faire un petit tour là-bas.

Un instant plus tard, il s'arrêtait sur le parking d'un magasin de puériculture.

— Je n'ai pas la moindre idée de ce dont on a besoin, balbutia-t-elle nerveusement. Il faudrait qu'on aille à l'appartement de Mele pour voir ce qu'elle a.

Tout en secouant la tête, il descendit de la Jaguar.

— Non, on va tout acheter. Viens.

Le temps de sortir à son tour, elle dut courir un peu pour le rattraper.

— Tu es sérieux ? Je ne peux pas me permettre de tout racheter, tu sais ?

Baissant ses lunettes de soleil, il lui jeta un coup d'œil qui aurait fait fondre n'importe quelle femme.

— C'est moi qui paie.

— C'est trop, Kal.

Ignorant ses protestations, il entra dans le magasin.

— Kal ! cria-t-elle.

Il s'arrêta et pivota vers elle pour la regarder.

— Où est le problème ?

Elle le fixa à son tour. Souvent, des femmes venaient la voir pour lui demander comment elle faisait pour rester amie avec un homme aussi sexy, ce à quoi elle répondait toujours de la même manière : il avait un défaut rédhibitoire : il était têtu comme un âne.

— C'est trop, répéta-t-elle.

— On va se marier et emménager ensemble. Qu'est-ce qui est trop, exactement ?

Il avait raison, naturellement, mais…

— Je ne veux pas que tu achètes des tonnes de choses. Si ça se trouve, on ne l'aura que pour quelques semaines.

— Ou pour quelques années. Dans un cas comme dans l'autre, elle va avoir besoin de dormir, de manger, d'être habillée, changée. Quand elle rentrera chez elle, je donnerai tout à une association. De cette façon, ce ne sera pas perdu, d'accord ?

Embarrassée, elle se mordit la lèvre. Elle aurait dû se douter qu'elle ne gagnerait pas cette bataille. Jamais il n'aurait accepté de meubler la chambre de la petite avec les objets bon marché qu'ils auraient pu trouver dans l'appartement de Mele.

— D'accord.

Tout en hochant la tête, il partit droit vers le bureau du service clients.

— Bonjour. Je pense qu'on va avoir besoin d'un peu d'aide.

— En quoi pouvons-nous vous aider, monsieur ? demanda la jeune employée, manifestement intriguée.

— En tout. Il nous faut tout le nécessaire pour un enfant de six mois, c'est pourquoi nous aimerions que quelqu'un note ce que nous choisissons et nous expédie ensuite nos achats à la maison.

La vendeuse parut surprise par sa requête, mais elle saisit un carnet et un scanner à codes-barres et commença à les guider dans les allées. Lana dut se retenir de lever les yeux au ciel. Elle ne comprenait vraiment pas pourquoi il ne pouvait pas prendre un Caddie et faire ses courses comme tout le monde.

Mais elle finit par trouver une explication à cela : un Caddie n'aurait pas suffi. Il n'avait pas exagéré quand il avait dit qu'il voulait tout acheter. Il leur fallut environ deux heures pour parcourir le magasin, et ils réservèrent une chambre complète avec un lit à barreaux, une table à langer, une commode, une lampe et un rocking-chair ; des draps, des gigoteuses, un mobile, un siège auto, un transat, une poussette, une balancelle ; un sac de change, des biberons, des cartons de couches et de petits pots, des savons, des shampoings… Tout. Ils prirent même une vingtaine de tenues et de pyjamas.

Ce fut épuisant, mais d'un autre côté, il avait bon goût et tout ce qu'il choisissait était très beau ; des meubles d'un joli gris souris qui s'accordaient parfaitement au linge de lit blanc étoilé. Ce serait enchanteur pour une chambre d'enfant. Elle espérait que la petite aimerait autant qu'elle. Naturellement, Akela était sans doute trop jeune pour apprécier, mais les jouets qu'il avait achetés lui plairaient certainement.

Tandis qu'ils choisissaient les dernières bricoles, elle songea à la chance qu'elle avait. Jamais tout cela n'aurait pu arriver sans lui. Kal était un ami formidable, une personne formidable.

Elle ne comprenait vraiment pas pourquoi il était si déterminé à rester célibataire. Il disait qu'il était trop occupé pour s'engager, mais elle ne l'avait jamais cru. Il était le genre d'homme qui pouvait assouvir tous ses désirs. S'il avait voulu une famille, il n'aurait eu qu'à claquer des doigts pour qu'une file de jeunes femmes intéressées se forme devant lui. Il était grand, musclé, avec un corps qui semblait réclamer les caresses. Ses cheveux étaient noirs et ondulés, sa peau d'un brun doré. Son sourire faisait fondre le cœur. Et pour tout avouer, quand elle le voyait, dans l'un de ses costumes hors de prix, déambuler dans les couloirs de l'hôtel comme un homme investi d'une mission, elle ne savait pas comment elle faisait pour résister à l'envie de se jeter à son cou.

Elle lui reprochait souvent son obstination, son côté play-boy, mais en réalité, elle l'adorait. Il était la meilleure chose qui soit jamais arrivée dans sa vie, cette vie qui ne lui apportait pas beaucoup de bonheurs, en dehors de son travail et de son amitié avec lui. Si elle se laissait aller, elle céderait certainement à l'attirance qu'elle éprouvait pour lui… Mais elle ne devait pas se laisser aller.

Il était tout simplement trop bien pour elle. Instruit, riche, cultivé, issu d'une puissante famille. Certes, ils pouvaient être amis et contracter un mariage blanc, mais nouer une véritable relation amoureuse, non. Même s'il avait été ouvert à l'idée d'épouser quelqu'un, ça n'aurait pas été sur elle qu'il aurait porté son choix. Elle était même surprise qu'il ait accepté de le faire sachant que sa sœur était en prison et que sa famille était si problématique. C'était leur amitié qui avait rendu cette chose possible, et elle remercierait le ciel pour cela tout le reste de sa vie, car ce mariage de façade demeurait à ses yeux bien plus attractif que n'importe quelle relation avec un autre.

Des relations qui allaient d'ailleurs devenir difficiles, à bien y regarder. Car où trouverait-elle un homme à la hauteur de Kal ? Il n'en existait pas, elle le savait : elle avait essayé. Au cours des quelques années passées, elle en avait connu plusieurs et aucun n'arrivait à la cheville de Kal. Il était non seulement beau et démesurément riche, mais aussi drôle, gentil, attentionné. Elle n'aurait pas pu mieux choisir son meilleur ami — et son mari, même si tout était faux. La seule chose qu'elle attendait de lui était qu'il signe le certificat, lui tienne la main devant l'autel et se conduise comme un époux aimant en public. Mais lui avait déjà dépensé une petite fortune, s'était totalement engagé auprès d'elle pour que son plan fonctionne. Pour qu'elle soit heureuse.

Elle ignorait pourquoi il était célibataire, mais elle savait parfaitement pourquoi elle avait tant de mal à s'attacher à quelqu'un d'autre.

- 3 -

Après avoir ajusté le nœud papillon de son smoking blanc, Kal se regarda dans le miroir, se trouvant l'air d'un futur marié. En tout cas, il était aussi nerveux qu'un futur marié, même s'il lui manquait l'enthousiasme. Tout lui semblait étrange ; ce n'était vraiment pas ainsi qu'il avait prévu de passer sa journée du mardi.

Le mariage était un concept qu'il n'arrivait pas à embrasser. Enfant et adolescent, il envisageait vaguement cette notion dans un avenir lointain, mais la réalité avait changé sa perception des choses : quand il avait vingt ans, ses parents étaient décédés dans un terrible accident de voiture, qui avait par ailleurs fait perdre la vue à son frère. Il avait alors compris que personne n'était immortel, pas même lui. Jusque-là, il avait vécu dans un milieu tellement protégé et privilégié qu'il en était presque venu à penser que rien de mal ne pourrait jamais lui arriver, et tout à coup, en un instant, il avait perdu les personnes les plus importantes de sa vie. Sans avertissements ni adieux, ils avaient disparu pour toujours.

Il s'était alors retrouvé avec bien plus de responsabilités que la plupart des jeunes de son âge : ses grands-parents avaient assuré la direction de l'hôtel tandis qu'il finissait ses études et que Mano s'adaptait à son handicap, mais une fois son diplôme universitaire en poche, Kal était

38

devenu l'homme de la famille. Des responsabilités familiales, il en avait eu suffisamment à ses yeux. Et par conséquent, le mariage avait été rayé de la liste de ses projets. Il ne pensait pas pouvoir à nouveau endurer cela : s'attacher à une personne pour ensuite la perdre, ou encore laisser derrière lui une famille qui devrait recoller les morceaux après sa mort. Cela lui semblait être une trop grosse prise de risque au regard des bénéfices potentiels.

Alors, pourquoi accrochait-il une orchidée à la boutonnière de son smoking blanc ? Tout simplement parce qu'il ne pouvait pas dire non à Lana.

Quand elle l'avait regardé, ses grands yeux noirs l'implorant d'accepter, il avait craqué. Il aurait été prêt à faire tout ce qu'elle lui aurait demandé. Mais il avait d'abord voulu s'assurer qu'elle était sérieuse et qu'elle fixerait bien des limites à ce mariage.

Le problème était qu'elle était belle, pile son type de femme. Dès le premier jour, il avait compris qu'elle pouvait être celle qui lui ferait baisser la garde, celle dont il tomberait amoureux, mais comme ils avaient des projets d'avenir très différents, il avait tout fait pour que ça ne se produise pas. Aussi avait-il joué sur la corde de l'amitié. C'était ce qu'il y avait de mieux à faire compte tenu de l'importance qu'avait à ses yeux cette femme qui était par ailleurs son employée.

L'idée qu'elle ne veuille se marier que pour les apparences constituait pour lui à la fois un soulagement et un défi. Au fond de lui, il s'était toujours demandé s'ils seraient aussi bien ensemble en qualité de couple qu'en tant qu'amis, et il était convaincu que oui. Aussi allait-il lui être particulièrement difficile de la caresser et l'embrasser en public tout en maintenant entre eux une distance platonique le reste du temps. Ce serait un peu comme s'il n'avait droit qu'à une seule bouchée de son dessert préféré : assez pour attiser son envie, mais pas assez pour satisfaire sa gourmandise. Il lui semblait plus facile d'éviter complètement de toucher au mets en question, surtout quand ce mets était aussi appétissant que Lana.

Après avoir jeté un dernier coup d'œil à son reflet dans le miroir, il sortit de chez lui et se rendit à l'hôtel en voiture. Sa maison était située à l'extrémité de la propriété, séparée du reste de l'établissement par un terrain de golf. D'ordinaire, il y allait à pied ou en voiturette de golf, mais compte tenu des circonstances, sa Jaguar lui semblait plus appropriée.

La salle des mariages était en réalité un immense belvédère qui se dressait sur la plage. Conçu pour abriter une centaine d'invités, le bâtiment surplombait l'océan et était entouré de hautes et luxuriantes plantes qui le protégeaient du regard des baigneurs.

Hawaï étant un lieu de mariage très prisé, il l'avait fait construire pour les clients de l'hôtel, sans jamais imaginer qu'il en aurait un jour lui-même l'utilité.

Le *kahuna pule*, le prêtre hawaïen, était déjà arrivé. Ce petit homme, rond et âgé, portait dans ses cheveux blancs comme neige une couronne traditionnelle d'orchidées *haku*. Une petite table avait été dressée devant lui avec tout ce dont il avait besoin pour la cérémonie : le coquillage ; le collier d'orchidées blanches et celui de feuilles de *maile* ; un bol en bois de koa rempli d'eau de mer et des feuilles de roseaux pour bénir les alliances.

Soudain pris de panique, Kal tâta sa poche de poitrine. Non, il n'avait pas oublié les alliances. Un peu plus tôt, ce matin-là, ils avaient signé leur contrat de mariage et s'étaient occupés de tous les détails juridiques avec Dexter. Après quoi, ils s'étaient arrêtés dans une bijouterie pour choisir deux anneaux simples, mais jolis. Affirmant qu'il avait déjà dépensé beaucoup trop d'argent pour elle, Lana avait catégoriquement refusé qu'il lui offre une bague de fiançailles.

Ne restait donc plus qu'à se plier à la cérémonie traditionnelle qui allait faire d'eux un couple marié. À cette idée, il sentit de nouveau la panique l'envahir. Il avait essayé de la réprimer en se concentrant sur ses projets professionnels au cours des heures passées, mais les choses semblaient tout à coup très concrètes.

Ses grands-parents et Mano allaient être furieux quand ils l'apprendraient. Il aurait préféré pouvoir garder le secret, mais comme le but était de faire comme s'ils étaient un vrai couple, il allait devoir leur dire. Dexter l'avait prévenu que les services sociaux pouvaient non seulement venir chez lui, mais aussi interroger ses proches et ses amis. Ce qui signifiait que tout le monde devait croire qu'ils étaient mari et femme. Il lui paraissait cruel de se comporter ainsi envers sa famille, qui avait toujours espéré le voir trouver la femme de ses rêves. Comme il allait certainement devoir divorcer rapidement, il regrettait déjà la déception qu'il allait nécessairement provoquer. Heureusement, il pouvait pour l'heure se contenter d'informer Mano ; les autres attendraient jusqu'au nouvel an.

— *Aloha*, monsieur Bishop, lui dit le *kahuna pule* tandis qu'il gravissait les marches du belvédère.

— *Aloha* et *mahalo*. Merci beaucoup d'avoir accepté de vous déplacer si vite.

Le vieil homme secoua la tête.

— J'ai toujours du temps devant moi quand il s'agit de marier des amoureux. Et votre hôtel figure parmi mes lieux de cérémonie préférés.

Un sentiment de culpabilité s'empara de lui, mais il se força à le surmonter. Cet homme était le premier à qui il devrait mentir pour obtenir la garde d'Akela.

— Vous m'en voyez ravi. J'ai essayé de créer quelque chose qui donne envie aux gens de se rendre à Maui.

— Avez-vous les alliances ?

Hochant la tête, il tira de sa poche de poitrine les deux anneaux.

— Les voici.

— Parfait. Nous commencerons dès que la mariée sera arrivée.

Machinalement, Kal consulta sa montre. Ils s'étaient mis d'accord pour 16 heures, et il était moins une — et autant il n'avait pas hâte de se marier, autant il avait envie que les choses se terminent le plus rapidement possible.

— Ah, la voilà, fit le *kahuna pule*, coupant court à ses pensées.

En se tournant dans la direction qu'il avait indiquée, Kal eut l'impression que son cœur allait s'arrêter.

Lana était époustouflante de beauté.

D'ordinaire, la mariée hawaïenne portait une robe blanche fluide, coupée dans le style des *muumuu*, mais pas Lana, et il était ravi qu'elle ait opté pour quelque chose de plus moderne et plus ajusté au niveau du buste. La robe longue en dentelle, avec son décolleté en V qui mettait en valeur ses seins ronds et plongeait jusqu'à sa taille fine, se terminait en légères superpositions d'organdi qui flottaient dans la brise océane. Ses cheveux, coiffés d'une couronne d'orchidées *haku*, retombaient librement sur ses épaules.

Tout en elle était doux, romantique, évoquant une lune de miel dont il ne pourrait profiter. Elle était certainement la plus belle mariée que le monde ait jamais connue, et il ne parvenait pas à détacher son regard d'elle. Tout autour de lui semblait avoir disparu ; il n'y avait plus qu'elle. Tant et si bien que, quand le *kahuna pule* souffla dans le coquillage pour annoncer l'arrivée de la mariée et appeler les éléments à se porter témoins de la cérémonie, il faillit bondir de surprise.

Un grand sourire aux lèvres, Lana s'avança vers lui. Instinctivement, il prit sa main dans la sienne pour l'aider à monter les marches, notant au passage que malgré son air radieux, ses doigts étaient glacés. Manifestement, il n'était pas le seul à être nerveux.

— Êtes-vous prêts ? demanda le *kahuna pule*.

— Oui.

— Parfait, dit-il en ouvrant son livre de prières. « *Aloha* » est le mot hawaïen qui signifie « amour ». Nous nous sommes rassemblés ici aujourd'hui pour célébrer cet *aloha* spécial qui vous unit, Kalani et Lanakila, ainsi que votre souhait de rendre cet *aloha* éternel dans l'engagement du mariage. Comme vous le savez, le collier de fleurs est un symbole de l'*aloha*. Kalani et Lanakila, vous allez échanger des colliers pour prouver votre *aloha* et votre désir de partager vos vies. Kalani, vous pouvez passer le collier d'orchidées autour du cou de Lanakila.

Malgré le stress, il prit sans trembler la guirlande blanche, et elle baissa la tête pour qu'il la dépose sur ses épaules.

— Le cercle de ce collier représente le caractère éternel de votre engagement. La beauté de chaque fleur ne se perd pas quand elle s'intègre à la couronne ; elle est magnifiée par la force du lien qui l'unit aux autres. C'est maintenant à vous, Lanakila, de mettre le collier de feuilles de *maile* autour du cou de Kalani.

Lana prit le long collier de feuilles vertes sur l'autel et, les mains tremblantes, elle le passa autour de son cou. Leurs regards se croisèrent, et il lui adressa un clin d'œil pour la rassurer. Ils allaient surmonter cette épreuve parce qu'ils étaient les meilleurs amis du monde.

— Kalani et Lanakila, vous allez entrer ensemble

dans le mariage parce que vous savez que vous aurez en vous plus de bonheur et d'*aloha* en tant que partenaires pour la vie. Vous vous appartiendrez l'un l'autre, dans votre cœur, votre âme, votre esprit. Maintenant, donnez-vous la main et regardez-vous dans les yeux.

Il prit ses mains dans les siennes et les serra fermement. Était-ce à cause de la situation ou parce qu'elle était plus belle encore que d'ordinaire ? Il n'aurait su le dire, mais quelque chose d'étrange se produisit. Contre toute attente, au moment où ils se touchèrent, un éclair de désir lui parcourut le corps, brûlant et intense, le changeant en véritable brasier. Ses sens s'éveillèrent soudain, et il fut tout à coup très conscient du parfum des fleurs dans ses cheveux, du subtil éclat de son rouge à lèvres, de la douceur soyeuse de sa peau.

— Kalani, acceptez-vous de prendre Lanakila pour épouse ? De l'aimer, la chérir, l'honorer et la garder ? Pour le meilleur et pour le pire, dans la richesse et la pauvreté, dans la maladie et la santé ? De lui être fidèle jusqu'à ce que la mort vous sépare ?

Il ravala sa salive avec peine, la bouche si sèche qu'il avait du mal à parler. Il n'avait pas l'habitude d'être si nerveux.

— Oui, finit-il par affirmer.

Il avait fait le plus facile. Désormais, il allait devoir respecter l'impossible engagement qu'il venait de prendre.

Le *kahuna pule* répéta les vœux pour elle, mais Lana écoutait à peine. De toute façon, comment aurait-elle pu entendre ce qu'il disait à travers les battements affolés de son cœur ?

Jusqu'au début de la cérémonie, elle s'était sentie assez bien ; un peu nerveuse, certes, mais il lui avait semblé facile d'ignorer ce sentiment en se concentrant sur toutes les tâches qu'elle avait à accomplir : enfiler sa robe, se coiffer, se maquiller. Devant le miroir de sa suite, elle n'avait cessé de se répéter qu'elle ne le faisait pas par amour, que c'était pour Akela. La cérémonie serait le seul aspect réel de ce mariage… mais c'était là tout le problème : le regard plongé dans les profondeurs obscures de Kal, ses mains tremblantes dans la chaleur des siennes, elle avait l'impression que tout était réel. Trop réel.

Soudain, elle se rendit compte que les deux hommes la dévisageaient comme s'ils attendaient d'elle quelque chose.

— Oui, se hâta-t-elle de dire, en espérant que ce soit la réponse adéquate.

Apparemment, elle ne s'était pas trompée. Le *kahuna pule* poursuivit la cérémonie en bénissant les alliances. Après avoir placé les feuilles de roseaux dans le bol en bois rempli d'eau de mer, il versa son contenu sur les anneaux et finit par tendre à Kal le plus petit des deux.

En la regardant comme s'il n'y avait personne d'autre qu'elle sur terre, Kal répéta les paroles requises, la lueur espiègle dans ses yeux indiquant qu'il tentait de faire comme s'il n'était pas nerveux. Mais elle savait bien qu'il l'était : ses mâchoires étaient crispées. Elle ne l'avait jamais vu aussi tendu depuis le jour dè l'ouverture de l'hôtel.

— Lanakila, fit le *kahuna pule*, passez l'alliance au doigt de Kalani et répétez après moi.

Tout en lui jurant de demeurer à son côté jusqu'à sa mort, elle lui glissa à l'annulaire la bague de platine. Elle dut serrer fort les paupières pour s'empêcher de penser au mensonge qu'elle était en train de proférer et aux doutes qui l'assaillaient. Il ne lui restait que quelques secondes pour changer d'avis. Passé ce délai, elle serait officiellement Mme Kalani Bishop.

Ce n'est pas vrai, se répétait-elle dans sa tête tandis que le *kahuna pule* continuait de parler. Elle n'était pas amoureuse de Kal, il n'était pas amoureux d'elle, et il n'y aurait pas de voluptueuse lune de miel après la cérémonie. Il fallait qu'elle refrène son imagination et ses ardeurs si elle ne voulait pas voir ses espoirs déçus.

— Lanakila et Kalani, reprit le *kahuna pule*, vous vous êtes juré votre *aloha* éternel et vous êtes engagés à vivre ensemble dans les liens sacrés du mariage. Par l'autorité qui m'est conférée par les lois de l'État d'Hawaï, je vous déclare mari et femme. Kalani, vous pouvez embrasser la mariée.

Enfin, la cérémonie était terminée.

Mais une fois ce souci écarté, une nouvelle inquiétude s'empara de Lana. Kal était en train de s'approcher d'elle, et pour la première fois, ils allaient devoir agir. Répéter des vœux était une chose, s'embrasser en était une autre. La frontière entre amis et amants était sur le point d'être irrévocablement transgressée.

Tendrement, il posa sa main sur sa joue pour attirer ses lèvres plus près des siennes. Elle retint son souffle ; la panique menaçait désormais de la submerger. Elle avait peur d'avoir envie de ce baiser plus qu'elle ne l'aurait dû, mais aussi peur de ne pas convaincre le *kahuna pule* de sa sincérité. N'ayant cependant pas d'autre choix que de se plier au rituel, elle ferma les yeux et essaya de se détendre.

Un instant plus tard, elle sentait ses lèvres se presser avec une douceur insistante sur les siennes. Un délicieux frisson lui parcourut le dos ; elle ne put l'ignorer. Malgré son embarras, ce baiser avait généré en elle une véritable réaction de plaisir physique.

N'y tenant plus, elle se hissa sur la pointe des pieds pour se rapprocher encore de lui, appuyant ses paumes sur les muscles fermes de son torse. L'odeur de son parfum se mêlait à celle des fleurs tropicales et à la chaleur de sa peau, une combinaison qui l'enivrait totalement.

Elle n'avait jamais vraiment compris pourquoi toutes les femmes se jetaient à son cou alors qu'elles savaient très bien qu'elles ne pourraient pas le garder. Certes, il était beau, charmant et riche, mais il ne voulait d'elles que pour une nuit de passion dans son lit.

Une nuit de passion dans son lit ?

Le désir se fit plus brûlant encore. Elle avait beau se répéter que tout était faux, son corps l'ignorait totalement. Il avait décrété que, comme elle était désormais mariée, elle était parfaitement en droit de recevoir un peu de plaisir de l'homme si grand et si séduisant qui l'embrassait.

Les mains toujours appuyées sur ses pectoraux, elle le poussa légèrement pour mettre fin au baiser, puis elle rouvrit les yeux. Ses pupilles sombres étaient brumeuses et dilatées, et ses joues plus colorées qu'à l'ordinaire. Très bien, il n'y avait donc pas qu'elle. Elle se serait sentie un peu bête si elle s'était laissé perturber par ce simple baiser et qu'il n'avait pour sa part rien ressenti du tout.

Après avoir repris son souffle, elle se tourna vers le *kahuna pule*.

— *Ho'omaika'i 'ana*, dit ce dernier avec un grand sourire. Félicitations à vous deux.

— *Mahalo*, répondit Kal pour le remercier.

Tous signèrent le contrat de mariage, le rendant ainsi juridiquement officiel. Puis le *kahuna pule* rassembla ses affaires et partit, les laissant seuls dans le belvédère. Mari et femme.

Pendant quelques minutes, Lana regarda l'océan, attendant que le sentiment d'irréalité s'en aille, tout en sachant qu'il ne s'effacerait pas. Elle pouvait bien se pincer, elle serait toujours mariée.

La voix grave de Kal la tira de sa torpeur.

— Ça s'est bien passé, je trouve.

Elle se tourna vers lui. Il se tenait derrière elle, les mains dans les poches, le sourire malicieux, comme s'il ne s'était rien passé, comme s'ils ne s'étaient pas mariés une minute plus tôt.

— Je crois aussi. On est mariés ; c'est le plus important.

Tout en s'approchant d'elle, il se mit à la dévisager d'un œil curieux.

— Ce baiser était plutôt convaincant.

Plus convaincant qu'elle ne l'avait anticipé, en effet, mais elle n'avait aucune intention de l'admettre devant lui ; les choses étaient déjà suffisamment compliquées entre eux comme cela.

— On est bons acteurs, tu ne trouves pas ?

Le sourire malicieux disparut de ses lèvres viriles. Était-il déçu qu'elle ne lui ait pas avoué qu'il l'avait fait fondre ? C'était son meilleur ami ; elle pouvait lui dire beaucoup de choses ; mais pas ça. Elle lui avait promis que ce ne serait qu'une façade, que ça ne durerait pas. S'il savait qu'il pouvait éveiller en elle un tel désir, il ne la lâcherait pas. D'ailleurs, il n'hésitait jamais à lui rappeler la fois où, deux ans plus tôt, elle lui avait pincé les fesses après avoir un peu trop bu.

— Et maintenant, qu'est-ce qu'on fait ? demanda-t-elle.

La mine désinvolte, il haussa les épaules.

— Eh bien, j'imagine que des gens normaux iraient faire une partie de jambes en l'air pour rendre les choses vraiment officielles.

De nouveau, une douce et agréable sensation de chaleur s'empara de son corps. Mais qu'est-ce qui n'allait pas chez elle ? Cette cérémonie sans véritable signification semblait avoir complètement déchaîné sa libido.

— Mais comme c'est hors de question, reprit-il, je dirais qu'on pourrait aller se changer pour fêter ça avec un bon dîner. Pendant notre absence, je demanderai que tes affaires soient emballées et expédiées chez moi.

— Mais… je peux le faire moi-même…

— Je me doute que oui, mais pourquoi le ferais-tu ? Je paie des gens pour ça. D'autre part, il faut agir rapidement pour que tout soit prêt pour demain. Si le juge envoie les services sociaux à la maison pour vérifier qu'il s'agisse bien d'un environnement sûr pour Akela, mieux vaut qu'il n'y ait pas des cartons et du bazar partout.

Il avait raison, une fois de plus. C'était agaçant.

— Viens. Je vais te raccompagner à l'hôtel pour que tu puisses te changer.

— Tu ne veux pas qu'on aille dîner dans nos tenues de mariés ? demanda-t-elle d'une voix taquine.

Elle tira un peu sur le bas de sa robe pour faire danser le fin tissu autour d'elle. Elle n'avait eu que vingt-quatre heures pour trouver la robe idéale, mais quand elle avait vu celle-ci dans la vitrine d'un magasin spécialisé, elle avait tout de suite compris qu'elle était faite pour elle. Et fort heureusement, elle n'avait eu besoin d'aucune retouche ; elle était parfaitement à sa taille. Elle l'adorait.

Et, à en juger par la façon dont Kal l'avait fixée quand elle était arrivée, il l'avait également beaucoup appréciée — son regard était si intense qu'elle avait presque pu le sentir comme une caresse sur la peau nue de son décolleté.

— Si tu veux, répondit-il en jetant un discret coup d'œil à sa poitrine avant de s'éclaircir la gorge d'un air gêné. Mais je… Euh… Je me disais juste que tu serais plus à l'aise dans une autre tenue.

Soulagée, elle sourit. Enfin, il semblait aussi embarrassé qu'elle. Elle se moquait complètement de garder sa robe ou non, elle avait juste envie de le déstabiliser un peu.

— Tu as raison, je vais me changer. Elle est jolie, mais elle n'est pas très confortable.

Tout en hochant la tête, il lui tendit la main.

— Alors on y va, madame Bishop.

À ces mots, elle s'immobilisa, baissant les yeux pour se remettre de l'émotion qui s'était emparée d'elle. Son regard tomba sur son alliance, ses doigts posés sur son bras musclé. Mme Bishop…

— Tu regrettes ?

— Quoi ? s'exclama-t-elle, surprise.

Il l'attira vers lui pour la scruter d'un air inquiet.

— Tu sembles… troublée. Écoute, je me suis plié à tout ça parce que tu me l'as demandé, mais si tu as changé d'avis, on peut toujours déchirer le contrat et faire comme si rien ne s'était passé.

Elle eut envie de dire oui tant elle avait l'impression d'être au bord d'un gouffre, gouffre dans lequel Kal était le seul à pouvoir l'empêcher de basculer. Mais elle ne pouvait pas faire ça. Ils devaient suivre leur plan. Pour Akela.

— Non, dit-elle aussi fermement qu'elle le put. On a fait ce qu'il fallait. C'est un peu effrayant, mais on n'a pas d'autre choix. Merci de l'avoir fait pour moi.

Tout en souriant, il la prit dans ses bras.

— Pour toi, Lana… je ferais n'importe quoi.

4

Ils longèrent la plage pour aller manger des sushis dans leur restaurant préféré. Quand ils dirent au serveur qu'ils fêtaient leur mariage, celui-ci les félicita, et comme la carte ne proposait pas de dessert, il courut à la pâtisserie voisine pour aller leur chercher un gâteau.

Lana se sentait coupable. Kal avait beau affirmer qu'ils devaient partager la nouvelle avec autant de personnes que possible, cela la gênait. Elle n'avait pas vraiment réfléchi à la partie du plan où ils devraient mentir à tout le monde au sujet de leur relation. Mentir au juge et aux services sociaux ne lui semblait pas aussi grave que mentir à leur serveur préféré, leurs familles, leurs amis.

Quand ils arrivèrent chez lui, elle constata avec un étonnement certain que ses affaires étaient là, pour la plupart rangées. Dans le placard de la chambre de Kal, la moitié de l'espace était désormais occupée par ses vêtements et chaussures, et ses affaires de toilettes avaient été déposées autour de l'un des deux lavabos de la salle de bains. Sur le plan de travail de la cuisine, un carton contenant quelques bibelots et photos enca- drées avait été laissé, sans doute pour qu'elle puisse les disposer dans la maison à son idée. Elle avait pensé qu'elle passerait sa soirée à ranger, mais les employés de Kal lui avaient épargné cette peine.

— Tu veux voir la chambre d'Akela ? lui proposa-t-il, coupant court à ses réflexions.

Elle se tourna vers lui sans chercher à dissimuler sa surprise.

— Comment ça ?

— Elle est terminée. Les meubles qu'on a achetés ont été livrés ce matin, et j'ai demandé au décorateur d'intérieur qui s'est occupé de la maison de tout arranger.

La prenant par la main, il la mena devant la pièce qui abritait jusqu'ici ses équipements de sport.

Sur la poignée de la porte avait été accrochée une petite lune en peluche sur laquelle apparaissait le nom d'Akela, délicatement brodé au fil d'or.

Comme si c'était Noël, il ouvrit le battant avec un grand sourire. Son enthousiasme était communicatif, et Lana ne put s'empêcher de sourire, elle aussi, en jetant un coup d'œil à l'intérieur.

Mais à peine avait-elle franchi le seuil qu'elle s'immobilisa. Tout était… magnifique. La dernière fois qu'elle était entrée dans la pièce, il n'y avait que des appareils de musculation et de cardio-training, et un gigantesque miroir occupait l'un des murs latéraux. Ce miroir avait disparu, et les cloisons étaient désormais d'un bleu très clair qui mettait parfaitement en valeur le gris souris du mobilier. Au-dessus du lit à barreaux, un mobile avec de petites étoiles blanches et bleues dansait dans la brise qui soufflait depuis la fenêtre ouverte.

Il y avait une commode, une armoire et un confortable rocking-chair ; un lustre à pampilles de cristal avait remplacé le précédent éclairage. Lana n'avait pas souvenir qu'il ait acheté tous ces objets, mais peu importait. C'était la chambre d'enfant la plus raffinée et la plus élégante qu'elle ait jamais eu l'occasion de voir, en parfait accord avec le luxueux décor du reste de la maison.

S'étant approché d'elle, il ouvrit le placard, qui contenait la chaise haute, la poussette, le siège auto et le transat.

— Tout est prêt pour demain. Je n'aurais plus qu'à installer le siège dans la voiture de location qu'on va m'apporter ce soir. Et avec un peu de chance, on pourra directement ramener Akela après l'audience.

Elle regarda autour d'elle et sentit l'émotion la submerger. Les quelques jours passés avaient été particulièrement stressants, mais dans toutes ces épreuves, Kal avait toujours été à son côté, allant bien au-delà de la simple signature de contrat qu'elle lui avait demandée. Elle avait beau lutter pour les retenir, des larmes s'étaient mises à couler de ses yeux.

Quand il s'en aperçut, il afficha un air paniqué. Jusqu'à aujourd'hui, il n'avait jamais vu pleurer Lana…

— Qu'est-ce qu'il y a ? Tu n'aimes pas ? Je pensais qu'il valait mieux une couleur neutre puisque, comme je te l'ai dit, je compte faire don de ces objets une fois que tout sera terminé.

Elle secoua la tête avec véhémence.

— C'est magnifique. J'adore.

Sous le coup de l'émotion, elle ne put s'empêcher de se jeter dans ses bras. Il la serra fermement contre lui, sans chercher à se dégager. C'était l'une des choses qu'elle préférait chez lui : elle n'était pas très démonstrative, mais de temps en temps elle avait besoin d'un bon câlin, et quand c'était le cas, il le faisait aussi longtemps qu'elle le jugeait nécessaire. Ce n'était jamais lui qui s'éloignait le premier.

Cette fois-ci, cependant, la situation lui sembla différente. Il la tenait fermement dans ses bras comme il l'avait toujours fait, mais contre sa poitrine elle pouvait entendre que son rythme cardiaque s'était accéléré. Et il avait l'air un peu plus crispé, un peu plus tendu que d'ordinaire. Soudain, des souvenirs de leur baiser se rappelèrent à sa mémoire, séchant ses larmes et faisant s'emballer son cœur. Se pouvait-il que leur mariage ait corrompu leurs traditionnels câlins, qui ne paraissaient déjà plus aussi innocents qu'ils l'avaient jadis été ?

Elle finit par se redresser et, le regardant dans les yeux, elle essaya de parler, mais tout à coup elle se rendit compte que leurs bouches n'étaient qu'à quelques centimètres l'une de l'autre. Ils restèrent quelques instants immobiles, comme si aucun d'entre eux ne savait ce qu'il devait faire. Elle pouvait presque sentir le courant passer entre eux, une vague de sensualité voluptueuse qui semblait l'encourager à l'embrasser. Mais son côté rationnel lui hurlait de reculer avant que cette attirance soudaine n'anéantisse définitivement leur amitié.

Ce fut cette idée qui la tira de sa torpeur. Après avoir pris une profonde inspiration, elle se força à sourire.

— Merci pour tout, Kal. C'est bien plus que je ne l'avais espéré ou que ce à quoi je m'attendais. Tu es génial, vraiment.

Sans répondre, il sourit, un petit sourire presque timide qui illumina les jolies paillettes dorées qui brillaient dans ses yeux noirs. Mais ses mâchoires viriles étaient toujours un peu tendues, comme s'il avait lui aussi du mal à réprimer tous les sentiments qui étaient passés entre eux quelques minutes plus tôt.

— Tu le mérites. Ça, et bien plus encore.

Ce n'était pas vrai, mais elle était ravie qu'il le pense.

— Akela va adorer, affirma-t-elle pour détourner la conversation.

Et, après avoir fait un tour sur elle-même pour admirer une dernière fois les nuances de gris et de bleu, elle quitta la pièce.

— Tu es beaucoup trop efficace, Kal. J'avais prévu de passer ma soirée à monter des meubles ou à ranger mes effets personnels, mais en fin de compte, je n'ai rien à faire.

— Et c'est tant mieux, non ? Je voulais te faciliter la tâche au maximum. Qu'est-ce qui te gêne ?

— Rien, répondit-elle en soupirant.

Elle retourna vers le séjour, s'éloignant de la suite où il dormait. Rien, en dehors du fait que c'était leur nuit de noces et que, même si elle savait qu'il n'était rien censé se passer entre eux, cette idée la rendait nerveuse. À chaque effleurement de sa peau, elle sentait le désir devenir plus fort et plus brûlant.

— C'est juste que ça m'aurait occupé l'esprit.

— Avec un peu de chance, demain, tu auras un bébé pour t'occuper. Mais en attendant, il va falloir que tu t'habitues à notre ennuyeuse vie de couple.

Il lui adressa un grand sourire, et au même instant une délicieuse sensation de chaleur vint se nicher entre ses cuisses. Ils étaient censés signer un papier pour satisfaire le juge, mais depuis le baiser qu'ils avaient échangé, les choses avaient changé entre eux. À chaque fois qu'il la regardait, et bien sûr à chaque fois qu'il la touchait, son corps se transformait en un véritable brasier. Elle aurait voulu que cela cesse, la situation était déjà suffisamment compliquée.

Machinalement, elle consulta son téléphone. 21 heures. Trop tôt pour aller se coucher, mais trop tard pour regarder un programme à la télé. Elle avait vraiment besoin de prendre ses distances vis-à-vis de lui. Mais naturellement, maintenant qu'ils vivaient ensemble, elle ne pouvait pas aller bien loin.

Soudain, elle resongea à l'immense baignoire qu'il avait fait installer dans sa suite.

— Tu sais quoi ? J'irais bien prendre un bain pour me détendre. La journée a été longue.

— Il y a des serviettes propres dans le placard à droite en entrant.

Une fois retranchée dans la salle de bains, elle s'adossa à la porte close, comme si elle pouvait ainsi s'isoler de Kal et de toutes les émotions nouvelles qu'il suscitait en elle. Après une grande inspiration, elle découvrit avec soulagement que l'air ambiant n'était pas imprégné de son parfum.

Il fallait qu'elle se reprenne, songea-t-elle en ouvrant les robinets pour remplir la baignoire. Il avait accepté de l'épouser pour les apparences ; elle ne pouvait tout de même pas le remercier en tentant de le séduire.

Comme il lui était étrange de penser qu'elle était désormais une femme mariée. Si on lui avait dit cela une semaine plus tôt, elle ne l'aurait jamais cru tant cela s'était passé vite. Mais une fois encore, ce n'était pas un vrai mariage, pas plus que ce n'était une véritable nuit de noces. Et pourtant, son amitié avec Kal n'était plus ce qu'elle était ; quelque chose avait changé, une chose qui allait bien au-delà d'un simple document administratif.

Au moment où elle se glissa dans l'eau chaude, elle sentit ses muscles se détendre. Elle appuya sur un bouton, et des jets d'eau furent projetés sur son corps, lui massant la nuque et le dos, l'encourageant à profiter de l'instant présent sans se soucier de ce qui l'attendait derrière la porte.

Au bout d'un certain temps, cependant, le bain commença à refroidir, la peau de ses doigts à se plisser. Elle ne pouvait pas se cacher dans la baignoire éternellement. Il fallait qu'elle l'affronte à nouveau pour déterminer comment ils allaient s'arranger pour la nuit. Si la maison comportait plusieurs spacieuses chambres d'amis, pour les apparences, mieux valait sans doute qu'ils partagent sa suite. Tout le monde, de la nourrice à la femme de ménage, devait penser qu'ils étaient mariés. Mais son lit avait beau être immense, il ne lui semblait pas assez large pour eux deux.

Ce lit, pourtant, il leur était bien souvent arrivé de le partager les soirs où ils avaient bavardé tard ou s'étaient endormis devant la télévision, mais à ce moment-là les choses n'étaient pas aussi étranges.

Ayant quitté à contrecœur la baignoire, elle s'enveloppa dans une épaisse serviette blanche et atermoya autant que possible : elle se brossa longuement les cheveux, prit tout son temps pour se démaquiller et finit par réarranger soigneusement ses affaires de toilette sur le comptoir de marbre.

Enfin, elle ramassa ses vêtements sales et sortit. Adossé à des oreillers, Kal était étendu sur le lit, portant uniquement un pantalon de pyjama, occupé à lire.

Elle essaya de ne pas trop prêter attention aux muscles bien dessinés de son torse et à la beauté sérieuse que lui conféraient ses lunettes de vue. Aussi décida-t-elle de marcher droit vers le dressing pour éviter de croiser son regard. Après avoir mis ses vêtements dans le panier à linge sale, elle chercha l'endroit où l'on avait rangé ses propres pyjamas.

Il fallait qu'elle en trouve un bien couvrant.

Le dressing était grand, mais pas assez pour que Lana s'y perde. Certes, il fallait qu'elle repère l'organisation de ses affaires, mais au bout de dix minutes Kal commença à se demander si elle finirait par en sortir.

Il voyait bien que les choses avaient changé entre eux. Et il pouvait précisément cerner le moment où cela s'était produit : celui où leurs lèvres s'étaient rencontrées. À cet instant, on aurait dit que le désir qu'ils éprouvaient l'un pour l'autre les avait soudain submergés. Malgré l'accord qu'ils avaient passé, il songeait de plus en plus qu'ils risquaient fort de se laisser prendre au jeu. La façon dont elle l'avait embrassé, son attitude à la fois séductrice et embarrassée… Tout semblait indiquer que l'attirance était réciproque.

Ce baiser avait libéré quelque chose qu'ils avaient tous deux cherché à refouler. Ils avaient chacun leurs raisons d'ignorer l'alchimie sexuelle qu'il y avait entre eux, mais à présent, cela leur était presque impossible. C'était exactement ce qu'il avait craint : la boîte de Pandore était ouverte, et désormais il n'avait plus aucun moyen de renfermer le désir en lui.

Et c'était sans doute pour la même raison qu'elle était toujours occupée à fouiller dans le dressing, inspecter chacun des vêtements qu'elle possédait. Ces vêtements ne serviraient à rien, cependant. Il connaissait chaque courbe de son corps. Elles étaient exposées aux yeux de tous trois soirs par semaine au *luau* — et ils allaient régulièrement à la plage ou à la piscine ensemble. Sa meilleure amie, ou sa femme désormais, avait peu de secrets pour lui, que ce soit sur un plan physique ou intellectuel.

Il était sur le point de lui demander si tout allait bien quand la porte, enfin, s'ouvrit sur elle. Elle était moins couverte qu'il ne l'aurait pensé, vêtue d'un short en flanelle et d'un débardeur qui moulait ses courbes, laissant peu de place à l'imagination puisqu'elle ne portait à l'évidence rien en dessous. Comme elle semblait réticente à sortir, il fit mine de se reconcentrer sur son livre.

— Tout va bien ? lui demanda-t-il tout de même.

— Oui.

Elle s'installa dans le lit et remonta le drap sous ses bras. Son iPad était sur la table de chevet. Elle le prit et commença à jouer à un jeu.

— N'hésite pas à ranger les choses à ton idée si tu n'aimes pas la façon dont ils l'ont fait.

— Tout est parfait. J'ai juste eu du mal à décider de ce que j'allais porter pour dormir.

Il posa son livre sur ses genoux et se tourna vers elle.

— Ne change pas tes habitudes pour moi. Je veux que tu te sentes à l'aise ici. Je sais que la situation est étrange, mais c'est ta maison aussi, maintenant, pour tout le temps que cela durera.

Comme s'il avait dit une sottise, elle se mit à le dévisager d'un œil curieux.

— Je te remercie, vraiment, mais je ne pense pas que ma tenue normale soit appropriée.

— Pourquoi ?

— Je dors nue.

Il était pratiquement sûr de n'avoir jamais rougi de sa vie, mais tout à coup il sentit le feu lui monter aux joues. Il aurait dû se douter de ce qu'elle allait lui répondre, puisque lui-même se contentait d'un boxer en été et d'un pantalon de flanelle l'hiver.

— Eh bien, balbutia-t-il, comme je te l'ai dit, fais ce dont tu as envie. On est tous les deux des adultes responsables. Si tu es plus à l'aise comme ça, pas de problème. On fera avec.

Elle le regardait désormais d'un air pensif.

— Alors si je me déshabille, ça ne te dérangera pas ?

Il ravala sa salive avec peine, s'estimant chanceux d'avoir posé son livre sur ses cuisses.

— Absolument pas.

— Et tu ne te sentiras pas mal à l'aise ?

Prenant le temps de réfléchir à la question, il soupira.

— Tu es ma meilleure amie, et maintenant, tu es officiellement ma femme. Je ne pense pas que la vision de ton corps nu puisse représenter pour moi un gros problème. Je ne vais pas perdre le contrôle de moi-même et te violer, ou je ne sais quoi.

Elle le scruta en étrécissant les yeux.

— Bon, si tu le dis, murmura-t-elle en commençant à relever son débardeur.

Le souffle court, il s'immobilisa. Il aurait dû détourner le regard, mais il lui était impossible de bouger. Allait-elle vraiment se déshabiller ? Depuis la cérémonie, elle paraissait plus nerveuse encore que lui… et cette démarche semblait tout de même très audacieuse.

Mais soudain elle se laissa retomber contre les oreillers et éclata de rire.

— Oh ! mon Dieu ! Si tu voyais ta tête…

Les yeux pétillant de malice, elle continuait à rire.

— De la pure panique.

Elle s'était moquée de lui. Ce n'était pas très gentil. Tout en souriant à son tour, il s'empara d'un oreiller pour la frapper au visage. Manifestement surprise par cet assaut, elle s'arrêta de rire.

— Tu es diabolique, lui dit-il.

— Ah oui ? fit-elle en récupérant un coussin pour lui rendre la pareille.

Parfait.

Désormais, c'était la guerre. Ils se battirent pendant quelques minutes jusqu'à ce qu'il réussisse à lui arracher son arme des mains. Là, il décida de lui porter le coup de grâce. Lana était extrêmement chatouilleuse, et il comptait bien utiliser cette faiblesse contre elle.

Tout en se penchant vers elle, il commença à effleurer sa taille du bout de ses doigts.

— Non ! le supplia-t-elle entre rire et larmes. Pas de chatouilles !

Elle essaya de fuir en rampant, mais il l'en empêcha en immobilisant ses deux bras au-dessus de sa tête.

— Gagné ! cria-t-il alors triomphalement.

Elle se débattit encore quelques instants avant d'admettre sa défaite. Après le rire et l'effort, elle avait le souffle court. Baissant les yeux vers sa voluptueuse poitrine, il remarqua qu'elle se gonflait et s'affaissait à un rythme rapide. Les contours de ses tétons se détachaient nettement sous le fin tissu de son débardeur.

Aussitôt, il releva la tête vers son visage, mais constata que la lueur espiègle avait disparu de son regard, remplacée par autre chose. La même chose qu'il avait vue après leur premier baiser : un mélange perplexe d'attirance, de confusion et d'appréhension.

Ce jeu en apparence innocent venait de les faire pénétrer dans un territoire dangereux.

Pour la première fois de sa vie, il n'était pas sûr de ce qu'il devait faire. Si n'importe quelle autre femme l'avait regardé de cette façon dans son lit, il l'aurait embrassée avec passion, l'aurait déshabillée et lui aurait fait l'amour toute la nuit.

Mais c'était Lana, son… épouse. Ce qui rendait les choses à la fois intenses et absurdes.

Il avait envie de l'embrasser à nouveau. Le baiser qu'ils avaient échangé dans l'après-midi avait été à la fois doux et excitant, et il lui avait donné envie de plus. C'était sa nuit de noces. Un baiser de la part de sa femme… ce n'était tout de même pas trop demander, non ?

Mais sans lui laisser le temps de se décider, elle passa ses bras autour de son cou, glissa ses doigts dans ses cheveux. Et quand elle joignit ses lèvres aux siennes, il sentit une véritable décharge de plaisir lui parcourir le corps. C'était elle qui avait pris l'initiative ; il n'avait donc plus de réserves, il pouvait se laisser aller.

Ce baiser ne ressembla en rien à leur premier. Celui-ci était empli de désir, d'attirance taboue, ainsi que d'un sentiment de reddition. Ils ne pouvaient plus lutter. Comme elle continuait de l'embrasser fougueusement, il libéra son bras pour la serrer contre lui. Ses réticences semblaient avoir totalement disparu ; elle paraissait désormais déterminée à assouvir sa sensualité.

Il avait de plus en plus de mal à reprendre son souffle, mais il ne voulait pas s'écarter d'elle. Quand il sentit sa langue glisser sur ses lèvres, comme pour demander à entrer, il ouvrit la bouche dans un grognement de désir qu'il ne put refouler. Enfin, il put étancher sa soif, en suivant le rythme intense qu'elle imprimait.

Il ne se souvenait plus de la dernière fois qu'on l'avait embrassé avec une telle passion. Peut-être était-ce la première ? Il avait toujours soupçonné sa meilleure amie d'être sulfureuse dans ses relations avec les hommes, mais c'était là une chose à laquelle il préférait généralement éviter de penser — généralement. Mais maintenant qu'il sentait ses ongles sur ses épaules nues et ses seins si appétissants se presser contre son torse, il n'arrivait plus à penser qu'à ça.

Tout son corps brûlait de désir pour elle. Ce n'était pas un feu qui couvait, c'était un véritable brasier. Son sexe dur palpitait d'excitation, et ce, pour un simple baiser. À chaque mouvement de sa langue, il perdait un peu plus le contrôle de lui-même.

S'il ne faisait pas machine arrière maintenant, ils allaient consommer le mariage. Or, elle lui avait clairement fait comprendre que ce n'était pas ce qu'elle voulait. Il ne s'agissait pour elle que d'une affaire de papiers. Mais après à peine quelques heures ensemble, ils étaient déjà sur le point de rompre leur accord.

Arrachant à contrecœur sa bouche de la sienne, il parvint à se mettre hors de sa portée. Respirant tous deux avec peine, ils restèrent quelques instants immobiles, comme abasourdis par ce qui venait de se passer.

— Excuse-moi, finit-elle par dire, avant de se cacher le visage derrière ses mains. Je ne sais pas ce qui m'a pris.

— Tu n'as pas à t'excuser. On ne peut pas vraiment dire que j'ai tenté de t'en empêcher.

Le désir était toujours là, bien présent, avide de l'attirer de nouveau vers elle. Il fallait vraiment qu'ils mettent un peu de distance entre eux.

— Je crois qu'au moins pour ce soir je devrais dormir dans la chambre d'amis, affirma-t-il avant de se lever pour ramasser son livre.

— Kal, non. Tu n'es pas obligé de faire ça. Tout est de ma faute. Je n'aurais pas dû…

Elle s'interrompit, secoua la tête.

— C'est moi qui vais dormir dans la chambre d'amis, proposa-t-elle. Je ne vais tout de même pas te chasser de ton propre lit ; ce serait idiot.

Il leva la main devant lui pour l'arrêter.

— C'est ton lit aussi, maintenant. Reste, Lana. J'insiste. Je crois que je vais avoir du mal à dormir, de toute façon. Je risque de lire pendant des heures.

Son visage reflétait des émotions contradictoires. Elle ne voulait pas qu'il s'en aille, mais d'un autre côté, ils savaient tous deux que c'était la meilleure solution. La journée avait été riche en événements, et ce qui venait de se passer était la preuve que tout pouvait exploser à n'importe quel moment. Le lendemain, ils devraient se concentrer sur leur rencontre avec le juge, l'obtention de la garde d'Akela. Cela nécessitait une bonne nuit de sommeil. Il ne pourrait pas en bénéficier, quel que soit l'endroit où il dormirait, mais elle peut-être. À condition, naturellement, qu'ils restent chacun de leur côté.

Après avoir éteint sa lampe de chevet, il sortit.

— Bonne nuit, madame Bishop.

5

Le juge Kona les regardait, Kal et elle. Assise sur le banc, Lana tenait fermement la main de son « mari » dans la sienne pour s'empêcher de trembler. Malgré sa présence réconfortante et stabilisatrice, elle se sentait extrêmement nerveuse. D'autant plus que le magistrat était un homme au physique imposant : grand, intimidant, chauve avec des lunettes à grosses montures et doté de petits yeux noirs pénétrants.

— Me Lyon, votre avocat, a effectué une demande de garde temporaire concernant Akela Hale. Il me semble que le dossier est complet, affirma-t-il en se penchant vers la pile de papiers devant lui. J'aurais cependant quelques questions à vous poser. Il est inscrit ici que vous êtes le propriétaire de l'hôtel Mau Loa. Est-ce vrai, monsieur Bishop ?

— Oui, Votre Honneur.

— Mme Bishop et vous-même vivez dans l'établissement ?

— Pas tout à fait, Votre Honneur. Je viens de faire construire ma maison, qui se trouve à l'autre extrémité du domaine par rapport à l'hôtel. Elle fait environ trois cents mètres carrés, avec une chambre d'enfant meublée et prête à accueillir Akela.

Tout en hochant la tête, le juge regarda à nouveau ses papiers.

— Madame Bishop, vous êtes employée par votre mari en qualité de chorégraphe. Avez-vous l'intention de continuer à travailler ?

Tout en prenant une profonde inspiration, elle pria pour que la réponse qu'elle comptait apporter soit la bonne.

— Oui, Votre Honneur. Mais nous avons déjà commencé à rechercher une nourrice pour qu'Akela puisse être gardée à la maison pendant nos horaires de travail plutôt que dans une crèche.

Le juge nota quelque chose.

— Très bien. Maintenant, j'ai cru comprendre que vous étiez jeunes mariés. L'arrivée d'un bébé tend à perturber fortement ce qu'on appelle la phase de la lune de miel. Avez-vous songé à cela avant de prendre votre décision ?

— Oui, Votre Honneur. Et nous sommes tous deux ravis d'accueillir Akela dans notre foyer.

— Madame Bishop, votre sœur a accepté un accord hier. En échange de son témoignage contre M. Keawe et son distributeur, sa peine sera réduite à deux ans de prison avec sursis et un séjour dans un centre de désintoxication. Si elle réussit à suivre le traitement de vingt-huit jours, elle sera libérée et se verra réattribuer la garde de sa fille. Dans cette hypothèse, vous n'auriez vous-même à vous occuper du bébé que pour un très bref laps de temps.

» Si, en revanche, elle ne parvient pas à abandonner la drogue ou si elle manque aux obligations de sa période de probation, elle devra retourner en prison pour une durée minimale d'un an. Dans cette éventualité, vous et M. Bishop seriez-vous tout de même disposés à garder votre nièce ? »

— Absolument, Votre Honneur, répondit-elle avec conviction.

Kal ne serait peut-être pas ravi par cette idée, mais

elle était pour sa part prête à faire tout ce qu'il faudrait pour Akela.

Le juge passa une nouvelle fois en revue les documents avant d'apposer sa signature au dos de l'un d'entre eux.

— Monsieur et madame Bishop, je vous accorde donc la garde temporaire de votre nièce, Akela Hale. Les services sociaux feront plusieurs visites impromptues à votre domicile pour s'assurer du bien-être et de la sécurité de l'enfant. Vous pouvez vous rendre dans la salle adjacente pour accomplir les dernières formalités administratives.

Quand le bruit du marteau percutant le bureau de bois résonna dans la salle d'audience, elle eut l'impression de pouvoir respirer normalement pour la première fois depuis des jours. Submergée par le soulagement, elle passa ses bras autour du cou de Kal.

— Merci.

— De rien. Je savais que ça marcherait. Allez, viens. On va la chercher.

Elle pensait qu'ils devraient aller récupérer Akela dans la famille d'accueil où elle avait été placée, mais en sortant dans le couloir elle eut la surprise d'y trouver une femme âgée aux cheveux noirs qui tenait sa nièce sur ses genoux.

— Akela ! s'exclama-t-elle en courant à sa rencontre.

La petite se tourna vers elle en ouvrant de grands yeux curieux. Au même moment, la dame se leva en souriant.

— Vous devez être sa tante.

— Oui.

Elle brûlait d'envie de serrer le bébé contre elle, mais elle ne voulait pas l'arracher des bras de cette femme, qui, à en juger par l'aspect d'Akela, s'était bien occupée d'elle. La petite portait une impeccable robe bleu et blanc, ses boucles noires étaient peignées et retenues par un bandeau blanc décoré d'un nœud. Quand elle vit Lana, elle sourit.

— Je m'appelle Jenny, dit la vieille dame. C'est moi qui ai veillé sur ce rayon de soleil au cours des quelques jours passés. Elle a beaucoup de chance d'avoir une famille disposée à l'aider à surmonter cette épreuve.

Dexter et Kal avaient fini par la rejoindre.

— Tout s'est déroulé comme prévu, lui dit l'avocat. Vous n'avez plus qu'à signer quelques papiers dans le bureau du clerc et vous pourrez ramener Akela chez vous.

La nommée Jenny lui remit le bébé.

— Votre avocat vous donnera mes coordonnées, au cas où vous auriez besoin de me contacter. Akela, je ne l'ai eue que pour quelques jours, mais vous savez, j'ai eu l'occasion de garder des dizaines d'enfants au cours de ma vie. Si vous avez des questions sur le sujet, n'hésitez pas à m'appeler. Elle fait sa sieste à environ 2 heures de l'après-midi. Et ses dents commencent à pousser, alors elle est un peu grognon de temps en temps.

Lana serra sa petite nièce dans ses bras. Au cours des quelques jours passés, elle n'avait cessé de se demander qui avait la garde d'Akela, mais face à la gentillesse et à la douceur de cette femme, elle se sentait totalement rassurée.

— Je pourrais en effet avoir besoin de conseils, je vous remercie. J'avoue que je n'y connais pas grand-chose en matière de bébés, mais c'est comme ça que la plupart des mamans commencent, non ?

Tout en lui tapotant affectueusement le bras, Jenny lui adressa un sourire radieux.

— Tout à fait. Mais je suis certaine que vous vous débrouillerez très bien, répondit-elle en lui plaçant un sac à langer sur l'épaule. Tout ce qu'elle avait avec elle quand les services sociaux me l'ont apportée se trouve dans ce sac. Il y a un biberon de prêt dans la poche latérale au cas où elle aurait faim lors de votre trajet retour.

— Merci beaucoup, madame Paynter, dit l'avocat avant d'ouvrir la porte du bureau du clerc pour faire entrer Lana, Kal et Akela.

Il y eut alors beaucoup de papiers à signer, mais Lana ne parvenait pas à se concentrer sur ce qui se passait. Le bébé qu'elle tenait dans ses bras captivait toute son attention. Les choses n'avaient vraiment pas été simples pour en arriver là, mais Akela en valait la peine.

— Comment tu vas, ma chérie ? demanda-t-elle d'une voix douce.

Tout en lui souriant, Akela prit une de ses boucles noires dans sa petite main potelée. Et elle tira.

— Aïe, fit Lana en libérant la mèche.

Leçon numéro un : attacher ses cheveux si elle ne voulait pas se retrouver chauve.

Ivre de bonheur, elle couvrit sa nièce de baisers, jusqu'à ce que celle-ci se mette à rire, attirant l'attention des trois hommes, qui se tournèrent ensemble vers elles.

— Bon, fit Kal. J'imagine que cela signifie qu'il est temps de partir. Qu'en pensez-vous, mademoiselle Akela ?

Une fois dans le parking, Kal ouvrit les portières du SUV qu'on lui avait livré la veille au soir et dans lequel ils avaient installé le siège auto.

— Tiens, lui dit Lana en lui tendant Akela.

Faisant rapidement passer son regard de la petite à la voiture, il prit un air paniqué.

— Bien, finit-il par dire. Le bébé, là-dedans. On attache ce truc-ci, on lui lève les bras, on attache ce truc-là, et c'est fait.

Elle l'observa pour s'assurer qu'il ne se trompe pas, et il lui sembla qu'il se débrouillait bien. De toute façon, elle ne savait elle-même pas comment faire. Elle était la cadette de sa sœur, et si Kal était l'aîné de sa famille, ce n'était que de deux ans, il n'avait donc pas dû s'occuper beaucoup de Mano quand il était petit.

Quand ils se furent à leur tour installés, il mit le moteur en marche.

— On a réussi, affirma-t-il. En quelques jours à peine, on s'est mariés, on a emménagé ensemble et on a obtenu la garde d'un bébé.

Tout en soupirant, il se passa la main dans les cheveux.

— Et maintenant, qu'est-ce qu'on fait ? demanda-t-il.

C'était une bonne question. Pour être honnête, elle aurait dû avouer que, dans son esprit, elle n'était jamais allée jusque-là. Tout ce qu'elle savait, c'était qu'elle voulait que sa nièce soit avec elle. Maintenant qu'elle avait réussi…

— J'imagine qu'on va juste commencer à vivre comme n'importe quelle autre famille d'Amérique.

Tout en secouant la tête, il bifurqua vers la droite pour quitter le parking.

— J'espère que tu sais ce que ça signifie, parce que moi pas. Faut-il qu'on s'arrête au supermarché ? Que mange un bébé de six mois ? J'ai acheté des petits pots au magasin spécialisé. Tu crois qu'elle peut déjà en manger ?

— Je n'en ai aucune idée, répondit-elle en se mordant la lèvre.

Elle ramassa le sac à langer et commença à passer en revue son contenu. Elle découvrit une boîte métallique sur laquelle il était écrit « Céréales », mais qui ne ressemblait à aucune des céréales qu'elle avait vues jusqu'ici. Il y avait également un pot de compote et un de purée de légumes.

— Il y a suffisamment à manger là-dedans pour aujourd'hui et demain. Ça nous laissera le temps de voir ce qu'elle aime.

Le souci de l'obtention de la garde écarté, elle se

trouvait complètement paralysée par la crainte de ne pas savoir ce qu'il fallait faire.

— Tu n'as pas acheté de livre sur les bébés au magasin ? demanda-t-elle à Kal.

— Non, répondit-il avec un petit sourire en coin. Je croyais qu'ils étaient livrés avec le manuel d'instructions.

— Malheureusement pas. Heureusement qu'on a Internet.

— Je n'y connais rien en bébé, mais je suis sûr d'une chose, affirma-t-il en riant. Il faut qu'on trouve une nourrice aussi vite que possible.

La première journée se passa bien mieux que Kal l'avait imaginé. Entre les biberons et les lectures frénétiques sur Internet, Lana s'affairait autour d'Akela. Pour sa part, il dut malheureusement les quitter pour travailler quelques heures à l'hôtel, mais quand il revint, la maison n'avait pas brûlé, le bébé était en vie, et Lana ne buvait pas d'alcool blanc à la bouteille. De son point de vue, c'était donc une réussite.

Il joua une demi-heure avec la petite pendant que Lana se reposait sur le canapé, puis il lui fit prendre un bain dans la baignoire en plastique qu'il avait achetée. Akela, qui parut ravie, s'amusa beaucoup avec l'eau.

Après l'avoir savonnée et rincée, il l'enveloppa dans une serviette, lui mit une couche propre et l'habilla d'un adorable pyjama imprimé de moutons. Et quand elle eut terminé son biberon, il l'installa dans son transat pour appeler le service d'étage afin de commander un dîner pour Lana et lui.

Quand Akela finit par s'endormir ce soir-là, Lana resta à son côté. Ce fut à ce moment-là que Kal décida d'appeler son frère, ayant reporté ce coup de téléphone trop longtemps. Certains de ses employés travaillaient également avec l'hôtel d'Oahu, et si Mano apprenait de leur bouche que Kal était marié et avait une petite fille, cela risquait de mal se passer.

Il préférait pour le moment ne pas trop ébruiter la nouvelle : ils avaient obtenu la garde, mais si tout allait bien, dans un mois, Akela retrouverait sa mère, et Lana et lui pourraient divorcer en toute discrétion. Si les choses s'éternisaient, cependant, il serait obligé d'informer le reste de sa famille. Mais il fallait qu'il commence par son frère.

Une fois installé dans son cabinet de travail, il composa le numéro avant de poser ses pieds sur le coin de son bureau. De là, la vue qu'offrait la fenêtre était parfaite. Le soleil s'était couché depuis longtemps sur le terrain de golf, mais il pouvait distinguer les lumières de l'hôtel au loin, ainsi que les feux de navigation d'un bateau, qui glissait lentement sur le vaste océan.

— Allô ! fit son frère d'une voix ensommeillée.

— *Aloha*, Mano. Je te réveille ? Il est à peine 21 heures.

Son cadet se mit à rire.

— Pour tout te dire, je crois que Paige et moi nous sommes endormis en regardant un film à la télé.

— En regardant un film ?

Mano était aveugle depuis plus de dix ans.

— Enfin, elle le regardait. Moi, j'écoutais. Mais apparemment, c'était tout aussi barbant avec les images, et on a tous les deux piqué du nez. Mais que me vaut cet honneur ? Je n'ai pas eu la moindre nouvelle de toi depuis l'anniversaire de *tūtū* Ani.

— Tu es en train de te transformer en personne âgée, Mano. Tu t'endors devant la télé, tu te plains que je n'appelle pas assez…

— J'imagine que ce sont les conséquences de la vie de couple. Paige et moi avons passé le week-end à chercher une maison. Et la semaine prochaine, à l'échographie, on saura si c'est un garçon ou une fille. Avec toutes ces préoccupations familiales, on finit par changer, tu sais ?

Il le savait, oui.

— Comment va Paige ?

La fiancée de son frère en était à son quatrième mois de grossesse et venait de quitter San Diego pour s'installer avec lui. Kal avait promis de se rendre à Oahu pour la rencontrer ; il ne l'avait toujours pas fait, et il regrettait profondément. Il avait jusqu'ici été trop occupé par son travail, et maintenant qu'il avait une femme et un bébé, il imaginait qu'il lui serait encore plus difficile de trouver du temps.

Une femme et un bébé ? Comment une pensée aussi étrange avait-elle pu lui traverser l'esprit si facilement ? Et surtout, comment se faisait-il qu'elle ne le dérange pas plus que cela ? Naturellement, il s'agissait d'un mariage blanc et de l'enfant d'un autre, mais tout de même. L'idée lui paraissait bien plus facile à accepter qu'il ne l'aurait cru.

— Elle va bien. Un peu fatiguée par le déménagement et tous ces changements. Elle a les chevilles qui enflent le soir, alors je lui fais des massages et je lui commande des milk-shakes au service d'étage.

— Qu'est-ce que tu feras quand tu auras une maison qui ne disposera pas de room-service ?

— Je me ferai livrer, répondit Mano sans hésiter. Mais je crois qu'on a fini par trouver la villa de ses rêves. On va faire une proposition demain. Elle a une vue magnifique.

— Comment le sais-tu ?

Les deux frères avaient toujours traité le handicap de Mano avec légèreté, voire un peu d'humour noir.

— C'est ce que dit l'agence, donc, ça doit être vrai. D'autre part, Paige a poussé de petits cris aigus quand on est sortis sur la terrasse. Alors, ça doit être beau. Comme l'indique aussi le prix, d'ailleurs.

— J'ai hâte de voir ça.

— Tu seras toujours le bienvenu chez moi.

Mano sembla hésiter quelques secondes, avant de reprendre :

— Tu n'as pas l'habitude de m'appeler sans raison, alors j'imagine qu'il y en a une…

Mano disait vrai. Ils ne s'appelaient jamais pour discuter des menus détails de leur vie quotidienne.

— J'ai une grande et bonne nouvelle à t'annoncer.

— Si n'importe qui d'autre m'avait dit ça, j'aurais pensé à des fiançailles ou à un bébé. Mais te connaissant comme je te connais, je sais que ça ne peut pas être ça.

Kal se mordit la lèvre. Mano allait vraiment tomber des nues. Cela lui ressemblait en effet tellement peu. Jamais il n'avait dû prononcer devant son frère le nom de l'une des femmes avec qui il était sorti, et encore moins évoqué un avenir commun avec l'une d'elles. Mano savait parfaitement ce qu'il pensait de l'engagement.

— Alors, tu me l'annonces, cette nouvelle ? insista son cadet, coupant court à ses réflexions.

— Très bien. Mais je veux que tu me promettes de le garder pour toi. Je ne tiens pas à ce que toute la famille se prenne la tête avec ça.

— Hum, marmonna Mano. D'accord. Je te promets de n'en parler à personne, à l'exception de Paige.

— J'ai dit « personne ».

Mano soupira.

— Nous sommes un couple, Kal. Me dire quelque chose, c'est le lui dire par défaut. Si Paige ne peut pas le savoir, ne me dis rien, parce que je serai incapable de lui cacher quoi que ce soit. Mais je peux te jurer qu'elle gardera le secret si je le lui demande, alors à toi de voir…

— Je me suis marié, lâcha enfin Kal, aussi vite qu'il le put. Et nous avons une petite fille de six mois que nous allons garder pendant un moment.

Il y eut un long silence à l'autre bout de la ligne, où Mano devait tenter de digérer ses paroles.

— Il faut toujours que tu aies une longueur d'avance sur moi, finit-il par dire. Je me fiance, tu te maries. On attend un bébé, tu en as déjà un.

— Je ne plaisante pas, Mano. Lana et moi nous sommes mariés hier, et nous avons obtenu la garde de sa nièce aujourd'hui.

— Lana ? répéta Mano, l'air sidéré.

Il l'avait rencontrée une fois lors de l'inauguration de l'hôtel et savait qu'ils étaient très amis, mais mariés ? Lui-même n'arrivait pas à le croire.

— Tu m'avais dit qu'elle était super et très jolie, mais je pensais que vous étiez juste amis.

Lui aussi. Et puis ils s'étaient mariés. Et puis ils s'étaient embrassés, et il avait commencé à remettre en question tout ce qu'il croyait savoir sur leur relation.

— Elle est super, très jolie et c'est une merveilleuse amie. Mais c'est une longue histoire.

— Tu avais par ailleurs juré de ne jamais te marier.

Kal serra les dents. C'était vrai. Et il n'avait pas changé d'avis sur le mariage et la famille, mais il ne pouvait pas expliquer tout cela à Mano.

— Nous avons fini par nous rendre compte que notre amitié ne nous suffisait pas. Lana a changé ma façon de voir les choses, et nous avons décidé de faire le grand plongeon.

Bien sûr, il aurait préféré dire à son frère la vérité, mais il ne pouvait pas prendre le risque que quelqu'un découvre que son mariage était une mascarade. S'ils perdaient la garde d'Akela pour avoir menti au juge, il ne se le pardonnerait jamais, et Lana non plus. Pour que le plan fonctionne, il fallait que personne n'ait le moindre soupçon sur la nature de leur relation.

— Et ce bébé, d'où sort-il ?

— C'est sa nièce. Nous étions déjà fiancés quand nous avons appris que sa sœur avait été condamnée à suivre une cure de désintoxication. Alors nous avons décidé d'accélérer les choses et de nous marier rapidement pour obtenir la garde.

— Eh bien ! Un mariage, un bébé, une belle-sœur en désintoxication… La vie est pleine de rebondissements à Maui.

Kal se mit à rire.

— Je ne te le fais pas dire. Ça fait pas mal d'informations à intégrer, j'imagine, mais je préférais que tu les apprennes de ma bouche plutôt que de celle de l'un des employés.

— Merci. C'est vrai que les rumeurs courent vite. Je devrais te féliciter, mais je ne suis pas sûr de pouvoir le faire, tempéra Mano. Moi qui suis récemment tombé amoureux, je n'ai pas perçu dans ta voix le mélange d'enthousiasme et de crainte que l'on associe généralement à l'idée de mariage. Tu es certain d'être satisfait de ces développements soudains ? Et puis… tu m'as demandé de n'en parler à personne, ce qui me paraît curieux pour un événement si heureux. Dis-moi, on ne t'aurait tout de même pas fait chanter ?

Pas exactement. On lui avait, en revanche, un peu forcé la main. Mais Lana n'avait pas beaucoup eu à insister pour le faire céder.

— J'ai épousé Lana de mon plein gré. C'est juste que je ne voudrais pas que la famille se mette à nous tourner autour tout de suite.

— Tant mieux. Je ne pensais pas que tu te marierais un jour, mais je suis content que tu l'aies fait parce que tu en avais envie. Ceci étant, je dois tout de même te dire que je suis un peu déçu d'avoir manqué ce grand événement. Paige et moi ne sommes qu'à une heure d'avion, tu sais ? À moins que tu aies peur qu'on vienne vous tourner autour...

Kal décida d'ignorer le léger ton de reproche qu'avait emprunté son frère. Ils avaient tellement l'habitude de se taquiner qu'il n'aurait su dire s'il cherchait simplement à l'asticoter ou s'il regrettait sincèrement d'avoir raté le mariage.

— Bien sûr que non. Nous n'étions que tous les deux. C'était une cérémonie très intime, tu n'as rien manqué. Je suis sûr que ton grand mariage éclipsera de loin le nôtre.

Mano poussa une sorte de grognement.

— Ça, je n'en doute pas. Paige est tout le temps avec *tūtū* Ani, à discuter des préparatifs. On voudrait que ce soit fait avant la naissance du bébé, mais j'ai l'impression qu'elles font enfler la fête et le budget chaque fois qu'elles se rencontrent.

— Une idée de date ?

— La Saint-Valentin, normalement. Sûrement dans la nouvelle maison. Le jardin est assez grand.

Il fallait qu'il le note sur son agenda. C'était une période prospère pour le tourisme à Hawaï, les vacanciers étant désespérés de trouver une destination romantique qui ne soit pas couverte de neige et de glace. Mais comment l'expliquerait-il à son frère s'il venait sans femme ni bébé ? Et aux autres ? La durée de son mariage n'était pas délimitée, ce qui l'empêchait de prévoir l'avenir. Ce n'était pas pour toujours ; ce n'était pas pour de vrai... Mais combien de temps allaient-ils devoir faire comme si ? Il n'en avait aucune idée.

— Je vais te laisser, finit-il par dire à Mano.

Il préférait que son frère ne lui demande pas trop de détails.

— Profite bien de ta phase de lune de miel.

— Compte sur moi, répondit Kal avec le plus d'enthousiasme possible dans la voix. *Aloha*, conclut-il avant de raccrocher.

Bien. C'était fait. Mais il allait désormais devoir affronter une autre situation difficile : se remettre au lit avec sa femme.

6

Quand Kal vint se coucher ce soir-là, peu après
23 heures, Lana le remarqua, mais elle était trop fatiguée pour s'en soucier. Le bébé l'avait complètement
épuisée. Roulant sur le côté pour lui laisser autant de
place que possible, elle se rendormit aussitôt.

À son réveil, elle était seule dans le lit, et le soleil
filtrait à travers les volets. Elle regarda le réveil. 8 h 10.
Elle n'aurait jamais pensé qu'Akela la laisserait dormir
aussi longtemps.

Instinctivement, elle récupéra le babyphone pour
s'assurer qu'il fonctionnait bien, mais s'aperçut avec
effroi qu'il était éteint. Prise de panique, elle se précipita
dans le couloir pour gagner la chambre de la petite.
La porte était ouverte ; Akela n'était pas dans son lit.

Terrorisée, elle resta quelques secondes immobile,
pétrifiée. Ce fut alors qu'elle entendit le son distant d'un
rire enfantin. Tendant l'oreille, elle se dirigea vers la
cuisine, où elle finit par trouver Akela dans les bras de
Kal — encore une fois torse nu et en bas de pyjama.
Le bébé bien calé contre lui, il préparait un biberon de
sa main libre.

— Bonjour, dit-elle en se frottant les yeux.

— Bonjour, répondit-il avant de brandir le biberon
devant elle. Il s'avère que les céréales pour bébé ne sont
pas vraiment des céréales : passé un certain âge, on

peut les leur donner à la petite cuillère, mais comme on n'est pas sûrs qu'elle mange déjà beaucoup d'aliments solides, il vaut mieux les ajouter au lait pour le rendre un peu plus consistant.

Croisant ses bras sur sa poitrine, elle le regarda d'un œil suspicieux.

— Qui t'a raconté tout ça ?

— Ma grand-mère.

Lana en resta bouche bée.

— Tu as parlé d'Akela à ta grand-mère ? Tu lui as dit qu'on était mariés ?

— Non.

Après avoir fermé le biberon, il le tendit à Akela.

— Je lui ai dit que je t'aidais à faire du baby-sitting pour ta sœur. Elle m'a expliqué que, s'il y avait des céréales dans le sac qu'on nous avait donné, ça prouvait qu'elle en avait déjà pris, mais que, comme on ne savait pas exactement dans quelles quantités, il valait mieux commencer par faire léger.

Lana eut l'impression de plonger dans une autre dimension. Était-elle réveillée ou était-ce une sorte de rêve étrange ? Ça n'avait pas l'air d'un rêve… mais c'était vraiment très étrange. L'ambiance était désormais si familiale, si différente de la vie qu'elle avait l'habitude de mener. Elle était mariée, habitait dans une immense villa avec Kal, et ils s'occupaient d'un bébé. C'était à la fois tout ce qu'elle avait toujours voulu et rien de ce qu'elle voulait. Complètement déstabilisée, elle resta quelques instants à le regarder donner le biberon à Akela.

Après leur première nuit ensemble, il n'y avait pas eu de moment tel que celui-ci. Le lendemain, ils s'étaient dépêchés de se préparer et étaient directement partis au tribunal. Mais aujourd'hui, l'ambiance était celle d'un foyer heureux et chaleureux, chose qu'elle n'avait elle-même jamais connue. C'était évidemment bien mieux que de vivre seule dans une chambre d'hôtel. Mais il ne fallait pas qu'elle s'y habitue, tout cela n'était que temporaire. À la seconde même où elle commencerait à apprécier l'idée d'être mariée à Kal et d'avoir cette petite famille, tout s'effondrerait autour d'elle. Elle ne devait pas se laisser prendre au piège qu'elle avait elle-même élaboré pour convaincre le juge.

Sa belle voix grave la ramena doucement à la réalité.

— Tu veux du café ? Je viens d'en faire.

— Oui. Merci.

Machinalement, elle s'en servit une tasse, mais sans y ajouter de lait, comme elle le faisait d'habitude. Elle allait avoir besoin d'une bonne dose de caféine pour affronter cette nouvelle journée. Comment les mamans faisaient-elles ? Des générations et des générations de femmes s'en étaient sorties avant elle ; il n'y avait pas de raison pour qu'elle n'y parvienne pas. Mais son métier risquait de lui compliquer la tâche.

Adossé à la desserte, Kal regardait d'un air satisfait le bébé, qui engloutissait son biberon.

— J'ai appelé l'agence de recrutement pour qu'ils nous trouvent une nourrice.

Parfait. On aurait dit qu'il avait lu dans ses pensées.

— Quand pourront-ils nous envoyer quelqu'un ?

Aussitôt, elle se reprocha l'empressement audible dans sa voix, mais elle avait déjà manqué beaucoup d'heures de travail.

— Ils font venir deux candidates demain.

— Demain ? Ça veut dire que celle qu'on retiendra ne commencera sans doute pas avant deux jours, au plus tôt. J'ai un *luau* ce soir et des répétitions après-demain. C'est important : on doit encore peaufiner le spectacle de Noël. Pourrais-tu garder Akela quelques heures pour moi ?

— Oui, mais je pourrais aussi demander à quelqu'un

de le faire. Ceci étant, il vaudrait peut-être mieux que tu restes avec elle pour l'aider à s'adapter à la situation.

— J'ai déjà raté le spectacle de mardi. Je ne peux pas en manquer un deuxième.

— Je connais bien ton patron, objecta-t-il avec un sourire espiègle. Je suis certain qu'il ne te virera pas pour ça.

— Très drôle.

— Bon. Alors, je vais trouver quelqu'un pour la garder ce soir, d'accord ? Je suis sûr qu'il y a parmi mes employés une femme qui préférerait donner des biberons plutôt que nettoyer des chambres ou faire la plonge.

Ces paroles la rassurèrent, mais pas complètement : c'était elle qui avait insisté pour avoir la garde de sa nièce, c'était donc à elle de s'en occuper. Lui, de son côté, avait accepté de l'épouser, pas de garder sa nièce — et il en avait déjà suffisamment fait pour elle comme ça.

— Merci, dit-elle en tendant les bras vers le bébé. Donne-la-moi. Il faut que tu ailles te préparer.

Tout en hochant la tête, il lui donna la petite.

— Je t'enverrai un message quand j'aurai trouvé quelqu'un pour ce soir. À quelle heure dois-tu partir ?

— 18 h 30 au plus tard.

Il commençait à se diriger vers sa suite quand la sonnette retentit. Kal fronça les sourcils et se retourna vers elle.

— Tu attends quelqu'un ?

Elle secoua la tête.

— D'ailleurs, personne ne sait que j'habite ici.

L'air perplexe, il regarda par le judas avant d'ouvrir.

— Bonjour. En quoi puis-je vous aider ?

Sur le pas de la porte, elle pouvait désormais voir une petite femme menue vêtue d'un tailleur noir strict.

— Bonjour. Je suis Darlene Andrews, des services

sociaux de Honolulu. Je suis venue pour inspecter l'environnement familial d'Akela.

Ils n'avaient pas perdu de temps. Tandis que Lana se faisait cette réflexion, il avait invité la dame à entrer.

— Bonjour, madame Andrews. Excusez-moi, je m'apprêtais à aller me laver.

— Je vous en prie, allez-y, répondit-elle en se tournant vers Lana. Je parlerai à Mme Bishop pendant que vous vous préparerez.

Durant une seconde, il regarda Lana comme s'il rechignait à la laisser seule avec cette femme, mais elle haussa les épaules pour lui montrer qu'elle pouvait se débrouiller. De toute façon, plus ils sembleraient angoissés, plus ils paraîtraient suspects.

— Vas-y, mon chéri. Je ne voudrais pas que tu sois en retard au travail.

Il quitta la pièce d'un air réticent. Elle adressa alors un sourire à Mme Andrews.

— Je vous sers un café ? Kal vient d'en faire.

— Volontiers. Merci.

Elles repartirent donc vers la cuisine, où Lana remplit deux tasses.

— Voulez-vous que je vous montre quelque chose en particulier ? demanda-t-elle.

— Comme il s'agit de ma première visite, j'aimerais faire un rapide tour de la maison, notamment pour voir la chambre d'Akela, afin de m'assurer que vous disposiez bien de tous les équipements nécessaires pour accueillir un bébé. Après quoi je n'aurai que quelques questions à vous poser avant de vous libérer.

— D'accord, suivez-moi.

Elle la conduisit vers la chambre, dont elle ouvrit la porte avec fierté. Mme Andrews allait être impressionnée, elle en était certaine. C'était la plus jolie chambre d'enfant de toute l'histoire des chambres d'enfants.

Mme Andrews, cependant, resta totalement impassible. Après avoir brièvement inspecté le lit, la poussette et le transat, elle prit quelques notes sur son carnet, le tout sans faire le moindre commentaire.

— Très bien. Et où se trouve votre chambre ? finit-elle par demander.

— À l'autre bout du couloir, répondit Lana en indiquant la direction.

Avant de faire entrer la visiteuse à l'intérieur, elle vérifia la porte de la salle de bains. Elle était bien fermée, et de l'autre côté on pouvait entendre l'eau de la douche couler.

— Veuillez nous excuser pour le désordre. Nous venons juste de nous lever.

Mme Andrews sembla prêter une attention particulière au lit défait dans lequel ils avaient à l'évidence dormi ensemble la nuit précédente. Lana n'avait pas imaginé que quelqu'un viendrait vérifier, mais elle était contente que Kal n'ait pas décidé de se replier dans la chambre d'amis.

Une fois de retour dans le séjour, elles prirent place sur des canapés, de chaque côté d'une table basse.

— Comment vous et M. Bishop vous adaptez-vous à cette situation nouvelle ?

— La journée d'hier a été riche en apprentissages, pour lui comme pour moi, mais je trouve que, jusqu'ici, nous ne nous en sortons pas trop mal. Kal est issu d'une famille nombreuse qui vit à Oahu. On a passé beaucoup de temps au téléphone avec eux pour avoir des réponses à nos questions.

Tout en hochant la tête, Mme Andrews nota quelque chose dans son calepin.

— D'après mon dossier, vous avez dit au juge que vous envisagiez d'engager une nourrice pour garder Akela pendant vos horaires de travail.

— Oui. Nous devons en rencontrer deux demain. J'espère que nous trouverons la bonne personne pour veiller sur elle.

— Pensez-vous embaucher quelqu'un à plein temps ou à mi-temps ?

Lana n'avait pas du tout réfléchi à la question.

— À plein temps, et sans doute à demeure, si la personne habite loin. Cela dépendra. Nous disposons de toute façon de plusieurs suites qui nous permettront de la loger.

Mme Andrews se remit à griffonner son carnet pendant ce qui sembla à Lana une éternité. Elle espérait qu'elle avait dit et fait tout ce qu'il fallait, mais elle n'en était pas sûre. Pour oublier ses inquiétudes, elle embrassa les cheveux d'Akela, inhalant son doux parfum de bébé.

Mme Andrews finit par relever la tête en souriant.

— Je pense avoir tout ce qu'il me faut. Akela semble parfaitement heureuse et vous lui avez tous les deux créé un environnement très approprié. Si je n'avais pas son dossier sous les yeux, je jurerais que ce bébé est le vôtre.

Après avoir rangé ses papiers dans sa sacoche en cuir, elle se leva et tendit la main à Lana.

— Merci de m'avoir reçue.

Serrant Akela dans ses bras, Lana la raccompagna à la porte.

— Je reviendrai vous voir, reprit la dame avec un sourire poli et distant.

Lana fit de son mieux pour lui rendre son sourire — elle ne doutait pas une seule seconde qu'il y aurait d'autres visites.

Ce soir-là fut le premier où Kal put regarder sa femme danser dans le *luau*. Moins d'une semaine plus tôt, il

avait fait la même chose, exactement au même endroit…
mais tout était alors différent.

Auparavant, quand Lana dansait sensuellement sur
la scène, il s'efforçait de ne pas trop regarder. Elle était
sa meilleure amie et son employée ; il ne pouvait donc
pas admirer la courbe parfaite de ses fesses rondes et
musclées, son ventre plat qui ondulait au rythme de
ses hanches. Mais désormais il pouvait — enfin, plus
ou moins.

À chaque battement de tambour, une sensation de
chaleur liquide se déversait dans ses veines. À chaque
fois qu'il apercevait le haut de ses cuisses entre les feuilles
de roseaux qui composaient sa jupe, il avait envie de
passer ses mains sur sa peau douce, de remonter un peu,
de presser ses lèvres sur son ventre exposé à la foule.

Le simple fait d'y songer le submergeait d'avidité
et, pour la première fois de sa vie d'adulte, il se sentait
comme un adolescent surexcité, brûlant littéralement
d'envie de toucher son corps. Il avait réussi à se maîtriser
au cours des deux dernières nuits, mais il ne s'imaginait pas dormir à nouveau à son côté en résistant à la
tentation de la caresser.

Akela l'avait distrait de son désir pour Lana, mais
maintenant que la situation était stabilisée, il n'arrivait
pas à se libérer de ces voluptueuses pensées. Son corps
splendide moulé dans cette robe de mariée au décolleté
plongeant, le baiser brûlant qu'ils avaient échangé au
lit… Ces souvenirs venaient le tourmenter dès qu'il
avait un instant de libre. Et à la regarder danser, il se
sentait sur le point de perdre le peu de contrôle qu'il
lui restait sur lui-même.

Cela avait toujours été sa plus grande crainte la
concernant, ce qu'il avait si durement cherché à
combattre. Elle était tout ce qu'il avait toujours voulu,
mais aussi tout ce qu'il ne pouvait avoir. Le mariage

n'avait jamais figuré dans la liste de ses projets, mais ce mariage temporaire ne lui paraissait pas si horrible que cela. Il s'y était engagé sans fausses promesses, en sachant que ce ne serait pas éternel, ce qui rendait l'idée beaucoup plus tolérable à ses yeux. Le plus difficile, pour l'heure, était de ne pas pouvoir profiter des bénéfices. Ils s'étaient mis d'accord là-dessus, mais il regrettait désormais cette décision. Si elle était sa femme sur le papier, il voulait également qu'elle le soit dans son lit.

Quand son dernier numéro fut terminé, elle vint le retrouver dans le jardin. Elle s'était changée dans les coulisses et portait à présent une robe bustier courte à imprimé jungle, dont la coupe moulante accentuait ses courbes parfaites et dévoilait ses jambes longues et fuselées.

— On y va ? finit-il par dire d'une voix tendue. La baby-sitter doit attendre…

Elle acquiesça.

— Une fois qu'on aura trouvé une nourrice, je serai plus à l'aise pour rester jusqu'à la fin et prendre des notes. J'ai demandé à Pam de le faire à ma place pour les répétitions de demain.

Il y avait beaucoup de monde autour d'eux. Ravi d'avoir une excuse pour la toucher, il lui saisit la main.

— Viens, on rentre.

Ils retournèrent ensemble à la Jaguar et, quand ils furent à la maison, il paya la baby-sitter, qui quitta rapidement les lieux.

Vaguement anxieux, ils entrèrent alors dans la chambre d'Akela pour vérifier que tout allait bien. Bien enveloppée dans sa gigoteuse, elle dormait paisiblement. Jusqu'ici, elle avait fait ses nuits, et il espérait qu'elle poursuivrait sur sa lancée.

— Je suis épuisée, dit Lana en se dirigeant vers la

chambre. Je pensais que danseuse était un métier fatigant, mais danseuse avec un bébé, c'est carrément éreintant.

— Si ça peut te remonter le moral, tu es très belle malgré ta fatigue.

Sans prêter attention au compliment, elle se débarrassa de ses sandales, puis elle commença à se tortiller pour faire descendre la fermeture Éclair de sa robe.

— Laisse, dit-il en s'approchant. Je vais le faire.

Sans répondre, elle releva ses cheveux, lui exposant sa nuque et ses épaules délicates, envoyant vers lui une bouffée de parfum de fleurs de frangipanier. Du bout des doigts, il effleura sa peau soyeuse, avant de baisser la fermeture avec lenteur jusqu'au creux de ses reins.

Mais quand il arriva en bas et aperçut la dentelle de sa culotte, tout le désir qu'il avait réussi à refouler fut brutalement libéré. Cependant, il ne fit pas ce qu'il aurait dû faire. Suivant son instinct, il s'approcha encore d'elle, inclinant la tête pour qu'elle puisse sentir son souffle chaud sur ses épaules nues.

Elle ne bougea pas. Totalement immobile, elle s'était mise à respirer plus fort, plus rapidement. N'y tenant plus, il posa ses mains sur ses épaules, se réjouissant de la sensation de sa peau douce contre la sienne. Il avait envie de poursuivre ses caresses et il espérait vraiment qu'elle le laisserait faire.

Tout en s'appuyant un peu contre lui, elle relâcha ses cheveux et, quand elle baissa les bras, il sentit la robe glisser le long de son corps, tomber sur le sol. Contrairement à ce qu'il avait pensé, elle ne portait pas de soutien-gorge sans bretelles.

Et il lui suffit de jeter un seul coup d'œil à ses seins parfaits aux bouts couleur moka pour oublier toutes ses résolutions.

— Lana, dit-il d'une voix tendue en serrant ses fines épaules dans ses mains.

Ce simple nom exprimait tout ce qu'il voulait lui dire en cet instant : qu'il avait envie d'elle ; qu'il savait qu'il n'aurait pas dû ; que s'il restait là une minute de plus, il ne trouverait jamais la force de s'écarter d'elle.

Mais elle ne répondit rien. Dans un soupir brûlant, elle prit ses mains entre les siennes pour les poser sur ses seins. Quand il sentit leur poids dans ses paumes, il laissa échapper un grognement de plaisir. Ivre de désir, il fit glisser ses pouces sur ses tétons qui ne tardèrent pas à durcir.

Tout en inspirant profondément, il se pencha pour embrasser ses délicates épaules. Sa peau était chaude contre ses lèvres, elle sentait le beurre de cacao et les fleurs tropicales. S'abandonnant à la passion, il traça un chemin de baisers ardents jusqu'à son oreille, dont il se mit à mordiller le lobe, ce qui lui arracha de petits gémissements de volupté.

— Kal, murmura-t-elle alors en se cambrant contre lui pour appuyer ses fesses contre son sexe dur.

Au même instant, un son sortit de sa gorge, un son grave et rauque qui le surprit lui-même. Lana faisait surgir en lui des choses bestiales et instinctives, émanant du plus profond de son être, et qu'il n'avait jamais laissées s'échapper jusqu'ici.

S'il se laissait vraiment aller, il ne pourrait plus s'arrêter. Il ne voulait pas simplement lui faire l'amour, il voulait la posséder. Mais il n'avait pas le droit de faire cela. Elle ne lui appartenait pas. Et c'était sans doute pour cette raison qu'il se sentait si attiré par elle.

— La dernière fois que j'ai fait marche arrière, Lana, je l'ai fait à contrecœur, parce que je me disais que nous allions tous deux le regretter. Et pourtant nous sommes là à nouveau… Écoute, je ne pense pas que je pourrais le faire de nouveau.

À ces mots, elle se retourna pour lui faire face, le

regarda avec ses beaux yeux noirs dans lesquels il n'y avait désormais plus aucune hésitation, rien de plus qu'un désir brûlant qu'il n'avait jamais vu jusqu'ici, une chose bestiale et instinctive qui avait dû être libérée en elle aussi.

— Alors, ne le fais pas.

Si Lana éprouva la moindre inquiétude à l'idée de faire l'amour avec Kal, ce fut seulement au moment où il céda au désir qu'il avait pour elle et où elle vit la passion l'envahir. C'était un homme grand et fort, mais bien qu'elle n'eût absolument pas peur de lui, elle ne savait pas si elle serait capable d'étancher la soif qu'il avait d'elle en ce moment précis.

Puis il l'embrassa, et le doute disparut de son esprit. La possessivité de ses baisers et la fermeté de son désir, qu'elle sentait se presser contre son ventre, en constituaient une preuve suffisante : il avait envie d'elle et de personne d'autre. La main dans ses cheveux, il l'attirait vers elle avec détermination, ne lui laissant d'autre choix que de s'abandonner à lui. Elle en avait toujours rêvé sans jamais oser s'autoriser à le faire. C'était désormais l'occasion, et elle devait en profiter pleinement, car elle ne se représenterait peut-être plus.

Alors qu'elle songeait à tout cela, il avait approfondi son baiser comme pour réclamer davantage de choses, des choses qu'elle lui donna volontiers, mais tout à coup il s'écarta d'elle.

L'espace d'une seconde, elle crut qu'il avait changé d'avis, qu'il allait s'en aller, mais il resta là. Le souffle court, le regard rivé sur son corps, il retira sa cravate et son costume. Elle, pour sa part, ne portait plus que sa culotte. Elle ne s'était jamais sentie aussi exposée et aussi désirée de toute sa vie.

Enhardie par la passion qu'elle percevait en lui, elle fit glisser avec lenteur sa culotte le long de ses cuisses. La bouche entrouverte, il la regarda faire avec avidité, et quand elle fut complètement nue elle remit ses mains sur ses hanches et sourit. Le message était clair : elle l'attendait.

Impatiemment, il se débarrassa de ce qu'il lui restait de vêtements, et tout à coup elle sentit son corps chaud et dur contre le sien. Il la fit reculer jusqu'à ce qu'elle s'effondre sur le lit. Et aussitôt il s'allongea sur elle, lui laissant bien moins de temps pour l'admirer qu'elle ne lui en avait elle-même donné. Tout en la caressant de ses mains brûlantes, il joignit à nouveau ses lèvres aux siennes.

Le plaisir était presque insoutenable : le poids de son corps sur le sien, son érection insistante contre ses cuisses. Instinctivement, elle écarta les jambes pour lui permettre de mieux se nicher entre elles. Sa bouche virile parcourait sa gorge, ses clavicules, et soudain elle la sentit se refermer sur l'un de ses tétons durcis qu'il aspira vivement avant de l'apaiser du bout de la langue. Le plaisir fut tel qu'elle eut l'impression d'une véritable décharge de chaleur qui la traversa de la tête aux pieds, faisant palpiter son sexe.

Comme s'il l'avait perçu lui aussi, il passa doucement sa main entre ses cuisses. D'abord un simple effleurement puis un deuxième qui lui donna presque envie de hurler de désir. Lorsqu'il commença à la caresser, elle ne put réprimer un gémissement et se mit à onduler des hanches contre lui, avide de plus.

Mais elle ne savait pas combien de temps encore elle allait tenir. Elle appréciait son jeu de séduction, mais elle n'en pouvait plus. Elle avait désormais vraiment envie de passer aux choses sérieuses, de le prendre en elle, le sentir en elle.

— Tu as un préservatif ? balbutia-t-elle.

Avant de répondre, il glissa un doigt en elle, poussant tout son corps à se tendre sous le coup du plaisir.

— Oui, chuchota-t-il d'une voix sensuelle en imprimant un doux mouvement de va-et-vient. Mais tu es sûre que tu veux de moi tout de suite ? Je commençais tout juste à m'amuser.

Elle se mordit la lèvre tandis qu'il continuait sa lente torture. Ses muscles se contractaient sous les vagues d'un plaisir grandissant auquel elle n'était pas encore prête à céder complètement.

— Oui, réussit-elle à dire entre ses dents serrées. Maintenant.

Tout en souriant, il écarta sa main de son sexe humide et brûlant.

— Vos désirs sont des ordres.

Il s'approcha de la table de chevet, dont il fouilla le tiroir pour en tirer un préservatif. Elle en profita pour admirer le spectacle qu'il lui offrait, et notamment son sexe long et dur, bien plus imposant que ce dont elle avait l'habitude. Cela promettait d'être… intéressant.

Avec impatience, il reprit sa position entre ses cuisses, mais au lieu de la pénétrer il continua de la torturer voluptueusement avec ses doigts. Le plaisir montait en elle ; l'extase n'allait pas tarder à arriver.

— Pas tout de suite, murmura-t-elle en caressant doucement sa joue. Avec toi.

Il soutint son regard, avant d'acquiescer silencieusement. S'appuyant sur ses avant-bras musclés, il se hissa au-dessus d'elle. Et quand elle sentit tout son désir se presser contre elle, elle s'ouvrit à lui.

— S'il te plaît, supplia-t-elle.

Alors, lentement, il s'enfonça en elle. Elle ferma les yeux pour mieux savourer cet instant et dut se mordre les lèvres pour se retenir de crier de plaisir. Pour mieux la posséder, il passa ses mains sous ses hanches et l'attira plus près encore. Et quand il fut enfin tout au fond d'elle, ils s'abandonnèrent à la passion.

S'appuyant sur un coude, il l'embrassa avec tendresse avant de commencer à se mouvoir d'avant en arrière. Ivre de désir, elle répondit avec ardeur à chacun de ses assauts. Le plaisir ne cessait de grimper en elle, et elle l'exprimait librement, en poussant des gémissements qui résonnaient dans l'air du soir.

Il finit par se redresser pour s'asseoir et, après avoir fait passer ses jambes par-dessus ses épaules, il déposa un doux baiser sous son genou. Puis, tout en la regardant dans les yeux, il s'enfonça de nouveau en elle, tout au fond d'elle et se remit à se mouvoir au rythme de leur passion. Quelques instants plus tard, elle s'accrochait aux draps pour laisser le plaisir éclater en elle. L'orgasme, intense, plus fort que tout ce qu'elle avait jamais connu, déferla sur elle par vagues de volupté successives. Sa puissance la secoua tout entière et elle dut s'emparer d'un oreiller pour étouffer ses cris, hurlant son nom dans le tissu tandis qu'il poursuivait ses si délicieux assauts.

Il ne tarda pas à la suivre dans le plaisir. Attrapant sa jambe d'une main, son sein de l'autre, il s'enfonça en elle une dernière fois. Son corps aussi trembla, fort, comme si toute son énergie avait été transférée dans la jouissance. Puis il se retira et s'effondra à côté d'elle.

Durant ce qui lui sembla être une éternité, elle resta immobile. Mais son esprit fonctionnait à toute allure. Elle n'arrivait pas à croire à ce qui venait de se passer. Et par conséquent, plutôt que de profiter du moment de tendresse qui aurait dû suivre leurs ébats, elle attendit avec angoisse la façon dont il allait réagir. Elle ne regrettait pas, mais une fois que son érection aurait disparu, que la réalité aurait repris ses droits, regretterait-il, de son côté ?

Elle commençait à croire qu'il s'était endormi quand il se tourna vers elle. En un geste protecteur, il passa son bras autour de sa taille et attira son corps chaud contre le sien. Lovée contre lui, elle sentit toutes ses inquiétudes s'évanouir et ne tarda pas à sombrer dans le sommeil.

7

Dans l'univers de Kal, la situation était enfin revenue à la normale, en tout cas en ce qui concernait le travail : il avait retrouvé son bureau, et Lana répétait dans le studio tous les après-midi et dansait sur scène tous les soirs. Sonia, la nourrice, avait pris le relais auprès d'Akela. C'était la cinquième candidate qu'ils avaient rencontrée, et elle leur avait été chaudement recommandée. Le bébé, d'ailleurs, avait tout de suite affiché une nette préférence pour cette femme âgée, ce qui leur avait facilité le choix.

Jusqu'ici, Sonia avait été parfaite, y compris malgré leurs horaires inhabituels. À l'origine, ils ne pensaient pas prendre quelqu'un à demeure, mais au final, cela leur était apparu comme la meilleure solution : lui travaillant beaucoup et Lana travaillant tard, il était plus simple pour tout le monde que Sonia s'installe dans l'une des chambres d'amis, et celle adjacente à la chambre de la petite était très spacieuse et disposait d'une salle de bains.

À la maison, cependant, les choses n'étaient pas vraiment pareilles, plus depuis le soir où ils avaient cédé à leur désir l'un pour l'autre. Il ne comprenait toujours pas ce qui s'était passé, mais il ne pouvait pas regretter, même s'il aurait certainement dû. Cette nuit-là, il ne l'oublierait jamais. C'était impossible. Sa meilleure amie, celle qui lui mettait des coups de poing et se montrait si réticente à le prendre dans ses bras, s'était donnée à lui d'une façon qu'il n'aurait jamais imaginée. Ou peut-être l'avait-il imaginée, si, dans ses rêves les plus fous.

Ayant terminé ce qu'il avait à faire pour la soirée, il décida de rentrer chez lui. D'ordinaire, en sortant de son bureau, il passait encore quelques heures à arpenter les couloirs de l'hôtel pour s'assurer que tout soit parfait pour les clients, mais depuis quelques jours il rentrait directement. Force lui était de constater qu'il était beaucoup plus pressé de retrouver sa maison depuis qu'il n'était plus célibataire, car il était désormais attendu, et ce par plusieurs personnes.

Il ne lui avait pas fallu beaucoup de temps pour s'apercevoir que les petites joues rondes et le sourire d'Akela lui manquaient énormément quand il était à son travail. Il comprenait à présent beaucoup mieux pourquoi les gens plaçaient toujours des photos de famille sur leur bureau. D'ailleurs, Lana aussi lui manquait. Ils passaient ensemble plus de temps qu'ils n'en avaient jamais passé, mais cela ne lui semblait jamais suffisant : plus il l'avait avec lui, plus il avait envie d'être avec elle. Il était sur une pente dangereuse, mais une part de lui avait envie de savoir jusqu'où celle-ci pouvait les mener.

Ce soir-là, quand il parvint sur le seuil de sa villa, il se demanda à quoi il devait s'attendre, mais la surprise qu'il reçut fut bien plus belle que tout ce qu'il aurait pu imaginer.

Noël était arrivé à Maui.

Dans le séjour, un immense sapin avait été dressé devant la baie vitrée, couvert de décorations multicolores, de guirlandes et de lumières, une étoile argentée scintillant sur sa cime. Entre l'arbre et la couronne de branches qui ornait le manteau de la cheminée, la maison embaumait le pin de Norfolk, directement importé du continent.

Quatre paires de chaussons avaient été placées sous l'arbre, une pour chacun d'entre eux, en comptant Sonia. Sur la table basse se trouvaient un poinsettia rouge et des ramequins débordants de confiseries emballées dans du papier brillant. Il y avait des lumières et des bougies dans toute la pièce et de joyeux chants de Noël en fond sonore.

Face à ce spectacle, il resta quelques instants immobile, à se demander ce qu'il devait penser. N'ayant emménagé dans cette maison que tout récemment, il ne possédait aucune décoration de fêtes. De toute façon, il s'était toujours bien plus intéressé au bien-être de ses clients et à la décoration de l'hôtel qu'à celle de sa propre demeure, dont personne n'aurait dû voir l'intérieur, en dehors de lui-même.

— Tu es rentré ! s'exclama soudain Lana derrière lui, coupant court à ses réflexions.

— Oui, mais je me demande si je ne me suis pas trompé de maison. On se croirait moins à Hawaï qu'au pôle Nord.

Elle sembla ravie par ses propos.

— N'est-ce pas ? C'est génial, non ?

— Où as-tu trouvé tout ça ?

— Dans un magasin. Tout à coup, j'ai pensé que ça allait être le premier Noël d'Akela, et je voulais que ce soit super. Et puis, comme c'est notre premier Noël en tant que couple marié, je me suis dit que ça aurait paru un peu étrange, vu de l'extérieur, si on n'avait pas décoré un minimum. J'avais quelques heures de libre cet après-midi, alors je suis allée faire un peu de shopping.

— C'est super, vraiment.

En tendant l'oreille, il entendit Akela babiller dans la cuisine par-dessus la voix de Bing Crosby.

— Qu'est-ce que vous faisiez ?

— Des cookies, répondit Lana en le prenant par la main pour l'attirer vers la cuisine.

Akela, assise dans sa chaise haute, tenait un biberon de jus d'orange. Sonia, la nourrice, était en train de sortir des biscuits du four.

L'odeur lui fit monter l'eau à la bouche.

— Des cookies aux pépites de chocolat ?

— Oui oui, chantonna la dame. C'est la recette de ma grand-mère. On a aussi fait des cookies chocolat blanc et noix de macadamia, des cookies au sucre glace, des rochers à la noix de coco et du *fudge*.

— Eh bien, quel festin ! fit-il en s'emparant de l'un des biscuits qui refroidissaient sur les plaques.

Il avait un goût de beurre, de chocolat fondu et de paradis.

— J'adore les cookies.

Les fêtes de fin d'année avaient toujours été célébrées dans sa famille, mais comme pour la plupart des choses, les coutumes hawaïennes primaient sur celles du continent : pour le réveillon, on servait du porc *kalua*, du saumon *lomi*, de l'*haupia* à la noix de coco, et sous son manteau, le Père Noël, ou *Kanakaloka*, portait toujours sa plus belle chemise hawaïenne.

Son père, cependant, lui avait transmis quelques traditions plus américaines. Né dans l'État de New York, il s'était enrôlé dans la marine, ce qui lui avait permis de passer un certain temps dans les îles. Mais s'il avait été ravi de s'éprendre d'une belle Hawaïenne et d'échapper ainsi définitivement à la rudesse des hivers new-yorkais, il avait parfois le mal du pays et faisait venir par bateau des confiseries difficiles à obtenir dans ces contrées à cette époque, comme des cookies aux épices et des sucres d'orge. Kal avait toujours adoré ces douceurs exotiques, notamment les biscuits.

Tandis qu'il resongeait à tout cela, Lana s'était tournée vers lui en fronçant les sourcils.

— Je ne savais pas que tu aimais les cookies.

— Qui n'aime pas les cookies ? répondit-il avant de terminer le sien avec gourmandise.

— Ce que je voulais dire, c'est que je ne savais pas que tu aimais autant ça. Tu ne t'intéresses jamais beaucoup aux desserts quand on va au restaurant.

— C'est parce que la plupart des restaurants ne proposent pas de cookies. Et encore moins de cookies tout chauds.

Il essaya d'en prendre un deuxième, mais Lana lui assena une petite tape sur la main.

— Du calme.

Tout en gloussant, Sonia enfourna une autre plaque de biscuits.

— Vous savez quoi, Sonia ? lui dit Lana en regardant sa montre. Vous auriez dû quitter vos fonctions il y a déjà une demi-heure. Je vous rappelle que vous ne travaillez pas ce soir.

Ils s'étaient arrangés avec elle pour lui donner tous ses mercredis soir et tous ses samedis. Comme il n'y avait pas de spectacle ces jours-là, l'un d'eux pouvait rester à la maison pour garder Akela.

L'air surpris, Sonia se tourna vers l'horloge de la cuisine en s'essuyant les mains sur son tablier.

— Mais vous avez raison ! Et j'ai mon club de lecture ce soir. Je ferais bien d'aller me préparer si je ne veux pas être en retard. Ça ne vous dérange pas si j'emporte quelques douceurs pour mes amies ?

— Absolument pas.

Après avoir emballé des biscuits et du *fudge*, la nourrice quitta la pièce.

— Ces cookies sont délicieux, mais je ne crois pas que je pourrais me contenter de ça ce soir, déclara Kal.

— Je vais faire à manger. Pendant ce temps, si tu pouvais donner à Akela sa purée…

Il ne chercha pas à dissimuler sa surprise.

— Attends, tu veux dire que tu vas cuisiner ?

L'air furieux, elle croisa ses bras sous sa poitrine, une pose qui eut pour effet de faire ressortir ses hanches, sa taille fine, et surtout ses seins ronds et fermes, désormais moulés par le tissu de son T-shirt. Il avait eu l'occasion de la voir dans beaucoup de tenues plus ou moins légères, mais jamais il ne l'avait trouvée aussi attirante qu'en cet instant. Ses courbes féminines étaient ici mises en valeur, mais dissimulées comme un trésor qu'il brûlait d'envie de découvrir à nouveau.

— Attention à ce que tu dis, le menaça-t-elle en se tournant vers le réfrigérateur.

Il la trouvait plus sexy encore au foyer que sur la scène, que ce soit dans leur maison, avec ses cheveux ramenés en un chignon flou, ou dans leur lit, avec ses yeux brumeux assombris de désir. Tandis qu'elle se penchait pour inspecter le contenu du frigo, son pantalon de yoga descendit sur ses hanches, soulignant ainsi l'un de ses meilleurs atouts. On aurait dit que ses fesses avaient été conçues par Mère Nature pour être tenues dans ses paumes. Cette simple évocation suffit à instiller en lui une douce chaleur, et ses mains le brûlaient au souvenir des délicieuses sensations qu'elle lui avait procurées.

La situation était un peu délicate entre eux depuis qu'ils avaient fait l'amour. Ils avaient tous les deux essayé de contourner le problème, s'efforçant d'ignorer le désir et de s'ignorer l'un l'autre quand la petite devait être nourrie ou changée, mais il n'avait pas envie que les choses demeurent ainsi entre eux. Il ne savait pas combien de temps leur mariage allait durer, mais il voulait le meilleur des deux mondes : les merveilleux ébats et la merveilleuse amitié qu'ils partageaient auparavant.

Il trouvait normal qu'ils profitent aussi des plaisirs de la chair — ils étaient mariés, après tout. Et puis il ne voyait aucune raison à ce que leur relation physique nuise à leur amitié.

Il essaierait de lui en parler dans la soirée quand Akela serait couchée. C'était une chose qu'ils n'avaient pas encore eu l'occasion de faire.

Et, avec un peu de chance, elle accepterait peut-être de faire à nouveau l'amour avec lui.

Lana trouvait que la présence de Sonia avait énormément changé la donne : elle était ravie d'avoir repris son travail à plein temps et de ne plus s'écrouler de fatigue au moment même où elle posait sa tête sur l'oreiller. Quant au bébé, Sonia s'en occupait exceptionnellement bien. Elle jouait avec elle, lui lisait des livres, lui faisait des câlins. Ce fut d'ailleurs Akela qui, ce soir-là, s'écroula de fatigue quand elle la coucha dans son petit lit après son bain.

— Elle était grognon ? lui demanda Kal quand elle revint dans le séjour.

— Pas du tout. Elle dort déjà. Entre les activités qu'elle a faites avec Sonia et le bain moussant à la lavande que je lui ai donné, elle n'avait pas vraiment le choix, de toute façon.

Tout en hochant la tête, il la scruta de ce même regard sombre auquel elle n'avait pas pu résister quelques jours plus tôt.

— Viens t'asseoir avec moi.

Elle avait envisagé de nettoyer la cuisine, mais il n'eut pas à insister pour la convaincre de remettre ça à plus tard. Il était assis sur le canapé près de la cheminée — une cheminée moins utile que décorative et qui semblait trouver toute sa place dans cette ambiance, avec les guirlandes de Noël et les bougies qui scintillaient.

Il avait troqué son costume pour un jean et un vieux T-shirt de surf qu'elle n'avait jamais vu auparavant, mais à la façon dont il moulait ses larges épaules et ses bras musclés, elle croyait pouvoir dire qu'il l'avait acheté à l'époque où il était au lycée. Cela lui allait bien, cependant. Il était beau dans ses costumes sur mesure, mais quand il portait un jean, c'était qu'il avait envie de s'amuser, pas de travailler. Et c'était ainsi qu'elle l'aimait le plus.

Une fois installée à côté de lui, elle accepta de bon cœur le verre de vin qu'il lui proposa.

— La maison est magnifique, dit-il. Vraiment. J'ai payé un décorateur une fortune pour aménager l'espace, et il t'a suffi d'une seule journée pour la rendre plus chaleureuse qu'elle ne l'a jamais été.

Surprise par ces paroles, elle se tourna vers lui.

— Merci. Je suis contente que tu apprécies. Ce ne sont que quelques petites choses. Je n'avais pas l'intention de m'approprier ta maison, mais j'avais envie que tout soit parfait pour le premier Noël d'Akela.

— C'est ta maison à toi aussi, Lana. Si tu veux tout redécorer à ton goût, je te laisse ma carte de crédit. Nous sommes mariés, après tout.

C'était vrai. Mais ils savaient tous deux qu'il s'agissait d'un mariage blanc. Le sexe n'avait rien changé à cela.

— Il ne vaut mieux pas, vu qu'on ne sera peut-être plus ensemble dès le mois prochain.

— Peut-être, répondit-il en soupirant, avant de passer son bras autour de ses épaules. Mais tu admettras que l'ambiance se prête au romantisme.

— Je te l'accorde.

Elle n'avait pas pensé à cela quand elle avait disposé ces décorations de Noël. Mais d'un autre côté, elle n'avait pas imaginé qu'elle se retrouverait blottie contre lui sur le canapé.

— C'est dommage que tu n'aies pas mis de gui.

À ces mots, elle sentit son corps se crisper. De toute évidence, il était temps qu'ils aient la discussion qu'ils avaient soigneusement évité d'avoir depuis qu'ils avaient fait l'amour. Manifestement, il pensait que cela pouvait se reproduire, mais il se trompait : elle s'était laissé happer par les circonstances, était tombée sous le charme de la vie rêvée qu'ils avaient façonnée pour les apparences, mais elle ne pouvait pas continuer ainsi. Elle connaissait son cœur et savait à quel point il lui serait facile de tomber amoureuse de lui, ce qui ne pourrait que mal se terminer pour elle.

Il mettrait un terme à leur relation comme s'il ne s'agissait de rien de plus qu'une aventure d'un soir sans sentiment. Il voulait peut-être d'elle sur le plan physique, mais dès que leur accord prendrait fin, il passerait à autre chose. Elle le savait. Or, elle savait aussi que le sexe ne pouvait pour sa part la mener qu'à des rêves d'un avenir qu'elle ne pourrait jamais avoir. Elle ne pouvait pas se faire cela à elle-même.

— Je ne pense pas que du gui soit une bonne idée, Kal.

— Mais parfois, les mauvaises idées aboutissent à de bonnes surprises.

Déterminée, elle s'écarta de lui pour se libérer de son bras.

— Kal… Cette nuit entre nous a été…

— Merveilleuse, compléta-t-il.

— Une erreur, corrigea-t-elle. On s'est tous les deux laissé prendre au jeu de cette fausse relation, mais on ne peut pas continuer. Toutes ces complications physiques sont dangereuses pour notre amitié.

— Ces complications physiques ? C'est comme ça que tu appelles un orgasme ?

— Je suis sérieuse, Kal, répondit-elle en ignorant le ton ironique de sa voix. Tu es le roi des aventures éphémères, mais nous avons une longue histoire, tous les deux. Je ne veux pas que les choses se compliquent. Notre amitié est trop importante à mes yeux, je ne veux pas risquer de l'ébranler.

Tout en se mettant à lui caresser la joue, il prit une expression grave qu'elle avait rarement eu l'occasion de voir chez lui jusqu'ici.

— Jamais je ne te ferai de mal, Lana. Si tu n'es pas attirée par moi…

— Ce n'est pas ce que j'ai dit, l'interrompit-elle.

— Donc, tu es attirée par moi, dit-il d'un air malicieux.

Exaspérée, elle soupira. Cette conversation n'allait pas les mener là où elle l'avait cru.

— Ce n'est pas ça qui est important.

— Eh bien, moi, je pense que si, Lana. Écoute, je sais qu'on n'est pas compatibles sur le long terme. Tous les deux, on n'attend pas les mêmes choses de la vie et des relations de couple, mais les circonstances nous ont donné une occasion d'apprécier différemment les moments que nous passons ensemble. Nous sommes mariés. Alors, pourquoi ne pas profiter de tous les avantages de la situation ? De plus, je suis persuadé que ça se verrait de l'extérieur et que ça rendrait notre relation plus crédible aux yeux des autres.

— Et quand ce sera terminé, que ferons-nous ? On reviendra simplement à notre relation d'avant ? Je ne sais même pas si c'est possible…

— Quand ce sera terminé, ce sera terminé. Tu te remettras à la recherche de ton âme sœur et je retrouverai mon titre de célibataire le plus convoité de Maui.

Elle secoua la tête. Elle avait conscience qu'elle ne pourrait pas se remettre à chercher l'homme de sa vie comme elle le faisait auparavant. En ayant été avec Kal, elle avait ruiné ses chances avec tous les autres. Mais pour l'heure, elle s'inquiétait plus de savoir comment les choses allaient se passer entre eux deux après l'inévitable séparation.

— Donc, nous redeviendrions amis exactement comme nous l'étions avant tout cela ? Je ne vois pas comment c'est possible.

Tout en soupirant, il se mit à la fixer de ses yeux noirs.

— Lana, à la seconde même où tu m'as demandé de t'épouser, notre amitié a changé. Elle ne sera plus jamais comme avant. Quand nous nous sommes mariés, quand nous nous sommes embrassés, quand nous avons fait l'amour… nous avons modifié notre relation, nous l'avons transformée. Mais ce n'est pas un problème. Les relations humaines ne sont jamais statiques ; elles évoluent. Ce n'est ni bien ni mal ; c'est juste la vie.

« D'autre part, poursuivit-il, je ne te proposerai pas la vie dont tu rêves quand notre accord sera terminé. C'est ton rêve ; pas le mien. Mais tu mérites de le réaliser. Un jour, tu trouveras le bon, mais nous savons l'un comme l'autre que ce ne sera pas moi. Tu me connais mieux que quiconque ; tu sais donc exactement ce que je peux t'offrir et ce que je ne peux pas. Alors, pourquoi ne pas profiter des dernières évolutions de notre amitié maintenant ? En explorer les aspects physiques pour le temps que cela durera ? »

Elle était à deux doigts de se laisser convaincre, et sa logique lui paraissait très juste en théorie. Il lui serait sans doute difficile de ne pas s'impliquer émotionnellement dans la situation, mais elle pouvait y arriver. Il avait raison. Elle le connaissait mieux que quiconque.

— Lana, ne me dis pas que pendant toutes ces années où nous avons été amis, tu ne t'es jamais demandé ce que ça ferait de faire l'amour avec moi. Moi-même, je me suis déjà posé la question. De nombreuses fois.

— Kal ! fit-elle d'un air de reproche.

— C'est une conversation importante, Lana. J'ai été honnête avec toi ; il me semble juste que tu le sois aussi. Alors je te mets au défi de me dire que tu n'as jamais fantasmé sur moi.

Elle baissa les yeux pour éviter son regard brûlant qui pesait sur elle. Naturellement qu'elle avait fantasmé sur lui… Mais il était hors de question qu'elle l'admette.

— Je ne peux pas. Tu sais très bien que je ne peux pas dire ça.

— Bon. Alors, je te mets au défi de me dire que tu n'as pas apprécié ce qui s'est passé entre nous l'autre soir.

Agacée, elle le regarda en étrécissant les yeux.

— Tu sais très bien que je ne peux pas dire ça non plus.

Il était évident qu'elle avait apprécié. Ses orgasmes successifs en avaient d'ailleurs été la preuve.

— Bon, fit-il en commençant à effleurer son bras nu.

Cette caresse fit naître en elle une délicieuse sensation de chaleur. Le plaisir fut tel qu'elle ne put s'empêcher de frissonner. Son corps la trahissait…

— Le mieux, à mon avis, reprit-il, ce serait d'arrêter d'en parler et de faire ce qui nous semble être le plus naturel. Et si le plus naturel est de faire l'amour tous les soirs, je ne vois pas pourquoi on s'en priverait.

La proposition était tentante. L'idée de passer les semaines à venir à explorer son corps viril si parfait était un bénéfice de leur accord auquel elle n'avait pas pensé. Mais plus elle songeait à cette idée, plus il lui semblait difficile d'y résister.

— Je trouve que tu fais beaucoup d'efforts pour me convaincre de coucher à nouveau avec toi.

— Plus que je n'ai l'habitude d'en faire, je peux te l'assurer, répondit-il en souriant.

— Tant mieux. Il y a des choses qui se méritent.

Toutes ces femmes qui te tombent dans les bras, ça a tendance à te faire enfler les chevilles.

— Toujours là pour me remettre à ma place, observa-t-il avec humour. Mais ça a un côté excitant. Du reste, il y a beaucoup de choses en toi qui m'excitent.

Ses yeux étaient brûlants de passion contenue et jamais elle n'avait imaginé qu'il la regarderait un jour comme ça ; pourtant, il était là, à lui parler comme si elle était la seule femme désirable au monde.

— Que dirais-tu de rester avec moi dans la chambre pour la soirée ?

Elle prit le temps de réfléchir à la question. S'il aimait vraiment qu'elle le remette à sa place, il allait être servi.

— Eh bien, fit-elle pensivement en caressant son cou et ses biceps du bout de ses doigts. C'est une proposition qui me semble intéressante, mais il se trouve que j'en ai une meilleure.

— Je t'écoute.

— C'est moi qui ai fait le dîner, donc c'est à toi de ranger la cuisine. C'est comme ça que ça marche, dans un couple. Quand tu auras fini, alors peut-être…

Sensuellement, elle fit remonter sa main pour caresser de son pouce sa bouche virile.

— Peut-être que tu auras une récompense.

Soudain, il la saisit par la taille et l'attira sur ses genoux.

— Et si on s'octroyait cette récompense maintenant et que je nettoyais la cuisine après ? L'ordre des choses n'est pas important, à partir du moment où c'est fait.

Tout en souriant, elle réfléchit à sa contreproposition.

— Pourquoi pas ?

L'air ravi, il se leva en la soulevant dans ses bras. Songeant à la petite qui dormait, elle étouffa le cri de surprise qui faillit s'échapper de ses lèvres. Puis elle s'accrocha à son cou, enfouit sa tête dans le doux coton de son T-shirt de surf. Le tissu était imprégné de son parfum, et une fois qu'elle l'eut inhalé dans ses poumons, ce fut comme si tous ses sens étaient brusquement entrés en éveil.

Elle était prête à se donner à lui. Elle avait beau chercher à résister mentalement, son corps brûlait d'envie de profiter de lui autant que possible avant que tout soit terminé. Ses tétons pointaient sous son haut, ses seins attendaient ses caresses. Et quand il baissa les yeux vers elle en souriant, elle sentit son intimité se changer en douce chaleur liquide.

Une fois qu'il se fut assis sur le rebord du lit, elle se hâta de se débarrasser de son haut. Ensemble, ils se déshabillèrent vite, et quand ils furent tous deux nus, il attira son corps contre le sien, appuyant son sexe durci contre ses cuisses. Puis il laissa échapper un sourd grognement de désir, et ils se figèrent. Immobiles, ils attendirent quelques secondes. Avaient-ils réveillé la petite ? Apparemment pas. Après avoir échangé un hochement de tête entendu, ils joignirent à nouveau leurs lèvres, et tous les cris de plaisir furent ainsi étouffés.

Quelques instants plus tard, un premier orgasme déferlait sur elle, dans une véritable explosion de sensations aussi intenses que voluptueuses.

Le corps encore vibrant de satisfaction, elle reprit son souffle en s'accrochant à lui, s'efforçant de ne pas bouger pour le garder en elle. Alors, il roula sur le dos, l'attirant avec lui, la serrant contre son torse puissant, avant de se remettre à se mouvoir sensuellement en elle.

Cette deuxième fois fut une douce torture, chaque geste imprégné d'une lente sensualité. À la lumière de la lune qui éclairait la chambre, elle ondulait langoureusement avec lui. Leurs muscles se tendaient et se détendaient au même rythme. Elle pouvait sentir qu'il allait bientôt jouir : les battements de son cœur s'étaient accélérés, et il tenait désormais plus fort ses hanches dans ses mains.

Quand l'orgasme déferla sur elle, elle enfouit sa tête dans son cou et faillit pleurer de plaisir tant les vagues de volupté furent intenses. Un instant plus tard, il s'abandonnait à son tour dans un cri qu'il eut du mal à étouffer.

Roulant de son côté du lit, elle prit une profonde inspiration pour se remettre.

Merveilleux.

Il n'y avait que ce mot qui lui venait à l'esprit.

Elle était sur le point de fermer les yeux et de sombrer dans le sommeil quand elle le sentit se déplacer sur le lit. Surprise, elle releva la tête. Il était debout et faisait mine de se rhabiller.

— Qu'est-ce que tu fais ?

— Un marché est un marché : je vais ranger la cuisine. Et quand j'aurai terminé, je rapporterai la boîte de cookies aux pépites de chocolat.

— Tu ne vas tout de même pas tous les manger ?

Il devait bien en rester une trentaine.

— Je ne sais pas encore. Mais si je peux m'en servir pour tapisser ton beau corps nu, si je peux lécher le chocolat fondu sur tes seins si parfaits, et si je peux les grignoter sur toi un par un, ce sera le meilleur repas de toute ma vie.

Il faut que tu rentres à la maison. Maintenant.

Kal fronça les sourcils en relisant le message décon-
certant qu'il venait de recevoir de Lana.

Akela va bien ? Les services sociaux sont revenus ?

Tout le monde va bien, mais on a de la visite. Pas
les services sociaux.

Il avait prévu de rester travailler encore une bonne
heure, mais ce message lui paraissait vaguement inquié-
tant. Glissant son téléphone dans sa poche, il sortit.

— Je rentre, dit-il à Jane, son assistante, sur le pas de
la porte. Je ne pense pas que je reviendrai. Apparemment,
je suis attendu à la maison.

L'air soucieux, elle releva la tête vers lui. Il n'avait
pas l'habitude de quitter son bureau au beau milieu de
l'après-midi.

— Un problème, monsieur ?

— A priori non. Juste une visite impromptue, si j'ai
bien compris. Appelez le gérant de nuit sur son portable
s'il se produisait quelque chose avant son arrivée.

Il ne lui fallut que quelques minutes pour traverser
la propriété avec sa Jaguar, mais cela lui suffit pour en
avoir la gorge nouée d'angoisse. En se garant devant la

maison, il ne vit aucun indice sur l'identité des nouveaux venus ; il n'y avait que la voiture de la nourrice et le SUV de location. Les visiteurs surprise avaient dû arriver en taxi.

Il lui fallut donc passer la porte pour découvrir qui était venu le voir.

Mano, son frère.

Il était assis sur le canapé avec Hōkū, son chien-guide, couché à ses pieds. À sa droite, une femme enceinte aux longs cheveux bruns tenait Akela sur ses genoux. Sonia, la nourrice, était un peu à l'écart, comme si elle ne voulait pas troubler cette réunion de famille, mais avait également peur qu'on l'accuse de manquer à ses obligations. Quant à Lana, elle paraissait… paniquée.

— Chéri, dit-elle d'une voix un peu trop douce. Regarde qui est venu fêter Noël avec nous.

C'était le 22 décembre. Il ne s'agissait donc pas simplement d'une visite ; son frère s'était invité à passer le réveillon avec eux.

Tout le monde se tourna dans sa direction, à l'exception de Mano, dont les yeux étaient cachés par des Ray-Ban noires. Son attention semblait concentrée sur la femme qui se trouvait à son côté, sans nul doute sa fiancée, Paige. Prenant soin de se composer un visage enthousiaste, Kal essaya de faire comme s'il n'était pas perturbé par leur arrivée, et se souvint juste à temps qu'avec Mano, il ne devait également rien laisser paraître dans le ton de sa voix.

— Eh bien, quelle bonne surprise ! Mais si vous m'aviez dit que vous veniez, je vous aurais réservé la meilleure suite de l'hôtel.

Tous se levèrent pour l'accueillir, y compris Mano, qui le prit dans ses bras.

— C'est pour ça que je ne t'ai rien dit. Je préfère être ici, dans ta nouvelle maison, pour faire la connaissance de ta femme et de ta nièce, plutôt que de me retrouver relégué dans ton vieil hôtel miteux.

Le petit sourire en coin que son frère affichait était très révélateur. Après leur conversation téléphonique, il avait eu des soupçons, s'était inquiété et avait donc décidé de se servir des fêtes comme excuse pour venir vérifier en personne ce qu'il en était.

Mais Kal comptait bien relever le défi et jouer le jeu.

— Tu avais déjà rencontré Lana, il me semble.

— Et je suis ravie de te revoir, Mano, dit celle-ci en le regardant avec hésitation.

Tout en riant, il la prit dans ses bras.

— Pas de poignées de main dans cette famille. Il va falloir que tu t'habitues avant de faire la connaissance des autres. Félicitations à toi et à Kal. Il ne m'avait pas dit que votre relation était sérieuse.

— Ma foi, intervint Kal, il me semble que vous savez mieux que quiconque ce qu'est un coup de foudre. Si j'ai bien compris, en deux semaines, Paige et toi êtes passés du statut d'étrangers à celui de fiancés. Comptes-tu nous présenter à cette belle femme qui est à ton côté ?

— Bien sûr. Voici Paige Edwards.

Après avoir remis le bébé à Sonia, Paige s'avança vers eux, un sourire timide aux lèvres. Kal ne savait pas vraiment à quoi s'attendre concernant la femme qui avait volé le cœur de son cadet, mais certainement pas à ça. Elle était grande, menue malgré son petit ventre, pâle, et elle paraissait nerveuse, mais il y avait dans ses yeux une lueur qu'il identifia aussitôt comme de l'amour pour son frère et qui suffit à le convaincre. Il avait hâte d'en apprendre davantage sur elle, de découvrir ce qui les avait attirés l'un vers l'autre tandis qu'elle était en vacances à Hawaï.

— Je suis vraiment ravie de rencontrer enfin le

frère de Mano. Et sa belle-sœur, naturellement. Il m'a beaucoup parlé de toi, Kal.

Mano plaça sa main sur le ventre rond de sa fiancée.

— Et voici notre bébé, Eleu Aolani Bishop. Nous avons appris hier que c'était une petite fille.

Il y eut d'autres cris de joie, de nouvelles félicitations. Kal était content que son frère ait choisi le nom de leur mère en deuxième prénom. Elle aurait été ravie.

— On a beaucoup de choses à fêter, dit-il. Si vous m'aviez informé de votre arrivée, j'aurais rempli le frigo de champagne et de victuailles.

Heureusement qu'il avait plusieurs chambres d'amis à disposition. Et le room-service, naturellement.

— Je suis désolée, Kal, affirma Paige. Je ne suis pas du genre à m'inviter comme ça, mais Mano m'a dit que c'était une tradition dans votre famille.

— Et tu l'as cru ? demanda Kal en souriant.

Fronçant les sourcils, Paige se tourna vers Mano et lui assena une petite tape sur le bras.

— Tu m'as menti ! s'exclama-t-elle. Ça ne se fait pas de s'imposer comme ça.

L'air désinvolte, Mano haussa les épaules.

— Vous ne vous imposez pas, intervint Kal. À Noël, plus on est de fous, plus on rit, non ? dit-il en adressant un sourire à Lana.

— Absolument. D'ailleurs, hier soir encore, je disais à Kal à quel point j'étais ravie que ce soit le premier Noël d'Akela et notre premier Noël en tant que couple marié. Ce sera plus mémorable encore si on a de la famille avec nous pour partager ce moment. C'est aussi votre premier Noël ensemble, je me trompe ?

— Non, c'est bien ça, confirma Paige avec un sourire radieux. Nous avons en effet beaucoup de choses à fêter.

— Viens, Mano, dit Kal. On va porter vos valises dans la chambre d'amis. Pendant ce temps, les filles, décidez-vous sur l'endroit où vous aimeriez dîner ce soir. Quand je reviendrai, je nous ferai livrer quelques amuse-bouches pour l'apéritif.

Précédé du fidèle Hōkū, Mano accompagna Kal jusqu'au vestibule, où des bagages et des cadeaux emballés étaient entreposés. Une fois dans la chambre, Kal posa sa main sur l'épaule de son frère.

— Le lit est sur la gauche, en entrant. La salle de bains se trouve juste à côté du placard, sur la droite.

— Super, répondit Mano en hochant la tête. Et merci de nous recevoir.

— Tu ne m'as pas vraiment laissé le choix. Tu es venu ici juste pour m'espionner ?

— Non. Je ne suis pas venu ici juste pour t'espionner. Je suis venu ici pour te présenter à Paige, pour faire la connaissance de ta femme et pour passer les fêtes avec toi. Bon, et un peu aussi pour t'espionner, bien sûr, conclut-il en souriant.

— Tu n'as parlé de cela à personne de la famille, hein ?

— Bien sûr que non, déclara Mano en fronçant les sourcils. Tu m'avais dit de ne pas le faire. Mais quand les services sociaux m'ont appelé, et longuement interrogé sur tes relations avec Lana, je me suis dit que je ferais bien de me déplacer pour évaluer la situation.

Surpris, Kal resta quelques instants à court de mots.

— Qu'est-ce que tu leur as répondu ? finit-il par demander.

— Que vous étiez follement amoureux, bien sûr.

Kal jeta à son frère un regard mauvais.

— Tu as bien fait, murmura-t-il en se penchant un peu pour caresser le labrador. Parce que c'est tout à fait ça. Tu risques d'être déçu, frangin. Il n'y a aucun scandale à déterrer. Tu ne trouveras ici rien d'autre qu'un couple de jeunes mariés heureux et ravis de s'occuper de leur petite nièce pendant quelques semaines.

Comme s'il réfléchissait à ce que Kal venait de dire, Mano resta immobile quelques instants. Depuis qu'il ne pouvait plus se fier aux expressions faciales et corporelles, il était devenu très doué pour analyser les changements de ton, le choix des mots. Il était ainsi très difficile de lui mentir. Fort heureusement, la situation n'était pas destinée à durer. Après les fêtes, il pourrait lui révéler la vérité.

— Bon, d'accord, finit-il par dire, comme s'il avait été convaincu par son explication.

— Viens. On va aller voir ce que nos femmes ont envie de manger ce soir.

Mano hocha la tête.

— Tu te rends compte qu'on est tous les deux casés ? Nous, les frères Bishop ?

— Dommage pour les femmes des îles…

Kal ne se sentait pas vraiment « casé », mais il était déterminé à mettre un terme à ses aventures d'un soir jusqu'à ce qu'il soit officiellement divorcé. Il ne voulait pas tromper Lana, même s'il n'en était pas amoureux. Mais la situation était à l'évidence différente pour son frère. Kal n'avait jamais vu Mano aussi épris d'une femme qu'il l'était de Paige. Leur brève séparation avait été une véritable souffrance pour Mano. Il avait fini par aller la chercher à San Diego pour la demander en mariage et lui proposer de venir vivre avec lui à Oahu, ce qui représentait tout de même une évolution importante pour cet homme qui avait toujours multiplié les aventures et affirmé qu'il refusait d'être un fardeau pour quelqu'un.

Paige ne semblait de toute façon pas le considérer ainsi. Elle respirait le bonheur. D'ailleurs, quand ils revinrent dans le séjour et qu'elle vit Mano, son visage s'illumina. Elle devint soudain beaucoup plus belle, et Kal n'eut cette fois-ci aucun mal à comprendre pourquoi son frère en était tombé amoureux.

Ce qui l'amena à se demander s'il trouverait un jour une femme qui le regarderait de cette façon. Bien qu'il n'eût jamais eu envie de cela auparavant, l'idée lui paraissait tout à coup très attrayante. Avait-il pris une décision mal avisée en jurant de ne jamais s'attacher à une femme ? Mano, en tout cas, semblait beaucoup plus heureux qu'il ne l'était quand il était seul.

— Alors, qu'est-ce que vous avez choisi pour ce soir ? demanda-t-il.

— Comme Paige n'est jamais allée à Maui, répondit Lana, j'ai pensé qu'on pourrait dîner au restaurant du toit de l'hôtel. Je ne vois pas où on pourrait trouver une plus jolie vue et une meilleure cuisine.

Contrairement à Mano, qui avait fait aménager deux suites au dernier étage de son établissement, Kal avait opté pour réserver le haut du bâtiment au restaurant. Grâce à ses parois de verre, la pièce offrait un magnifique panorama avec à l'est les collines luxuriantes, et à l'ouest, l'océan et une vue qui s'étendait jusqu'à Lanai et Molokai.

— Je lui ai dit qu'on pourrait peut-être même voir des baleines ce soir.

— Peut-être, répondit Kal. C'est en effet l'époque de l'année où les baleines à bosse commencent à arriver d'Alaska. Au mois de février, les eaux qui se trouvent entre ici et Lanai abriteront la plus dense population mondiale de baleines à bosse. C'est un merveilleux spectacle. Avec un peu de chance, vous en verrez au moins une pendant le dîner. Pourquoi est-ce que vous n'iriez pas vous installer dans votre chambre pendant que j'appelle le restaurant pour réserver ?

Paige et Mano acquiescèrent, avant de disparaître

dans le couloir. Kal remarqua la façon dont elle guidait doucement son frère. Il ne pensait pas que Mano trouverait un jour une femme qui réussirait à percer ses défenses, mais Paige était à l'évidence l'amour de sa vie.

Songeur, il se tourna vers Lana. Parviendraient-ils à mimer une relation aussi convaincante dans les jours à venir ?

Lana ne se souvenait plus de la dernière fois où elle s'était étendue sur une plage pour profiter du soleil. Elle s'autorisait rarement ce genre de moments de détente, mais la visite de Paige et du frère de Kal constituait une bonne excuse pour le faire. Un peu plus tard ce soir-là, elle devrait se produire sur scène pour le dernier *luau* avant Noël, mais elle avait encore plusieurs heures devant elle.

Un tube de crème solaire à la main, elle se tourna vers Paige.

— Je crois que tu devrais en remettre un peu si tu veux éviter les coups de soleil. Ce serait dommage, pour Noël.

Paige prit le tube et se redressa.

— Ma peau n'est pas faite pour les tropiques. Il me faut de l'indice 50 juste pour marcher dix minutes au soleil. Jusqu'ici, j'ai réussi à éviter les brûlures. Mais j'aimerais vraiment avoir une belle peau sombre comme la tienne.

— Merci, répondit Lana en souriant. Mais je trouve ton teint magnifique. Ivoire, uniforme… En fait, on a toujours envie de ce qu'on n'a pas.

— C'est bien vrai. J'ai toujours rêvé d'avoir davantage de courbes, mais maintenant que j'ai ce ventre et ces gros seins, je ne suis plus si sûre que ce soit une bonne idée. Ce n'était pas vraiment comme ça que je voyais les choses.

— Mais tu auras une magnifique petite fille quand tout sera terminé. Et peut-être qu'elle aura le teint de Mano.

Avec une légère crispation, Paige se tourna vers les deux frères qui, un peu plus loin, jouaient avec le chien et Akela.

— Mano n'est pas le père du bébé. En tout cas pas son père biologique. Mais dans son cœur, c'est le sien.

Surprise, Lana resta quelques instants silencieuse avant de répondre :

— Je l'ignorais. Mais dans ce cas, je trouve que tu as beaucoup de chance : Mano a l'air complètement fou de toi et du bébé. À la façon dont il parle de sa fille, je ne m'en serais jamais douté.

— Je suis la femme la plus chanceuse de la terre, admit Paige. Mais tu dois savoir ce que ça fait. Je vous imagine, vous enfuir tous les deux pour vous marier sur un coup de tête sans rien dire à personne. C'est tellement romantique. Un peu comme Roméo et Juliette, mais avec un *happy end*.

— Kal est génial.

Elle n'avait pas à mentir à Paige là-dessus ; elle le pensait sincèrement. Kal était vraiment génial. Mais devait-elle pour autant s'estimer chanceuse ? Par certains aspects, oui. Mais d'un autre côté, elle aurait beau faire autant d'efforts qu'elle le pourrait, elle ne trouverait jamais un homme comme lui. Et elle ne pourrait jamais l'avoir pour elle. Elle n'était pas assez bien pour lui.

Elle ne devait donc surtout pas se laisser aller à s'éprendre de lui, même s'il lui souriait si gentiment et la traitait comme une princesse. Il avait beau être attiré par elle et avoir envie de poursuivre leur relation physique, cela ne durerait pas. Il le lui avait clairement dit. Il n'avait jamais voulu se marier et ce n'était pas elle qui changerait son point de vue sur le sujet.

Au même moment que Paige, elle se tourna vers les deux frères qui, les pieds dans l'eau, étaient tous deux en T-shirts, leurs pantalons roulés sur les mollets. Kal tenait Akela dans ses bras. De temps en temps, il se baissait pour plonger ses petits pieds dans l'océan. Elle riait alors aux éclats, et il la hissait de nouveau pour embrasser ses joues rondes. Un peu plus loin, Hōkū batifolait joyeusement dans les vagues en remuant la queue avec enthousiasme.

Avec leurs épais cheveux bruns presque noirs, les deux frères, grands et minces, formaient vraiment une belle paire. La barbe de trois jours qu'ils arboraient tous deux ne faisait qu'accentuer leur ressemblance. Et avec le bébé et le chien, ils étaient tout simplement irrésistibles.

Akela avait immédiatement réussi à voler le cœur de Kal. Lana se demandait encore comment ce miracle s'était produit, sachant que Kal n'avait jamais été très attiré par les enfants et avait toujours affirmé qu'il ne souhaitait pas en avoir. Parfois, même quand Sonia était là, spontanément, il allait jouer avec la petite, apparemment juste pour le plaisir d'entendre son rire argentin si communicatif. Sous ses costumes sur mesure, le magnat de l'hôtellerie était un vrai cœur tendre. Akela n'avait qu'à battre des cils et faire une moue boudeuse pour qu'il se mette en quatre pour la satisfaire — un peu comme il le faisait avec Lana.

La différence était qu'Akela ne savait pas que Kal finirait par s'en aller. Lana, parfois, aurait aimé pouvoir l'ignorer aussi afin de profiter pleinement de chacun des instants qu'elle passait avec lui.

La voix de Kal, au loin, la ramena brusquement à la réalité.

— Paige, Lana ! Venez vite ! criait-il en pointant du doigt l'océan.

Elles coururent ensemble sur le sable pour les rejoindre.

— Qu'est-ce qu'il y a ? demanda Paige.

— Les baleines. Elles arrivent.

À peine Kal avait-il prononcé ces mots qu'une énorme masse grise émergea de l'eau, avant de disparaître à nouveau sous sa surface dans un violent fracas.

L'air fasciné, Paige avait pris la main de Mano.

— Oh ! c'est incroyable ! C'est tellement dommage que tu ne puisses pas voir ça.

Il y avait dans sa voix une tristesse que Lana n'eut pas de mal à comprendre. Paige regrettait que l'homme qu'elle aimait ne puisse pas profiter de ce moment tout autant qu'elle. Kal lui avait expliqué que son frère avait toujours refusé de s'apitoyer sur son sort. Des gens venaient du monde entier pour admirer la vue qui se trouvait juste sous ses fenêtres, et lui-même en était privé ; s'il s'était un peu trop immergé dans ce genre de pensées, il aurait probablement sombré dans la dépression.

— Je n'ai pas besoin de le voir, répondit Mano en enfouissant son nez dans le cou de Paige. Je le vis à travers toi, *pelelehua*.

À ces mots, Lana sentit son cœur fondre. Il avait donné à Paige le surnom de « papillon » ; c'était juste adorable. Pour leur laisser un peu d'intimité, elle se rapprocha de Kal, qui passa tendrement son bras autour de ses épaules.

— Regarde, Akela, dit-il à Akela en pointant du doigt l'océan. Tu vois ce truc qui sort de l'eau ? C'est la queue de la baleine. Et ce petit nuage de vapeur, là-bas ? C'est la baleine qui respire.

Quelques instants plus tard, un autre cétacé émergea des flots, et Lana sentit une vive émotion s'emparer d'elle. Ces baleines qui venaient à Maui pour profiter des courants chauds, elle les voyait tous les ans, et c'était un spectacle magnifique. Mais jusqu'alors, elle n'y avait jamais accordé beaucoup d'attention, et surtout, jamais elle n'était restée sans bouger sur la plage à les observer comme une touriste.

Le faire en cet instant, avec Kal et Akela, son beau-frère et sa future belle-sœur, c'était donner à ce moment une signification particulière. Elle avait l'impression de le partager avec sa famille, et pas juste avec des amis. C'était pourtant une chose qu'elle n'avait jamais faite avec son père et Mele, et, en regardant la baleine arquer gracieusement le dos avant de disparaître en plongeant sous les vagues, elle éprouva une sensation qu'elle n'avait jamais connue de son existence.

Elle était en train de trop s'attacher à la vie qu'ils avaient façonnée pour les apparences. Jusqu'alors, elle ne s'était inquiétée que pour le sexe, mais elle se rendait désormais compte que ce n'était pas le problème. Le sexe était une chose merveilleuse, elle n'allait pas le nier, mais elle aimait également partager son dîner avec Kal et l'écouter chanter de vieilles chansons hawaïennes à Akela pendant qu'il lui donnait son bain ; elle aimait se réveiller dans le parfum du café qu'il avait fait pour elle et se rapprocher de lui la nuit pour sentir la chaleur de son corps contre le sien.

Son rêve de famille était devenu réalité, et pourtant, c'était ce genre de tout petits détails qui la touchaient le plus — et qui lui manqueraient sans doute le plus quand tout serait terminé. Ce mariage était son idée, mais elle commençait à regretter. Sans cela, elle n'aurait peut-être pas obtenu la garde d'Akela, mais elle se demandait déjà comment elle allait pouvoir revenir à la vie qu'elle menait auparavant. Vivre dans une chambre d'hôtel, dîner tous les soirs à l'extérieur, multiplier les rendez-vous avec de beaux garçons… Tout cela ne lui paraissait plus aussi attrayant. Surtout en comparaison avec ce qu'elle vivait actuellement : partager la maison de Kal, préparer de petits plats pour eux deux et travailler un peu moins pour avoir une vraie vie.

Une vraie vie ? Elle n'était peut-être pas si vraie qu'elle en avait l'air, mais c'était tout ce qu'elle avait. Et plus cette mascarade durait, plus elle avait envie qu'elle dure. Elle ne rêvait plus d'une vie de couple et d'une famille ; elle voulait garder cette vie de couple et cette famille. Elle enviait aussi un peu la douceur et la tendresse de la relation de Mano et de Paige, qui venaient de deux mondes différents, mais dont les vies s'étaient fondues l'une dans l'autre. Se pouvait-il que Kal et elle vivent un jour la même chose ?

Pour chasser ces pensées de son esprit, elle prit une profonde inspiration. Elle avait promis à Kal qu'il ne s'agissait que d'un simple arrangement dont le seul but était d'obtenir la garde de sa nièce. Il n'avait jamais été question de liens quelconques, physiques ou émotionnels. Le problème physique avait été discuté et réglé, mais pour ce qui était des émotions, elle savait qu'il fallait qu'elle les contienne. En s'attachant à lui, elle finirait nécessairement par souffrir.

Tandis qu'elle s'accrochait à lui, il se pencha pour déposer un baiser sur ses lèvres. Et quand il releva la tête vers elle et qu'elle plongea son regard dans les profondeurs obscures du sien, elle comprit qu'il était trop tard.

Elle avait commis l'erreur de tomber amoureuse de son mari.

Kal avait passé les trois derniers réveillons de Noël avec Lana. C'était devenu une sorte de tradition entre eux, mais cette année allait être vraiment différente des précédentes, notamment en raison de la présence de son frère, de sa future belle-sœur et d'Akela. Mais certaines choses immuables ne changeraient pas, à savoir, Lana et les sushis. Les traditions étaient les traditions.

Mano et lui allèrent chercher la commande au restaurant où ils avaient dîné le jour du mariage. Le grand repas de Noël traditionnel hawaïen serait pour le lendemain, préparé par les soins du chef de l'hôtel et de sa brigade. Lana et Paige avaient passé une partie de la matinée à confectionner des desserts qui, d'après elles, devaient rester une surprise jusqu'au dernier moment. Il espérait que ce serait encore une fois les cookies aux pépites de chocolat des Noëls de son enfance, mais il verrait bien ce qu'elles avaient concocté. Paige connaissait certainement des spécialités du continent qu'il n'avait jamais goûtées.

Quand il se gara devant la maison, Mano le retint par le bras.

— Attends. Avant qu'on rentre, je voudrais te dire quelque chose.

— Je t'écoute.

Son frère le regarda avec un air penaud, une expression

qu'il n'avait jamais eu l'occasion de contempler sur son visage auparavant.

— Je tenais à m'excuser. Tu avais raison : je suis venu juste parce que je me posais des questions sur cette histoire de mariage précipité. J'ai pensé que c'était peut-être une machination pour obtenir la garde du bébé, ou encore que Lana était une immigrée en situation irrégulière qui voulait se procurer des papiers. Bref, je me suis interrogé. Mais ces deux jours passés avec vous m'ont convaincu que j'ai eu tort de douter de toi.

Mal à l'aise, Kal sentit son corps se crisper. Il aurait dû empêcher son frère de s'excuser ; il avait raison sur toute la ligne.

— Mano…

— Non. Il fallait que je te le dise : vous formez un couple merveilleux. Et quoi de mieux que d'épouser sa meilleure amie, après tout ? Je ne crois pas t'avoir senti aussi heureux depuis la mort de papa et maman. Lana et toi avez l'air très amoureux et très bien ensemble, et je suis ravi pour toi.

Kal ne sut que répondre. Son frère comptait parmi les personnes les plus perspicaces qu'il connaissait. Il remarquait tout, jusqu'aux moindres détails. C'était un véritable détecteur de mensonges. Mais il se trompait complètement sur Lana et lui, et Kal trouvait cela… dérangeant. Lana et lui n'étaient certainement pas assez bons acteurs pour duper Mano, et pourtant, celui-ci pensait sincèrement qu'ils étaient amoureux. Se pouvait-il que son frère perçoive quelque chose que lui-même ne percevait pas ?

Tandis qu'il songeait à tout cela, Mano avait pris un air plus grave encore.

— Tu n'as plus jamais été le même après la mort de nos parents, Kal. On aurait dit que tu ne voulais pas t'attacher parce que tu craignais de perdre à nouveau un être cher. J'étais comme ça, moi aussi, quoique pour des raisons différentes, mais désormais, je sais que ce n'est pas une façon de vivre. On ne peut pas se laisser guider par la peur. Mais je suis heureux qu'on ait compris ça tous les deux avant qu'il ne soit trop tard.

Son frère n'avait pas tort cette fois-ci. Il avait parfaitement cerné la situation.

— Moi aussi, se contenta-t-il de répondre, pour ne pas prolonger la conversation.

Mano sourit.

— Bon, on va les manger, ces sushis ? Ça sent délicieusement bon. Je meurs de faim.

Une fois à l'intérieur, ils disposèrent sur la table les *California rolls* et les makis au thon épicé, à l'anguille *unagi* et au saumon fumé, tous artistiquement présentés sur des plateaux. Ils avaient également commandé des bols d'*edamame*, de tofu frit et de salade de concombre.

Après avoir installé Akela sur sa chaise haute, ils s'assirent autour de la table. Lana versa du saké chaud dans des tasses et servit à Paige une tasse de thé vert.

— Eh bien ! s'exclama cette dernière en observant le festin. Je ne connais pas la moitié de ces plats, mais ça a l'air délicieux. Des sushis pour Noël ? C'est une super idée.

— Tu voudrais qu'on en fasse une tradition de la famille Bishop ? lui demanda Mano.

— Pourquoi pas ? Ça changerait un peu de la dinde ?

— La dinde ? répéta Mano sans comprendre.

Lana se mit à rire.

— On ne mange pas de dinde à Noël ici, expliqua-t-elle à Paige. Seulement du porc et des produits de la mer.

Ravi, Kal regardait sa nouvelle famille bavarder joyeusement en dînant. Il commençait vraiment à apprécier Paige, et les changements qu'elle avait opérés chez son frère. Lana semblait à son aise, parfaitement intégrée.

Il ne pensait pas vivre un jour ce genre de situation, et encore moins y prendre goût, s'étant toujours imaginé avec Mano comme deux loups solitaires. Et désormais, il y avait des femmes et des bébés, des repas de famille. C'était la vie qu'ils auraient sans doute menée si leurs parents n'étaient pas morts. Oui, à bien y réfléchir, tout était revenu à la normale. L'ordre des choses avait été rétabli.

Ou presque. Car il ne devait pas oublier que sa relation avec Lana n'était que temporaire. Il présumait qu'il passerait du temps avec son frère et Paige même quand Lana et lui seraient divorcés, mais les choses seraient différentes, déséquilibrées. Lana vivrait sa vie de son côté, Akela aurait retrouvé sa mère, et il serait à nouveau seul.

Pour la première fois en dix ans, cette idée lui parut insupportable. Il était toujours surpris de la rapidité avec laquelle il s'était habitué à la situation. Que faisait-il de ses soirées avant de dîner avec Lana et de donner son bain à Akela ? Il travaillait. Mais le travail ne lui manquait pas. Et l'hôtel n'avait pas besoin qu'il en arpente constamment les couloirs ; il tournait très bien sans lui.

Tout en mâchant pensivement un sushi au thon épicé, il continuait de regarder les autres bavarder et plaisanter. Il n'avait pas envie de redevenir accro au travail. Il ne savait pas si les concepts de mariage et de famille lui convenaient vraiment, mais ce mariage et cette famille avaient conquis son cœur.

Et c'était là tout le problème : il appréciait beaucoup trop.

Les fêtes de fin d'année les avaient tous rapprochés, et il allait devoir redoubler d'efforts pour garder ses distances avec Lana quand tout cela serait terminé. Si son frère avait perçu un lien entre eux, c'était qu'il y en avait un. Il allait donc falloir le rompre avant qu'il ne se renforce, avant que l'un d'eux ne se retrouve blessé.

La voix de Paige le ramena doucement à l'instant présent.

— Est-ce qu'on ouvre les cadeaux ce soir ou demain matin ?

— Avec Kal, on le fait toujours au réveillon, répondit Lana. Ça vous va ?

Paige hocha la tête avec enthousiasme.

— De toute façon, je ne pense pas que j'aurais pu attendre jusqu'à demain. Quand c'est Noël, je suis vraiment comme une gamine.

— Je vais aller coucher Akela, dit Kal. Pendant ce temps, vous pourriez peut-être nous sortir les desserts top secret dont vous nous avez tant parlé ?

Après avoir donné son bain à la petite, il la revêtit d'un pyjama rouge imprimé de bonshommes de neige et la coucha en lui promettant que le Père Noël passerait le lendemain.

Quand il retourna dans le séjour, tout était prêt pour la fin du repas. Les femmes avaient apporté leurs desserts : des marshmallows maison et un gros gâteau *red velvet*. Il n'avait jamais goûté cette spécialité du continent auparavant, mais il trouva cela tout simplement divin.

Ce fut Paige qui partit la première vers le sapin, dont elle revint avec une sélection de cadeaux pour chacun d'entre eux. Lana et lui avaient improvisé une séance shopping le lendemain de l'arrivée de son frère afin de dénicher de quoi combler leurs invités surprise.

Après quelques minutes de déballage frénétique, tous se retrouvèrent en apparence satisfaits. Lana avait offert à Kal une paire de boutons de manchettes en or et rubis, ainsi qu'une bouteille de son whisky préféré. De la part de son frère et Paige, il reçut un drone avec caméra, deux de ses films favoris en Blu-Ray et un horrible pull à l'effigie du Père Noël.

Paige poussa de tels cris de joie en découvrant le bracelet en or et émeraudes offert par Mano que Kal ne remarqua même pas ce qu'elle lui avait elle-même acheté.

Quand la distribution fut terminée, il se tourna vers Lana, qui paraissait contrariée.

— Qu'est-ce qu'il y a ?

— Rien, répondit-elle en évitant son regard.

— Tu crois vraiment que je t'ai oubliée ?

— Ce serait possible. Mais, comme tu as fait beaucoup pour moi ces temps derniers, ça ne me gêne pas.

Sans rien dire, il fouilla dans sa poche, dont il sortit deux clés de voiture qu'il se mit à agiter doucement devant ses yeux pour bien lui faire remarquer qu'il ne s'agissait ni de celles du SUV ni de celles de sa Jaguar. Le logo Mercedes ne pouvait de toute façon pas être manqué.

Pendant un instant, elle prit un air décontenancé, mais soudain son visage s'illumina. Elle avait compris.

— Tu te moques de moi ? demanda-t-elle.

— Va voir dans le garage, répondit-il simplement en lui déposant les clés dans la main.

Les yeux écarquillés, elle se leva et traversa la cuisine et la buanderie pour gagner le garage, dans lequel il avait garé la berline bleu saphir.

— Je me suis dit qu'on pourrait rendre le SUV à l'agence de location…

Elle s'était précipitée vers le véhicule, avait ouvert la portière, s'était installée au volant.

— Elle est vraiment à moi ? demanda-t-elle d'un air émerveillé.

— Oui.

— Elle n'est pas en leasing ? Je n'aurai pas à reprendre les mensualités ?

— Bien sûr que non. Elle est à toi. Maintenant, tu pourras conduire Akela dans ta propre voiture sans craindre qu'elle ne prenne froid.

Manifestement sidérée, elle secoua la tête et finit par sortir de la Mercedes pour rejoindre la buanderie, où Mano et Paige venaient d'arriver.

— Ça vous dérange de surveiller Akela quelques minutes pendant que j'emmène Kal faire un tour ?

— Absolument pas, répondit Paige en souriant. Amusez-vous bien, tous les deux. Et faites attention à ne pas percuter de rennes.

Le cœur battant à tout rompre, Lana mit le contact et ouvrit la porte automatique du garage. Craignant d'abîmer son nouveau jouet, elle redoubla de prudence pour sortir. Elle n'arrivait pas à croire que cette si jolie voiture était vraiment à elle.

Elle prit le temps de savourer son bonheur en traversant le parc de l'hôtel puis elle s'engagea sur la voie rapide. Au bout de quelques kilomètres, elle finit par s'arrêter au bord d'une falaise qui surplombait la mer. En ce soir de réveillon, les lieux, généralement prisés par les touristes, étaient déserts.

— Elle te plaît ? lui demanda Kal.

— Si elle me plaît ? Bien sûr que oui. Mais c'est trop, beaucoup trop, Kal. Tu as déjà fait tellement pour moi que tu n'avais rien besoin de m'acheter. Le mariage, la chambre d'Akela, les frais d'avocat, la location du SUV…

— Tu le mérites.

Elle secoua la tête. Elle n'avait pas l'impression de mériter tout cela. Elle se sentait coupable d'avoir transgressé les règles de leur accord à son insu. Qu'aurait-il dit s'il avait su qu'elle était tombée amoureuse de lui ? Elle n'avait pas besoin d'une voiture de luxe, elle avait besoin de remettre les pieds sur terre.

Mais qui aurait pu lui reprocher les sentiments qu'elle éprouvait pour lui ? Volontairement ou non, consciemment ou non, on aurait cru qu'il faisait tout pour qu'elle tombe amoureuse de lui. Il lui était impossible de résister à son charme. Son meilleur ami, le play-boy, s'était changé en un mari et père tendre et prévenant. Quand elle le voyait s'occuper d'Akela, elle sentait son cœur se gonfler d'amour. C'était un amant doué et attentionné, et un romantique dans l'âme, même s'il l'ignorait ou refusait de l'admettre.

Elle était folle de lui.

Elle ne savait pas si elle pourrait un jour le dédommager pour tout ce qu'il avait fait pour elle. Ces boutons de manchettes, en tout cas, ne lui semblaient pas suffisants. Elle voulait lui donner davantage, mais elle n'avait pas grand-chose à offrir, en dehors de son corps, son cœur et son âme. Ces trois choses, elle les lui aurait volontiers proposées, mais elle savait qu'il préférait se contenter de son corps. Alors elle le lui avait offert, sans oser lui expliquer que le reste était déjà acquis.

Tout en serrant le frein à main, elle se tourna vers lui.

— Tant qu'on est là tous les deux, il faudrait tout de même que je te remercie, murmura-t-elle en retirant son pull pour le déposer sur les sièges arrière.

Après avoir jeté un bref coup d'œil autour d'eux, il baissa son regard sur son soutien-gorge de dentelle rouge.

— Avec plaisir, dit-il d'une voix rauque.

Relevant sa jupe sur ses cuisses, elle enjamba la console centrale pour s'installer sur ses genoux. L'habitacle spacieux lui permit de s'asseoir confortablement et de passer ses bras autour de son cou.

Ses lèvres rencontrèrent les siennes sans aucune

hésitation. Plus que toute autre chose, elle adorait l'embrasser. Ses baisers étaient érotiques et doux, ils l'excitaient, mettaient tous ses sens en éveil. Sa bouche avait encore un goût de glaçage et de marshmallows ; c'était un vrai délice.

Elle essaya de mettre tout ce qu'elle avait dans ce baiser, sa joie, sa gratitude, son amour et tout le désir qu'elle avait pour lui. En réponse, il agrippa ses hanches et releva davantage sa jupe pour atteindre ses fesses qu'il caressa avant de s'écarter un peu d'elle pour placer ses doigts sur son sexe déjà humide de désir.

Détachant ses lèvres des siennes, il enfouit alors sa tête entre ses seins pour mordiller ses tétons qui pointaient sous la dentelle rigide. Son sang était devenu lave, un véritable afflux de plaisir brûlant lui traversait le corps. Il finit par sortir ses seins du soutien-gorge, titillant de sa langue un bout érigé après l'autre, lui tirant de petits cris de volupté. Ses gémissements résonnaient dans la voiture, mais, comme elle ne craignait pas de réveiller le bébé, elle pouvait se laisser aller.

— Tu es tellement belle, murmura-t-il tout contre sa peau avant de se mettre à embrasser la courbe de ses seins. Je ne sais pas comment j'ai fait pour te résister pendant trois ans.

Il prit l'un de ses seins dans le creux de sa main, le serra doucement, sensuellement.

— Et je ne sais pas comment je ferai pour te résister quand tout sera terminé.

C'était une bonne question, une question à laquelle elle n'avait pas de réponse à apporter. Mais c'était pire pour elle, car en plus de faire taire le désir qu'elle éprouvait pour lui, elle allait devoir faire taire l'amour qu'elle lui portait, ce qui lui serait bien plus difficile encore. Comme elle le connaissait, il passerait à autre chose et l'oublierait dans les bras d'une autre. Mais elle ne pensait pas que cette stratégie fonctionnerait pour elle. Elle ne s'imaginait pas sortir avec qui que ce soit une fois que le divorce serait prononcé.

— Tu trouveras quelqu'un d'autre pour réchauffer ton lit, murmura-t-elle en commençant à caresser son sexe à travers son pantalon. Une fille plus jolie, plus intelligente ou plus intéressante. Elle te changera les idées et tu te demanderas comment tu as pu t'attacher à moi.

Il s'était brutalement crispé sous sa main. Au bout d'une seconde ou deux, il finit par lui attraper le poignet pour l'arrêter.

— Pourquoi dis-tu ça ?

Embarrassée, elle soupira.

— Parce que c'est vrai. Ce n'est peut-être pas la meilleure chose à dire dans un moment sensuel comme celui-ci, mais tu sais aussi bien que moi que tu m'oublieras comme tu en as oublié tant d'autres avant moi. Moi, notre mariage… Dans quelque temps, tout cela ne sera plus qu'un souvenir brumeux dans ton esprit. Je te recommande donc de profiter autant que possible de mon corps tant que tu en as l'occasion.

Là-dessus, elle cambra ses hanches contre son sexe, lui arrachant un cri sourd de plaisir.

— Je passerai peut-être à autre chose, mais jamais je ne t'oublierai, Lana. Je connais déjà chacune des courbes de ton corps. Je connais les caresses qui te donnent le plus de plaisir. Celles qui te font vibrer, celles qui te font crier. Cela restera gravé dans mon esprit à jamais.

Ces mots… C'était à la fois un rêve et un cauchemar. Comment pouvait-il lui dire de telles choses, la désirer de cette façon, et ne pas avoir de sentiments pour elle ? C'était le genre de propos que l'on tenait à une femme qu'on voulait garder avec soi pour toujours, mais il n'était pas amoureux d'elle.

Elle aurait été folle de penser cela. Non, il fallait

juste qu'elle profite de cet instant, qu'elle profite de cette soirée pour pouvoir la conserver dans sa mémoire et en invoquer le souvenir quand il ne serait plus là.

— Alors, fais-moi crier, murmura-t-elle.

Sans répondre, il inclina le siège et lui souleva les hanches pour passer sa main sous sa jupe et empoigner sa culotte, qu'il arracha impatiemment.

Sous le coup de la surprise, elle sursauta.

— Tu es pressé ? demanda-t-elle.

— Un peu. Et puis on manque de place. Ne t'inquiète pas : je t'en achèterai d'autres.

Tout en se tortillant un peu, il ouvrit sa braguette et se débarrassa de son pantalon, dans la poche duquel il récupéra un préservatif. Et à peine l'eut-il enfilé qu'il s'enfonça en elle. Dans un soupir de contentement, elle se cambra pour le prendre plus profondément encore. Leurs deux corps ne faisant plus qu'un, elle avait l'impression que, pour le moment au moins, il était à elle. Avec son alliance au doigt et son désir qu'elle pouvait si bien sentir, elle avait vraiment l'impression qu'il lui appartenait.

Mais ce n'était là qu'une impression. Car dans son esprit elle savait qu'il ne pourrait jamais être à elle.

Appuyant sur ses hanches, il se mit à se mouvoir sensuellement en elle, et elle suivit son rythme. Elle sentait le plaisir monter en elle, tandis que les vitres de la Mercedes se couvraient de buée. Fermant les yeux, elle essaya de savourer toutes les merveilleuses sensations de leur union. L'odeur de cuir et de sexe qui flottait lourdement dans l'air, le son de sa respiration, comme une flèche projetée vers une cible. En l'absence du bébé, libre de gémir et de lui murmurer des paroles érotiques et excitantes, il s'exprima davantage ce soir-là.

Au bout d'un certain temps, il passa sa main entre eux. Elle sentit alors ses doigts se poser sur son sexe humide et brûlant, avant de remonter vers son clitoris. À chaque nouvel assaut, il appuyait sur ce point si sensible. Le plaisir était devenu tellement intense qu'elle ne pouvait plus contrôler ses cris. Avec toute la frénésie de son désir, il avait encore accéléré les mouvements de son bassin.

Quand elle ouvrit les paupières, elle s'aperçut qu'il l'observait. Ses yeux noirs aux paillettes dorées étaient fixés sur son visage, épiant chacune de ses expressions. Il la regardait comme si elle était la femme la plus sexy et la plus désirable qu'il ait jamais vue. On aurait cru qu'il ne pensait à rien d'autre qu'à elle.

Une idée qui dut jouer un rôle dans le déclenchement de son orgasme, qui explosa soudain en elle.

S'accrochant au siège, elle se laissa aller au déferlement de sensations intenses et voluptueuses. Et, secouée de soubresauts, elle cria son nom.

— Kal !

— Lana, souffla-t-il entre ses dents.

Elle le sentit pousser une dernière fois en elle. Et elle l'entendit crier une dernière fois son nom.

Puis il s'effondra contre elle, la serrant contre son corps brûlant en un geste protecteur. Elle était contente de pouvoir appuyer sa tête contre les muscles durs de sa poitrine et de pouvoir écouter les battements de son cœur reprendre lentement leur rythme normal.

Il lui semblait tellement naturel, tellement juste de se trouver ainsi dans ses bras. Elle n'avait pas envie de songer au moment où l'homme qu'elle aimait serait hors de sa portée. Mais ce moment viendrait. Inéluctablement. Bientôt, tout serait terminé.

Akela faisait sa sieste quand le téléphone se mit à sonner. Craignant que la petite se réveille, Lana se précipita pour décrocher, jetant un bref coup d'œil au numéro affiché — inconnu.

— Allô !

— Allô, Lana ! fit une voix de femme hésitante.

Le timbre lui paraissait familier, mais elle n'arrivait pas à le restituer.

— Oui, c'est moi.

— C'est Mele.

Lana se sentit gênée de ne pas avoir reconnu sa sœur, mais on aurait dit que celle-ci était différente, à la fois sobre et sérieuse — deux caractéristiques qui correspondaient peu à Mele.

— Bonjour, Mele, finit-elle par marmonner, pas très sûre de ce qu'elle devait dire.

Elles ne s'étaient pas parlé depuis l'arrestation. Dans un premier temps, Lana avait été trop en colère contre son aînée, et ensuite trop occupée par sa nièce. Mele, par ailleurs, n'avait pas cherché à la contacter.

— Comment va Akela ? demanda Mele avec timidité.

— Très bien. Elle a une petite dent qui est sortie.

— Waouh ! Sa première dent.

Mele paraissait attristée d'avoir manqué cette étape

de la vie de sa fille, comme si c'était important pour elle. Cependant…

— Comment se fait-il que tu aies mis si longtemps à prendre de ses nouvelles ? s'enquit Lana d'une voix froide. Elle aurait pu être dans un foyer pendant tout ce temps, et toi, tu n'aurais même pas été au courant.

— Ils m'ont dit qu'elle était avec toi, alors je savais qu'elle était entre de bonnes mains. Il fallait que je m'occupe de moi pour elle.

— Et ça a marché ?

Lana essaya de ne pas se montrer trop pessimiste quant à la guérison de sa sœur, mais elle avait conscience qu'il fallait parfois plusieurs traitements de désintoxication pour éradiquer l'addiction — et encore, dans les cas où il y avait un espoir.

— Très bien, répondit Mele d'un ton étonnamment enthousiaste. C'est aujourd'hui mon dernier jour. Je dois passer des examens médicaux cet après-midi, et si les résultats sont bons, ce dont je ne doute pas, je sortirai demain.

Demain ? Lana avait l'impression qu'Akela était arrivée chez eux l'avant-veille. Mais à bien y réfléchir, vingt-huit jours s'étaient écoulés. Comment était-ce possible ?

Elle aurait dû être heureuse pour sa sœur, mais elle sentit son estomac se retourner quand elle comprit toutes les conséquences qu'allait avoir ce changement. Si Mele réussissait sa cure, le juge la libérerait et elle viendrait chercher sa fille. Et ainsi, l'unique raison de son mariage avec Kal cesserait d'exister.

Toute sa vie était sur le point de s'effondrer.

— Tant mieux, se força-t-elle à prononcer.

— Tu as l'air dubitative.

— Excuse-moi de ne pas paraître totalement convaincue, mais tu as déjà prétendu être sevrée. Comment pourrais-

135

je savoir que tu le resteras définitivement, cette fois-ci ? Je ne te rendrai pas Akela si tu comptes te remettre à te droguer, et le juge non plus.

— Je suis contente que tu dises ça. Elle a besoin d'un maximum de gens comme toi, de gens qui l'aiment. Mais je fais également partie de ces personnes. Et si un jour je crains de rechuter, c'est à toi que je la confierai, je te le promets. Ceci étant, il n'y a pas de raisons de s'inquiéter. Je suis dans un autre état d'esprit désormais. Tua est en prison, je l'ai rayé de ma vie une bonne fois pour toutes et j'ai l'intention de repartir de zéro, avec de nouveaux amis qui auront une meilleure influence sur moi. C'est pour de bon, cette fois-ci, Lana. Ma probation le nécessite et ma fille le mérite. Si j'échoue à un test impromptu, j'irai en prison et je perdrai Akela définitivement. Je ne peux pas laisser ça arriver, je ne peux pas perdre mon bébé à nouveau.

Il y avait dans la voix de Mele une détermination que Lana n'avait jamais entendue auparavant. Elle paraissait vraiment avoir changé, et pour la première fois depuis bien longtemps Lana se sentit optimiste quant à l'avenir de sa sœur.

— Je serai libérée demain matin. Tu crois que tu pourrais venir me chercher ? Notre voiture est toujours à la fourrière et il va me falloir un moment pour trouver de quoi payer la facture.

— Oui. Je viendrai.

— Super. Merci.

Lana s'attendait désormais à ce que sa sœur lui demande de l'argent, mais comme Mele ne semblait rien vouloir ajouter, elle décida de l'interroger.

— Comment vas-tu faire pour récupérer ta voiture ?

— Ça entre dans le cadre du traitement continu : je dois assister à des réunions de groupe et passer des entretiens personnels toutes les semaines, et en contrepartie ils m'aident à chercher un emploi et un logement. Ils travaillent en partenariat avec des entreprises locales pour nous proposer des postes stables.

Ce n'était pas la réponse à laquelle Lana s'était attendue. La simple idée que Mele parle de surmonter cette épreuve seule était impressionnante — la cure avait accompli un véritable miracle.

— L'hôtel de Kal fait d'ailleurs partie de ces entreprises, reprit Mele. J'envisageais de postuler pour un emploi de femme de chambre. J'imagine que c'est le genre d'endroit où on peut évoluer dans la hiérarchie. Tu crois que tu pourrais en toucher deux mots à Kal ?

Embarrassée, Lana se mordit la lèvre, n'ayant aucune envie de lui demander encore une fois un service. Mele ne se rendait pas compte de tout ce qu'il avait déjà fait pour sa fille. Mais d'un autre côté, elle savait qu'il dirait oui, et lui trouver un emploi stable était la meilleure chose qu'ils pouvaient faire pour l'empêcher de replonger.

— Je lui en parlerai dès qu'il sera rentré.

— Bon. Alors je vais te laisser. Mais avant de le faire, je tenais à te remercier, Lana.

— Me remercier pour quoi ?

— Pour tout.

Un long silence s'étira entre elles.

— Je te rappelle demain matin, finit par dire Mele.

La communication fut coupée, et Lana resta quelques instants à regarder songeusement le combiné. Et maintenant, qu'allait-elle faire ? Elle avait du mal à croire que cette conversation ait vraiment eu lieu. Elle avait accepté la situation en sachant qu'elle pouvait s'achever au bout d'un mois si sa sœur était libérée, mais au fond d'elle, elle n'avait jamais cru que cela pouvait arriver.

Mais c'était bel et bien arrivé, et le sentiment de panique qu'elle ressentait désormais ne faisait que le confirmer. Relevant les yeux, elle observa le séjour. Le sapin de Noël avait disparu, de même que la plupart des décorations, mais elle avait laissé les lumières pour le nouvel an. Bientôt, tout cela disparaîtrait aussi, à l'image de la jolie vie qu'elle menait.

Ce n'étaient pas son mari, son enfant, ni même sa maison ; c'était une mise en scène qui allait bientôt se terminer. Akela allait retrouver sa mère. Et une fois le bébé parti, il n'y aurait plus aucune raison que Kal et elle continuent de vivre ensemble.

Malheureusement, elle avait été assez stupide pour tomber amoureuse de lui alors qu'elle savait parfaitement que ce jour finirait par arriver. Elle aurait volontiers continué de vivre ainsi, même en l'absence d'Akela, mais elle ignorait complètement s'il ressentait quelque chose pour elle au-delà de cette attirance purement physique. Il y avait des fois où il lui semblait voir briller dans ses yeux quelque chose qui ressemblait à de l'amour, mais elle se faisait certainement des illusions.

Kal n'avait jamais voulu se marier, alors, pourquoi aurait-il accepté de s'engager avec une femme comme elle ? Il méritait bien mieux.

Elle avait peur de lui parler, peur de perdre tout ce qu'elle avait. Mais d'un autre côté, elle ne pouvait pas remettre cela à plus tard. Dans quelques heures à peine, Akela serait partie.

— Je vais à l'hôtel, Sonia, finit-elle par dire à la nourrice en attrapant son sac.

Au volant de la Mercedes, elle traversa anxieusement la propriété avant de se garer sur le parking des employés.

Elle trouva Kal dans son bureau, occupé à taper quelque chose sur son clavier. Elle resta quelques instants à le regarder. Il n'avait apparemment aucune idée de la bombe qu'elle s'apprêtait à lâcher.

— Coucou. J'envisageais justement d'aller déjeuner. Si tu veux te joindre à moi…

Tout en se mordant la lèvre, elle secoua la tête.

— Ce n'est… euh… pas pour ça que je suis venue. Je viens de recevoir un appel de Mele.

Il afficha aussitôt une expression soucieuse.

— Elle va bien ?

— Oui. Très bien, même. Tellement bien qu'elle sort demain.

Elle avait à peine prononcé ces mots qu'elle sentit les larmes lui monter aux yeux.

L'air alarmé, il se leva brusquement de sa chaise pour passer ses bras autour de ses épaules. Et il eut la gentillesse de la laisser pleurer pendant une bonne minute avant de commencer à l'interroger.

— A-t-elle dit quelque chose au sujet du juge et de l'accord concernant la garde ?

— Elle a dit qu'elle devait subir un dernier examen sanguin cet après-midi, mais qu'elle n'avait aucune inquiétude quant aux résultats. Elle sortira donc demain. Et elle souhaite récupérer Akela aussi vite qu'elle le pourra.

À ces mots, elle sentit son corps viril se crisper contre le sien et comprit sa réaction ; lui aussi adorait la petite, qui était devenue le centre de son univers.

Elle regrettait simplement qu'il ne l'aime pas, elle, autant qu'il l'aimait.

Kal avait les nerfs à vif. Jamais il ne s'était senti aussi impuissant depuis la mort de ses parents. Il avait l'habitude de contrôler chacun des détails de sa vie, mais il y avait une chose, une seule, sur laquelle il n'avait aucun pouvoir : la décision du juge. Mele avait rempli tous les termes de son contrat, et la garde de sa fille lui avait été rendue.

Lana étant partie la chercher au centre de désintoxication, il était resté pour surveiller Akela. Après avoir annoncé la nouvelle à Sonia, ils lui avaient donné un jour de congé pour qu'elle puisse chercher une nouvelle place. Il n'y avait donc plus que Lana et lui. Sans bébé, plus besoin de nourrice ni de chambre d'enfant… ni de mariage.

Assis en tailleur à même le sol, il regardait Akela jouer avec son doudou. Après son réveil, il avait choisi pour elle une adorable robe blanche imprimée de canards, des socquettes blanches et de minuscules babies vernies. Il voulait qu'elle ait l'air de la parfaite petite princesse qu'elle était à ses yeux.

Ses valises se trouvaient déjà près de la porte. Le centre de désintoxication s'était arrangé pour que Mele obtienne un logement dans un immeuble assez proche. En attendant qu'elle déménage ses effets personnels, il lui avait réservé une chambre dans l'hôtel — comme il avait accepté de l'embaucher, il s'était dit que la proximité l'aiderait à démarrer.

Une fois qu'elle serait installée dans son nouvel appartement, il y ferait expédier toutes les affaires d'Akela. Ses vêtements, couches et doudous se trouvaient déjà dans la valise — cette valise qu'il avait envie de bourrer de coups de pied.

Alors qu'il songeait à tout cela, Akela lui avait souri, exposant son unique dent. À la regarder, il sentit son cœur se serrer. N'ayant jamais voulu ni famille ni enfant, jamais il n'aurait imaginé qu'il lui serait si difficile de laisser partir cette petite fille. C'était entre autres pour elle qu'il quittait son travail à l'heure le soir. Elle était devenue son rayon de soleil comme Lana était son rayon de lune.

Mais il allait les perdre toutes les deux.

Un bruit, à l'extérieur, retint son attention. Des voix féminines qui se rapprochaient. Paniqué, il sentit tous les muscles de son corps se crisper. La porte finit par s'ouvrir sur Lana et une femme qui lui ressemblait, mais qui paraissait un peu plus âgée. Ses yeux étaient par ailleurs plus en amande que ceux de Lana, semblables à ceux d'Akela, et sa maigreur avait quelque chose d'alarmant. Elle ne le regarda pas, cependant. À l'instant même où elle passa le seuil, toute son attention convergea vers la fillette.

— Akela ! s'exclama-t-elle en s'agenouillant brusquement à côté du bébé.

Elle la prit dans ses bras, la serra contre sa poitrine. Alors, des larmes se mirent à couler sur ses joues, et à les voir, il se sentit coupable d'avoir envisagé de refuser de rendre la petite à sa mère. Akela semblait vraiment ravie d'avoir retrouvé sa maman, et son visage rayonnait de bonheur.

Les retrouvailles s'étaient bien passées. Mais il ne pouvait pas supporter ce spectacle. Brusquement, il se leva et prit la veste qu'il avait laissée sur le dossier d'une chaise.

— Je vais au bureau.

Lana le scruta d'un air anxieux, mais elle ne chercha pas à l'arrêter.

— D'accord. Je vais emmener Mele à l'hôtel pour l'aider à s'installer.

Il s'en moquait complètement. Tout ce qu'il voulait, c'était sortir d'ici. Il savait qu'il ne pourrait pas supporter de voir Mele s'en aller avec le bébé dans les bras.

Il avait envisagé de travailler environ deux heures, mais quand il consulta sa montre, il constata que sept heures s'étaient écoulées, et que l'heure à laquelle il quittait généralement son bureau était largement passée.

Mais quel intérêt avait-il à rentrer si Akela n'était plus là ?

Il y avait toujours Lana, naturellement. C'était déjà

quelque chose. Mais cela aussi ne durerait pas. Quand il partit, les locaux de la direction étaient sombres et la maison, quand il se gara devant, lui parut également plus sombre qu'à l'accoutumée.

En entrant dans la cuisine, il trouva Lana assise devant un verre de vin. Elle ne releva pas les yeux à son approche.

— Mele et Akela sont parties ? demanda-t-il.

Lentement, elle hocha la tête.

— Oui. Merci de lui avoir proposé de rester à l'hôtel quelques jours. Sonia aussi est partie : elle a trouvé une autre place à demeure et ses nouveaux employeurs voulaient qu'elle commence tout de suite.

Las, il s'adossa au chambranle de la porte. Le manque qu'il avait comblé avec le travail était de retour en lui. Il se sentait aussi creux que la coquille vide qu'était devenue sa maison.

— C'est beaucoup trop calme, ici.

— Oui, répondit-elle en faisant tourner le pied de son verre entre ses doigts. Mais le calme est propice à la réflexion. Et j'ai beaucoup réfléchi depuis ton départ.

Ces propos paraissaient de mauvais augure.

— À quoi ? demanda-t-il en s'approchant d'elle pour qu'elle cesse de l'ignorer.

— À ce que nous allons faire maintenant. Tous les deux.

C'était là une chose qui lui avait bien souvent traversé l'esprit. Mais il s'était interdit d'y réfléchir trop longuement. Il lui semblait déjà suffisamment difficile d'accepter le départ d'Akela.

— On n'est pas obligés de prendre des décisions tout de s...

— J'ai appelé Dexter, l'interrompit-elle. Il va préparer les papiers du divorce. Il a dit qu'on pouvait venir demain matin pour les signer et qu'il les présenterait ensuite au juge. Il faudra environ un mois pour que tout soit terminé, mais au moins la procédure sera mise en route.

Ces propos, pourtant parfaitement rationnels, déclenchèrent en lui une violente émotion. Pourquoi pensait-il que c'était lui qui aurait dû énoncer l'inévitable ? Pourquoi regrettait-il qu'elle semble pressée d'en finir ? Il avait espéré qu'elle essaierait de faire traîner les choses — c'était elle, après tout, qui avait eu l'idée de ce mariage. Or, il avait l'impression de subir une rupture, ce qui ne lui était jamais arrivé dans sa vie.

— Tu penses vraiment qu'on doit aller si vite ? Mele n'en est qu'à son premier jour de désintoxication. Imagine, si elle se remettait à se droguer la semaine prochaine. Il faudrait qu'on se remarie. Ça ferait beaucoup de démarches inutiles. Pourquoi ne pas attendre un peu par mesure de prudence ? Ce n'est tout de même pas comme si nous étions pressés de nous séparer pour épouser quelqu'un d'autre.

Enfin, elle releva les yeux vers lui. Elle paraissait concentrée et… en colère.

— Dans une semaine, un mois, un an… On ne peut ni contrôler ni anticiper les actions de ma sœur, et on ne peut pas non plus vivre nos vies en fonction de la sienne.

— Ce n'est pas ce que j'ai dit. Je constate simplement qu'il s'est passé beaucoup de choses aujourd'hui et que ce n'est peut-être pas le bon moment pour prendre des décisions hâtives.

— Mais qu'est-ce que tu veux qu'on fasse, hein ? Qu'on reste mariés ? Qu'on continue de coucher ensemble et de jouer les couples heureux ? Plus on laisse traîner la situation, plus on se fait du mal.

— Je n'ai pas l'impression de me faire du mal en étant marié avec toi. Et l'idée de poursuivre les choses telles qu'elles sont ne me rebute pas, bien au contraire.

— C'est parce que tu n'es pas…

Elle s'interrompit brusquement. Comme si elle était submergée par une violente émotion, sa respiration était devenue rapide et saccadée.

— Parce que je ne suis pas quoi ?

— Parce que tu n'es pas amoureux, Kal. Tu n'es pas amoureux de moi, alors pour toi, bien sûr, tout cela n'est qu'un jeu. On joue au papa et à la maman. Et tu trouves ça très amusant, parce que tu sais que ce n'est pas pour toujours.

Amoureux ? Était-elle amoureuse de lui ? L'idée lui paraissait totalement irréelle. Et complètement sidérante.

— Attends. Ce n'est pas qu'un jeu pour moi. Pourquoi dis-tu ça ?

Tournant brusquement la tête vers lui, elle lui jeta un regard noir.

— Kal, es-tu amoureux de moi ? Si oui, dis-le maintenant.

Pris de court par cette question, il sentit son corps se crisper. Amoureux ? Il ne savait même pas ce que c'était que de l'être. Ce qu'il savait, en revanche, c'était qu'il était très attaché à elle. Mais, à en juger par l'expression de son visage, ce n'était pas suffisant à ses yeux.

— Je vois, marmonna-t-elle en se levant.

— Non, attends. Tu ne me laisses pas le temps de réfléchir.

L'air attristé, elle secoua la tête.

— Tu ne devrais pas avoir à y réfléchir, Kal. Soit tu es amoureux de moi, soit tu ne l'es pas. Soit tu veux qu'on reste mariés, soit tu ne le veux pas. La réponse me semblant évidente, je ne vois pas l'intérêt de prolonger cette conversation. Tout est fini. On se verra demain chez Dexter.

Il se demanda ce qu'il devait répondre. D'un côté, il se sentait soulagé que tout soit terminé, que ce « mariage » prenne fin, mais de l'autre, il était terrorisé à l'idée de mettre un terme à la merveilleuse relation qu'ils avaient développée.

— Lana…

— Merci, Kal, l'interrompit-elle en levant la main pour lui intimer le silence.

— Merci pour quoi ?

— Merci d'avoir mis ta vie entre parenthèses pour m'aider. Je ne pense pas que beaucoup de gens auraient fait ce que tu as fait.

Il y avait dans sa voix une détermination qui ne lui plaisait pas. On aurait dit qu'elle lui faisait ses adieux.

— Si c'était à refaire, je le referais les yeux fermés, répondit-il sincèrement.

La tête baissée, elle prit son sac et commença à se diriger vers le séjour.

— Où vas-tu ?

Elle s'arrêta près de la porte pour ramasser une valise roulante qu'il n'avait pas remarquée quand il était entré dans la pièce. Elle allait le quitter. Il avait passé sa journée à essayer de démêler ses émotions ; elle avait passé la sienne à réfléchir, et elle en était arrivée à la conclusion que tout était fini entre eux.

— Je rentre chez moi, répondit-elle en se tournant vers lui.

— Mais tu es chez toi, dit-il d'une voix ferme.

Elle secoua la tête.

— Pas besoin de te dépêcher de demander à tes hommes de déménager mes affaires. J'ai mis tout le nécessaire dans cette valise ; le reste peut attendre. J'ai trouvé un joli studio sur la colline à Lahaina que j'envisage de louer. Si ça ne te dérange pas, je préfére-rais que tu leur dises d'attendre quelques jours pour y amener mes cartons.

L'air grave, elle baissa les yeux vers sa main, retira son alliance et la déposa sur la petite console de marbre.

Il n'avait pas vraiment prêté attention à la sienne depuis le jour du mariage. Mais soudain, il eut l'impression que le métal froid lui brûlait la peau. Tout était en train de s'effondrer ; c'était horrible. Il l'avait perdue. Il avait tout perdu.

— Redemande-moi, dit-il en s'approchant d'elle.

— Non. Tu ne m'aimes pas, Kal. Tu aimais l'idée de notre arrangement, mais si nous restons mariés, ce ne sera pas la même chose. Ce ne sera pas la vie que tu veux. Tu as fait ça parce que nous sommes amis. Et si j'acceptais de rester avec toi en sachant cela, je serais une garce qui profiterait de notre amitié. J'en ai déjà suffisamment profité comme ça, alors ne me demande pas de continuer.

Des émotions contradictoires se bousculaient en lui. Il ne comprenait pas ce qu'il ressentait, il ne savait pas si elle avait raison. La seule chose dont il était certain, c'était qu'il ne voulait pas la perdre.

— Et notre amitié ?

Même cela était en train de lui filer entre les doigts. Et c'était ce qu'il redoutait le plus.

— Elle va se poursuivre, répondit-elle en lui mettant un petit coup de poing dans l'épaule.

C'était un geste familier, qui rappelait le bon vieux temps, mais le regard distant qu'elle affichait lui paraissait peu convaincant.

— J'ai juste besoin d'un peu de temps pour moi, Kal, je te le promets.

Il se sentit soulagé par ces propos, mais sa poitrine était toujours si serrée par l'anxiété qu'il avait peine à respirer.

— Bonne nuit, Kal, dit-elle en ouvrant la porte.

Figé sur place, il la regarda monter dans sa jeep, laissant la Mercedes au garage. Il ne pouvait pas bouger, il ne pouvait pas la rattraper. Elle lui avait quasiment dit qu'elle était amoureuse de lui, mais d'un autre côté, elle ne semblait pas avoir envie d'être courtisée. Son amour pour lui l'avait-il rendue malheureuse ? À bien y réfléchir, il ne s'était peut-être pas trompé au sujet des relations de couple : elles se terminaient toujours mal. Lana avait probablement raison : partir était la meilleure solution.

Leurs vies n'étaient pas si mal que cela auparavant et ils passaient de bons moments ensemble. Un enfant était une énorme responsabilité qu'ils n'étaient pas obligés d'endosser. Et puis, s'il s'était si vite adapté à la vie de famille, il lui faudrait sans doute moins de temps encore pour reprendre le cours de sa vie normale.

Mais il avait beau se donner de la peine, il ne réussissait pas à se convaincre lui-même de la véracité de son propos.

11

— Tu veux que je mette ce tableau ici ? demanda Lana en se retournant.

Mele, qui tenait Akela dans ses bras, hocha la tête avec enthousiasme.

— Oui. Très bien.

À l'aide d'un marteau, Lana enfonça un clou et accrocha le cadre, puis elle fit un pas en arrière pour admirer son œuvre. Cela commençait à prendre forme.

Bien que petit, le nouvel appartement de sa sœur était mignon, et à la fois proche de l'hôtel et du centre de désintoxication. La chambre était assez spacieuse pour abriter un lit double et un lit à barreaux, et elle espérait que, quand Akela serait suffisamment grande pour avoir sa propre chambre, Mele aurait amélioré sa situation financière.

— Merci pour tout ce que tu as fait pour moi, lui dit Mele. J'ai l'impression qu'on a passé plus de temps ensemble cette semaine qu'au cours de ces dernières années.

— Moi aussi.

Après son départ de la maison familial, Lana n'avait pas beaucoup cherché à voir Mele, appréciant peu ses fréquentations. Mais depuis que toutes ces mauvaises influences avaient disparu de sa vie, elle avait l'impression d'avoir retrouvé sa sœur. Durant son temps libre, Lana venait régulièrement chez elle pour l'aider à s'installer. Elles avaient aussi fait les magasins ensemble et mis de côté quelques jolies trouvailles pour leurs appartements respectifs.

— Tu veux un café ? lui demanda Mele en déposant la petite sur son tapis d'éveil.

— Volontiers.

Elles se dirigèrent vers le coin-cuisine, où elles savourèrent leur café en silence. Lana essaya de ne pas trop songer au délicieux breuvage que lui faisait Kal le matin — cela n'aurait fait que la replonger dans la spirale des tristes et douloureuses émotions qui lui étaient rattachées.

Partir avait été la chose la plus difficile qu'elle ait jamais eue à faire, mais c'était nécessaire : elle aimait Kal, mais elle s'aimait aussi suffisamment pour savoir qu'elle ne pouvait pas rester avec lui. Il avait fait mine de vouloir la garder, mais elle ne doutait pas qu'il finirait par déchanter quand il comprendrait dans quoi il s'était engagé. Elle avait envie d'une relation avec un homme qui savait ce qu'il ressentait et voulait être avec elle plus que tout, sans se poser de questions. Cet homme n'était pas Kal.

Elle ne l'avait pas vu depuis qu'elle était partie ce soir-là. Le lendemain, elle s'était délibérément rendue très tôt au cabinet de Dexter pour signer les papiers du divorce et se prémunir contre toute nouvelle confrontation embarrassante avec Kal, et depuis elle avait soigneusement évité les lieux qu'il avait l'habitude de fréquenter à l'hôtel. Les choses lui paraissaient plus simples ainsi. Elle n'aurait pas pu le voir tous les jours et faire comme si elle n'avait pas le cœur brisé. Une fois que le divorce serait prononcé, ils pourraient peut-être redevenir amis. C'était en tout cas ce qu'elle lui avait dit, et elle espérait vraiment ne pas s'être trompée.

— Lana ? fit soudain la voix de sa sœur.

Elle sursauta.

— Quoi ? demanda-t-elle en se tournant vers Mele, qui la regardait d'un air insistant.

— Ça fait trois fois que je t'appelle. Tu es sur quelle planète ?

— Excuse-moi. Je suis un peu distraite aujourd'hui.

Mele hocha la tête.

— C'est à cause de Kal ?

Surprise, Lana se redressa brusquement.

— Qu'est-ce qui te fait penser ça ?

— Eh bien… Tu n'as pas prononcé son nom de toute la semaine. Quand mon avocat m'a dit que ma sœur et son mari avaient demandé la garde d'Akela, j'ai fait comme si de rien n'était, mais ça a été difficile, parce qu'au fond de moi j'étais complètement sidérée. Qu'est-ce qui se passe entre vous ?

Lana s'absorba dans la contemplation de son mug.

— Je ne vais pas ressasser mes vieilles histoires. On est censées prendre un nouveau départ, toutes les deux.

Croisant les bras, Mele se mit à la regarder d'un air sévère.

— Lanakila ! Explique-moi tout de suite, ou je te tire l'oreille.

Surprise, Lana releva les yeux. Quand elles étaient petites et qu'elle embêtait son aînée, celle-ci la traînait dans le séjour en la tenant par l'oreille pour exposer la situation à leur père — en règle générale, elles étaient punies toutes les deux. Mele ne lui avait pas tiré l'oreille depuis quinze ans, mais elle se rappelait encore parfaitement la douleur… et elle n'avait nullement envie de la ressentir à nouveau.

— Bon. D'accord.

— Commence par le commencement. Je ne sais

pas grand-chose sur vous deux et je veux connaître tous les détails.

Après avoir poussé un lourd soupir, Lana raconta donc ses souvenirs, depuis sa rencontre avec Kal jusqu'au jour où elle était partie. À un moment, elle dut interrompre son récit pour que Mele puisse coucher Akela. C'était bien plus long qu'elle ne l'avait imaginé. Kal et elle avaient une histoire. Une véritable histoire.

— Voilà, conclut-elle. Tu sais tout. Je suis amoureuse de mon meilleur ami. Il n'est pas amoureux de moi. Et nous serons divorcés dans…

Elle baissa les yeux vers son téléphone.

— … vingt-deux jours.

— Waouh…, souffla Mele. C'est complètement fou. Je n'arrive pas à croire que vous ayez fait ça juste pour mon bébé.

Ses yeux étaient devenus légèrement humides tandis qu'elle avait tourné la tête vers la chambre où dormait la petite.

— Je ne sais pas comment te remercier pour tout ce que vous avez fait pour elle. Sans parler du coût que ça a dû avoir.

— Ça en valait la peine.

— Tu le penses vraiment ?

— Tout à fait. Je regrette simplement de ne pas avoir anticipé que ça se terminerait comme ça, je me serais mieux protégée. J'aurais gardé mes distances quand on n'était que tous les deux. Il a une personnalité tellement magnétique. Je suis littéralement attirée par lui.

— Et comment crois-tu que tout cela va se terminer ?

— Comme ça.

Elle était déjà à moitié amoureuse de lui quand ils avaient conclu ce pacte. Comment avait-elle pu penser que, en vivant avec lui, la bague au doigt, et en dormant dans son lit, elle parviendrait à lui résister ?

— Je pourrais mettre mon chagrin sur le compte du sexe, qui ne faisait pas partie du plan, mais je sais que ce n'est pas ça. Je serais de toute façon tombée amoureuse de lui. Le sexe m'a donné l'illusion qu'il pouvait lui aussi tomber amoureux de moi. Ce qui est bien sûr ridicule.

À ces mots, sa sœur avait fait une petite grimace.

— Je ne vois pas pourquoi tu trouves ridicule qu'il puisse tomber amoureux de toi.

— Allez, Mele.

— Il n'y a pas d'« allez » qui tienne. Pourquoi es-tu si certaine qu'il ne tombera jamais amoureux de toi ? Tu es belle, intelligente, talentueuse. Tu prends soin des personnes que tu aimes, et tu aimes plus fort que toutes les personnes que je connais. Il devrait s'estimer heureux que tu sois tombée amoureuse de lui.

— Tu délires. Je suis peut-être belle et douée pour la danse, mais ça ne suffit pas. Il est issu d'une puissante famille. Sa mère était une descendante de la royauté hawaïenne. Il a plus d'argent sur son compte en banque que tout ce que je gagnerai dans ma vie. Il n'est pas comme nous. Et il ne peut pas tomber amoureux de filles comme nous.

— De filles comme moi, tu veux dire ? demanda Mele d'une voix sérieuse.

Manifestement, elle avait été vexée par ses propos.

— Ce n'est pas ce que je voulais dire, excuse-moi. Mais le fait d'avoir un père violent et alcoolique, et une sœur qui a des déboires avec la justice n'arrange certainement pas les choses.

Tout en souriant, Mele secoua la tête.

— Non, ne t'excuse pas : tu as raison. En tout cas pour notre famille. Nous sommes issues d'un milieu populaire et nous n'hériterons de rien d'autre que d'une petite bicoque. Et naturellement, nous avons des problèmes. Mais qui n'en a pas ? Certains ont suffisamment d'argent pour régler les leurs ; c'est la seule différence. Mais notre famille a de la chance, et tu sais pourquoi ? Parce que nous t'avons, toi. Tu es notre richesse.

Lana se sentait gênée par les flatteries de Mele. Elles avaient choisi des chemins différents, mais elle ne s'était jamais considérée comme mieux que sa sœur.

— Arrête. Je suis douée pour la danse, c'est ça qui m'a permis de me tirer de notre situation. Mais qui sait ce qui me serait arrivé si j'avais eu deux pieds gauches ?

Mele secoua furieusement la tête.

— Tu n'aurais jamais terminé comme moi. Tu ressembles trop à maman pour ça.

Bouleversée, Lana sentit les larmes lui monter aux yeux.

— Tu trouves ?

Elle n'avait que deux ans quand sa mère était morte d'un cancer du col de l'utérus qu'on lui avait diagnostiqué à la maternité. Le traitement avait été très lourd et pénible, et par voie de conséquence, elle s'était peu occupée de Lana. Les souvenirs qu'elle avait d'elle se limitaient à quelques photos qui révélaient une ressemblance certaine. Mele, qui avait cinq ans au décès de leur mère, avait naturellement gardé beaucoup plus de choses en mémoire.

— Mais oui, finit par répondre sa sœur. À ton avis, pourquoi papa s'est effondré quand elle est tombée malade ? Parce que maman était tout pour lui. Il te serrait dans ses bras et il pleurait parce qu'il savait qu'elle était en train de lui échapper et qu'il ne pouvait rien faire contre cela. Après sa disparition, il ne s'est jamais autorisé à s'attacher à quelqu'un d'autre. Il n'aurait pas supporté de voir son cœur brisé à nouveau.

Les paroles de Mele venaient de déterrer un souvenir de la mémoire de Lana. Quelque chose que Kal avait dit une fois, il y avait bien longtemps de cela. Un soir, alors qu'il avait bu quelques bières, il lui avait expliqué que tomber amoureux représentait un trop grand risque à ses yeux. Qu'il savait ce que c'était que de perdre un être cher et qu'il ne comprenait pas comment elle pouvait vouloir se marier et fonder une famille alors que tout cela pouvait lui être arraché à n'importe quel moment.

— Ça me fait penser à Kal, dit-elle à voix haute.

— Quoi donc ?

— Ce que tu viens de dire concernant papa. Kal a perdu ses parents il y a dix ans. Il n'en parle pas beaucoup, mais je peux te dire que ça l'a vraiment bouleversé. Je me demande d'ailleurs si ça ne serait pas pour ça qu'il…

— Qu'il a peur d'admettre qu'il est amoureux de toi.

Lana secoua vivement la tête.

— Qu'il a peur de s'engager dans une relation sérieuse. Qu'est-ce qui te fait autant croire qu'il est amoureux de moi ?

L'insistance de sa sœur lui semblait curieuse, d'autant plus qu'elle n'avait vu Kal que quelques minutes et qu'elle ne lui avait même pas parlé. Pour sa part, elle avait passé tout un mois sous son toit et elle n'avait aucune certitude à ce sujet.

Mele, qui s'était levée, se remit à faire du café.

— Si tout ce que tu m'as dit sur Kal est vrai, il est nécessairement amoureux de toi.

— Pourquoi ?

— Parce que ce n'est pas un imbécile. C'est un homme intelligent, un homme d'affaires qui a l'habitude que tout soit conforme à ses attentes. Mais on ne contrôle pas l'amour comme un contrôle une entreprise, et il le sait très bien. Il a peut-être peur d'admettre la vérité, ou encore peur de souffrir, mais ce n'est pas un imbécile.

Kal souffrait. Il ne l'aurait avoué à personne, mais il souffrait. Au départ, il avait pensé que c'était à cause du départ d'Akela — la petite lui manquait. Mais ce n'était pas cela qui le tourmentait le plus. C'était le visage déçu de Lana qu'il voyait quand il fermait les yeux le soir dans son lit ; le rire de Lana qu'il entendait quand il remarquait quelque chose dont ils auraient pu tirer un bon sujet de conversation ; les lèvres sensuelles et pulpeuses de Lana qu'il rêvait toutes les nuits d'embrasser.

Elle lui manquait. Cela faisait plus d'une semaine qu'il ne l'avait pas vue, une semaine sans coup de téléphone, message ou rencontre impromptue dans le hall de l'hôtel. Elle ne devait jamais être à plus d'une centaine de mètres de lui, mais c'était comme si elle avait totalement disparu de sa vie.

S'il voulait vraiment la voir, il pouvait toujours aller regarder le *luau*, mais il n'arrivait pas à s'y résoudre. Cela n'aurait fait qu'aggraver ses souffrances.

La voix de son assistante le ramena brusquement à la réalité :

— Monsieur Bishop ?

— Oui ? fit-il en relevant les yeux de son bureau.

— Il y a quelqu'un ici qui voudrait vous voir, monsieur.

— Le voir, non, corrigea un homme derrière elle. Mais au moins lui rendre visite.

Il reconnut aussitôt la voix de son frère, dont la présence à l'hôtel ne manqua cependant pas de le surprendre. Sa visite à Noël lui avait déjà paru curieuse, et celle-ci, en plein mois de janvier, était plus déconcertante encore. Mais il dut attendre que Jane ait disparu pour l'interroger.

— Que fais-tu là ? lui demanda-t-il quand il se fut assis. Ne me raconte pas d'histoires, cette fois-ci.

— Très bien, d'accord. Je suis venu parce que tes employés sont inquiets pour toi et qu'ils m'ont contacté.

Sous le coup de l'étonnement, Kal faillit tomber à la renverse.

— Tu te moques de moi ? s'exclama-t-il en s'accrochant au rebord de son bureau.

— Pas du tout. À ce que j'ai cru comprendre, tu rôdes dans les couloirs comme un fantôme et tu terrifies tout le monde en aboyant des ordres et en critiquant le travail qui a été fait, tu…

— Très bien, l'interrompit Kal. Message reçu, je me suis montré désagréable.

Il avait bien senti qu'il était de mauvaise humeur, mais il ne s'était pas rendu compte que c'était à ce point.

— Quelqu'un t'a vraiment appelé pour te demander de venir ? s'enquit-il.

— En réalité, quelqu'un m'a demandé la permission de glisser un calmant dans ton café. Alors je me suis dit que je ferais bien de venir ici pour trouver une meilleure solution.

Embarrassé, Kal croisa les bras.

— Je vais remédier à ça. Ça a été une dure semaine.

Mano hocha pensivement la tête avant de se pencher pour toucher la main gauche de Kal.

— C'est bien ce que j'avais deviné : plus d'alliance.

Kal regarda son annulaire nu. Il n'avait porté cette bague qu'un mois, et pourtant il avait toujours l'impression de pouvoir la sentir sur sa peau.

— Plus d'alliance, répéta-t-il. Plus de mariage. Plus de bébé. Tout est terminé.

— Que s'est-il passé ?

Las, il soupira. Il n'avait aucune envie d'avouer la vérité à son frère, mais il savait que le moment était venu.

— Tu avais raison pour Lana et moi : rien de tout cela n'était réel. Il fallait que tout le monde y croie à cause des services sociaux qui nous tournaient autour, mais c'était une mise en scène. Comme la sœur de Lana était en désintoxication, c'était le seul moyen pour nous d'obtenir la garde de sa nièce. Depuis, sa sœur a réussi sa cure et récupéré sa fille. Donc, c'est fini. Lana est partie.

Mano écoutait avec cet air pensif qui avait toujours rendu Kal nerveux. Il avait entendu dire que, quand on perdait l'usage d'un sens, les autres se renforçaient pour compenser le manque. Son frère semblait en effet avoir acquis une sorte de sixième sens depuis l'accident qui lui avait fait perdre la vue.

— Tu veux dire que tu l'as laissée partir ? finit-il par demander.

— Non. Je veux dire qu'elle a appelé l'avocat, qu'elle a enclenché la procédure de divorce et qu'elle a déménagé.

C'était la pure vérité. Même s'il omettait un petit détail : le moment où elle lui avait demandé s'il l'aimait et où il avait eu l'impression qu'il allait étouffer.

— Ça me paraît très étrange qu'une femme à l'évidence si amoureuse de son mari s'en aille comme ça. On dirait qu'elle a cherché à se protéger de quelque chose. Qu'est-ce que tu lui as fait ?

— Je ne lui ai rien fait. Je m'en suis tenu à notre accord. C'est elle qui en a enfreint les règles.

— Et quelles étaient ces règles ?

— Ça ne devait être qu'une façade. On faisait ça pour le bébé, et c'est tout.

— Alors tu n'as pas couché avec elle ?

Kal avait désormais l'impression de subir un interrogatoire. Quand il mettrait la main sur la personne qui avait contacté son frère, il lui montrerait ce que c'était qu'un dirigeant de mauvaise humeur.

— Si, j'ai couché avec elle.

— Plusieurs fois ?

De plus en plus irrité, il serra les poings.

— Oui ! Plusieurs fois !

— Alors tu as enfreint les règles, toi aussi.

Mano n'avait pas tort.

— Oui. On a tous les deux enfreint les règles. Mais elle n'était pas censée s'attacher, et ce n'était pas censé détruire notre amitié.

Tout en hochant la tête, Mano se mit à caresser son chien.

— Donc, vous avez passé un mois à jouer au papa et à la maman, à faire l'amour et à vous comporter devant tout le monde comme une petite famille heureuse, et maintenant tu lui en veux parce qu'elle s'est laissé prendre au jeu ?

— C'est ça.

— Et tu t'en veux aussi à toi-même parce que tu t'es aussi laissé prendre au jeu ?

Tout en fermant les yeux, Kal poussa un soupir d'exaspération. Il n'avait aucune envie d'avoir cette conversation avec son frère, mais il voyait bien qu'il ne s'en sortirait pas.

— Et si on allait discuter de ça au bar ? Un verre ne me ferait pas de mal.

Tout en souriant, Mano se leva.

— Excellente idée.

En ce milieu d'après-midi, le bar de l'hôtel était désert. Après avoir commandé deux bières, ils s'installèrent face à face dans un petit box. Les bras croisés, Mano semblait attendre quelque chose. Sans doute la réponse que Kal avait omis de lui donner quelques minutes plus tôt.

— Je ne suis pas amoureux, finit-il donc par dire.

L'air peiné, Mano soupira.

— Tu sais, il n'y a pas si longtemps que ça, à l'anniversaire de *tūtū* Ani, si mes souvenirs sont bons, c'est toi qui m'as convaincu de me battre pour récupérer la femme que j'aimais et que j'avais pourtant laissée sortir de ma vie.

— Ce n'était pas la même chose. Toi, tu étais amoureux d'elle.

— Alors que toi, tu pourrais affirmer que tu n'éprouves rien pour Lana ?

Kal médita quelques instants la question. Se pouvait-il qu'il cherche à ignorer quelque chose qui était au fond de lui ? Il ne lui semblait pas.

— Les sentiments que j'ai pour Lana n'ont pas changé : c'est ma meilleure amie, j'aime passer du temps avec elle, et elle me manque quand je ne la vois pas assez souvent. J'aime partager des choses avec elle. Je peux tout lui dire. Elle écoute et elle est toujours de bon conseil.

— Justement : si tu étais dans cette situation avec une autre femme et que tu demandais conseil à Lana, que te dirait-elle ?

Kal n'eut cette fois-ci pas besoin de réfléchir bien longtemps. Il pouvait presque entendre la voix de Lana.

— Elle me dirait de me bouger les fesses et d'aller dire à cette femme que je suis amoureux d'elle.

— Alors si, d'après toi, tes sentiments n'ont pas changé, se pourrait-il que tu te sois trompé sur leur nature, je veux dire que tu sois tombé amoureux d'elle dès votre rencontre ou quasiment ?

À ces mots, il resta figé sur place. Silencieusement, il baissa les yeux vers son verre comme si la réponse à toutes ses interrogations se trouvait dedans. Se pouvait-il vraiment qu'il ait été amoureux d'elle durant tout ce temps ? Était-ce pour cette raison qu'il n'arrivait à s'intéresser à aucune autre femme ? Qu'il préférait passer du temps avec elle plutôt que de chercher à en séduire d'autres ? Qu'il terrorisait ses employés depuis qu'elle l'avait quitté ? La réponse déferla sur lui à l'image d'une vague d'émotions qui lui donnèrent la chair de poule, lui serrèrent douloureusement le cœur. Comment avait-il pu se montrer aussi stupide ?

Bouleversé, il laissa sa tête tomber entre ses mains.

— Je suis amoureux d'elle… J'ai toujours été amoureux d'elle…

— Eh oui ! se contenta de dire Mano.

Et, comme s'ils étaient simplement en train de discuter du temps qu'il faisait, il prit une noix de cajou dans la coupelle qui se trouvait entre eux et se mit à la mâcher tranquillement.

— Je suis amoureux de Lana, dit-il à voix haute comme si ses oreilles avaient besoin de s'habituer au son que produisaient ces mots.

Quand il le lui dirait, il ne faudrait pas qu'il ait la moindre hésitation, sans quoi elle ne le croirait pas. Il ne lui avait jusqu'ici donné aucune raison de le croire.

En resongeant aux derniers instants qu'ils avaient passés ensemble, il se souvint de la façon dont elle l'avait regardé. Elle lui avait ouvert son cœur, et il l'avait blessée. Mais elle avait eu raison : s'il lui avait dit à ce moment-là qu'il l'aimait, cela aurait été une simple manœuvre pour l'empêcher de partir. Cependant, ces quelques jours loin d'elle avaient remis les choses en place dans son esprit. Désormais, il comprenait la nature exacte des sentiments qu'il éprouvait pour elle.

Depuis la mort de ses parents, il avait eu peur de s'attacher au risque de perdre une nouvelle fois un être cher, et par conséquent il avait exclu de sa vie la seule femme qu'il ait jamais aimée. Le résultat était le même : il était seul et malheureux. Mais il était toujours temps d'arranger les choses.

Il fallait qu'il lui dise ce qu'il ressentait. Et cette fois-ci, il ne la laisserait pas s'en aller. Officiellement, elle était toujours sa femme, et il comptait bien faire tout ce qui était en son pouvoir pour qu'elle le reste.

12

Lana se prépara à entrer en scène. Les lumières s'éteignirent pendant un instant, et tout en martelant leurs tambours les musiciens commencèrent à psalmodier une antique prière hawaïenne. Elle monta sur les planches, et les spots se fixèrent sur elle.

Elle avait fait ce numéro trois soirs par semaine pendant trois ans et le connaissait donc sur le bout des doigts. Pourtant, elle se sentit nerveuse en effectuant les premiers pas de danse. L'un de ses professeurs lui avait un jour dit qu'elle mettait dans la danse tout son cœur et toute son âme… Mais ce soir-là, son cœur n'était tout simplement pas au rendez-vous.

Elle s'efforça néanmoins de se composer un visage souriant. En bonne professionnelle, elle avait déjà dansé avec une grippe, et même une entorse à la cheville ; elle pouvait bien surmonter cela.

Instinctivement, elle tourna son regard vers l'angle gauche du jardin, d'où Kal l'avait observée pendant ces trois années, tous les soirs où elle avait dansé. Il ne venait plus, cependant, depuis qu'elle avait déménagé, mais elle ne pouvait pas lui en vouloir : c'était elle qui lui avait dit avoir besoin de temps.

Alors, pourquoi se sentait-elle si attristée de ne voir rien d'autre qu'un mur de pierre à l'endroit où aurait dû se détacher sa grande silhouette sombre ?

Mele avait affirmé qu'il n'était pas un imbécile et qu'il finirait par se raviser, mais Lana n'en était pas si sûre : leur père ne s'était jamais remis de la disparition de leur mère ; pourquoi Kal aurait-il changé ses habitudes après tant d'années ? Et surtout, pourquoi l'aurait-il fait pour elle ?

Fermant les yeux, elle essaya d'éradiquer ces idées négatives de son esprit. Sa discussion avec Mele lui avait au moins permis de comprendre qu'elle était quelqu'un de bien et qu'elle devait cesser de se dévaloriser. Elle était la fille de sa mère, et chaque fois qu'elle laissait ces mauvaises pensées s'emparer d'elle, elle salissait sa mémoire — elle ne pouvait pas faire ça.

Kal était peut-être un imbécile, après tout, s'il ne voyait pas le trésor qui était en face de lui. Mais de toute façon, elle ne pouvait pas rester assise les bras croisés à attendre qu'il change d'avis. Elle allait louer cet appartement, démissionner et commencer à bâtir une vie qui ne tournerait plus uniquement autour de Kal et de son travail. Elle avait d'ailleurs entendu dire que l'un des grands *luaus* de Lahaina était à la recherche d'un chorégraphe. L'idée de quitter cet endroit si familier lui semblait un peu déstabilisante, mais peut-être le temps était-il venu ?

Machinalement, elle jeta un nouveau coup d'œil à l'angle du jardin. Et cette fois-ci, elle fut surprise de distinguer une silhouette noire.

Kal.

Il était là. Il l'observait.

Elle manqua un pas, se força à se reconcentrer sur sa performance et quand elle releva les yeux, il avait disparu. La déception fut telle qu'elle sentit son cœur se serrer. Pinçant les lèvres pour surmonter sa douleur, elle comprit qu'il fallait qu'elle parte, qu'elle s'éloigne de lui si elle voulait passer à autre chose.

Son numéro prit fin. Les lumières déclinèrent, lui permettant de quitter la scène tandis que de nouveaux danseurs la remplaçaient.

Et elle venait à peine d'entrer dans les coulisses que Talia, l'une de ses danseuses, s'approcha d'elle.

— Lana, on a un problème.

— Quoi ? demanda-t-elle, paniquée.

— Callie est malade, elle n'arrête pas de vomir. Elle ne pourra jamais monter sur scène pour le final.

Durant les jours précédents, elle avait beaucoup retravaillé ce dernier numéro, qui mettait à l'honneur le chant et la danse en couple. Et comme ces changements étaient tout récents, elle n'avait personne en tête pour remplacer Callie. Oubliant Kal et tous ses problèmes personnels, elle se hâta donc de réfléchir pour prendre des décisions.

— Va voir les danseurs et dit à Ryan que c'est moi qui vais remplacer Callie.

Tout en hochant la tête, Talia repartit vers les loges des hommes. Lana, pour sa part, ne perdit pas de temps pour se déshabiller et endosser le costume de Callie, une robe longue blanche assortie à une couronne d'orchidées. Elle n'avait pourtant aucune envie de porter cette tenue, qui lui rappelait beaucoup trop celle de son mariage. Alors que les numéros se succédaient sur scène, elle se tortillait nerveusement dans sa robe, impatiente que le final commence, et surtout se termine.

Enfin, ce fut son tour. Le final était moins traditionnel que le reste du spectacle : Ryan devait arriver derrière elle et, tandis qu'elle dansait, entonner la chanson « Some Enchanted Evening » de la comédie musicale *South Pacific*. Ce numéro avait été un succès immédiat auprès du public, et mettait en valeur les talents de chanteur de Ryan.

Fort heureusement, Lana n'avait pas à chanter, juste à

danser et, à la fin, juste avant que les lumières s'éteignent, se glisser dans les bras de Ryan. C'était un numéro de danse simple, qui reposait moins sur ses dons pour le *hula* que pour la danse contemporaine et le ballet.

Les musiciens commencèrent à jouer le morceau sur leurs guitares acoustiques, et elle attendit le moment où elle devait se mettre à danser. Le regard fixé sur la foule, elle évitait scrupuleusement l'endroit où aurait dû se trouver Kal. Enfin, elle entendit une voix s'élever derrière elle… et eut l'impression que son cœur allait s'arrêter. Quelque chose n'allait pas : ce n'était pas Ryan. L'homme qui chantait avait un timbre mélodieux et relativement juste, mais ce n'était pas un professionnel.

Malheureusement, elle ne pouvait pas encore se retourner, même pas faire un petit tour sur elle-même ; la chorégraphie, qu'elle avait elle-même inventée, ne le permettait pas. Embarrassée, elle continua donc de danser au son de la voix de cet homme, qui disait l'avoir remarquée dans la foule et avoir été envoûté par elle.

Enfin arriva le moment où elle devait pivoter pour regarder son partenaire. Mais quand elle le vit, elle se figea.

Kal.

Vêtu du costume de lin blanc que portait généralement Ryan, il était là, devant elle, à lui chanter des mots d'amour. Elle ne comprenait pas. Pourquoi était-il venu gâcher le spectacle ? Elle ne l'avait pas vu depuis plus d'une semaine, et tout à coup il apparaissait sur scène comme ça, sans la prévenir ? Elle ne savait même pas qu'il aimait chanter. Que se passait-il ?

Peu importait, de toute façon. Elle allait finir le numéro puis le traîner dans les coulisses, où elle lui passerait un savon pour l'avoir ainsi piégée. Comme l'imposait la chorégraphie, elle tendit les bras vers lui avant de se retourner vers le public pour faire virevolter sa robe blanche.

Elle redoutait la fin du numéro, le moment où elle devrait le regarder avec passion tandis qu'il continuerait de lui chanter des mots doux. Elle n'avait jamais craint de manquer à ses obligations professionnelles, mais elle n'avait jamais envisagé qu'une telle situation se présente un jour.

Comme il entonnait le dernier couplet, elle commença à avancer lentement vers lui, et quand ses yeux rencontrèrent les siens, elle sentit son cœur s'emballer. Il affichait un air grave, déterminé, comme s'il pensait chacun des mots qu'il prononçait — il disait avoir trouvé le véritable amour. Mais elle ne devait en tirer aucune déduction. C'étaient les paroles de Rogers et Hammerstein, pas celles de Kal.

Au moment où il la prit dans ses bras, il la contempla comme s'ils étaient seuls au monde, et non entourés de centaines de spectateurs. Et il lui chanta les derniers vers de la chanson d'une voix tremblante d'émotion.

Les guitares se turent, et la foule leur fit une ovation. Il aurait dû la laisser partir, désormais, mais il ne la lâcha pas. Sans détacher son regard du sien, il ouvrit la bouche :

— Je ne veux pas passer ma vie à rêver seul, je veux la passer avec toi.

Lana ne savait pas ce qu'elle devait dire. Elle était par ailleurs intimidée : Kal avait sur lui un micro, donc tout le monde l'avait entendu, et tout le monde l'entendrait certainement si elle parlait.

— Tu ne le penses pas vraiment, Kal, chuchota-t-elle, le plus bas possible.

— Si je ne le pensais pas, tu crois vraiment que je serais monté sur scène pour te chanter ça et me ridiculiser ? Que j'aurais convaincu ta danseuse de faire semblant d'être malade pour être sûr que ce serait toi qui viendrais la remplacer ?

C'était donc un coup monté. En tournant la tête vers les coulisses, elle aperçut certaines de ses danseuses, dont Callie, qui l'observait avec un air anxieux, mais qui ne paraissait pas plus malade qu'elle. Serrant fort les paupières, elle essaya de réfléchir à ce qui s'était passé. On aurait dit que les spectateurs s'interrogeaient aussi. La foule était si silencieuse qu'on pouvait entendre les vagues déferler derrière la scène.

— Si j'ai fait tout ça, c'est parce que je voulais te dire, à toi et à toutes les personnes ici présentes ce soir, à quel point je t'aime, Lana.

— Tu aurais pu me le dire en privé, répondit-elle en secouant la tête.

— Mais tu sais aussi bien que moi que ça n'aurait pas fonctionné. Je voulais des témoins. Je voulais que tu comprennes que je suis sincère et déterminé. Et je ne voulais pas que tu t'en ailles sans avoir écouté tout ce que j'ai à te dire.

Elle se raidit entre ses bras. Il avait eu raison de la coincer pour qu'elle ne puisse pas s'enfuir. Mais pourquoi avait-il décidé de le faire sur scène ?

— Tu ne te débarrasseras pas de moi comme ça, reprit-il. Cette semaine que je viens de passer sans toi a été un véritable enfer. Je ne veux pas qu'on redevienne de simples amis, et je ne veux pas non plus me retrouver seul dans cette grande maison. Je veux une famille, une vraie famille, comme celle de mes parents et de mon frère. Et c'est avec toi que je veux la fonder.

— Tu ne penses pas ce que tu dis. Nous sommes amis, rien de plus.

— Tu es mon amie, ma meilleure amie. Mais tu es aussi l'amour de ma vie. Je n'ai aucun doute là-dessus. Je veux que tu sois ma femme pour le restant de mes jours.

Ces paroles lui coupèrent le souffle. Dans la chaleur de ses bras, sous son regard l'implorant de l'aimer en retour, elle ne voyait pas comment elle aurait pu lui dire non. Mais elle se fit violence pour rassembler le peu de courage qu'elle possédait encore.

— Tu as perdu la tête ! Laisse-moi ! dit-elle d'une voix glaciale avant de se libérer de son étreinte pour se réfugier dans les coulisses.

Quand Lana s'était tournée vers lui, Kal avait immédiatement compris qu'il avait commis une erreur. Son regard était dur, son visage crispé. Il avait pensé qu'une déclaration publique ferait son petit effet romantique — et qu'en lui avouant son amour devant tout le monde, il parviendrait à la convaincre de sa sincérité. Mais au moment où elle prit la fuite sous les yeux de la foule médusée, il ne put que constater qu'il s'était trompé.

Il partit aussitôt à sa poursuite, jouant des coudes pour se frayer un chemin dans la masse des danseurs et des musiciens, mais elle avait déjà atteint le sentier menant à la plage.

— Lana ! s'exclama-t-il, et sa voix résonna dans le micro.

Impatiemment, il arracha le petit objet de sa veste pour le jeter dans des buissons.

— Lana, attends !

Elle finit par s'arrêter au bord de l'océan. À bout de souffle, il vint se poster à son côté.

— Lana ?

Elle se tourna vers lui. Son visage était rouge, ses yeux humides de larmes.

— Comment as-tu osé me faire ça ? cria-t-elle.

Sous le coup de la stupéfaction, il resta quelques

instants immobile, sans parler. Il ne comprenait pas pourquoi elle paraissait si en colère.

— Te faire quoi ? finit-il par demander.

— Me ridiculiser devant toutes ces personnes ?

— Je ne t'ai pas ridiculisée ! C'est moi qui me suis ridiculisé en essayant de te prouver à quel point je t'aimais.

— Devant toute ma troupe, tous les clients de l'hôtel…, murmura-t-elle en secouant tristement la tête.

— Qui ont tous trouvé l'idée géniale et très romantique. Les danseurs étaient tout contents de m'aider. Et le public paraissait tout aussi ravi. Enfin, jusqu'à ce que tu t'en ailles…

— Comment as-tu pu imaginer que ça me plairait ? Je suis une personne très discrète, Kal. Et une professionnelle : je n'apprécie pas que ma vie privée interfère avec mon travail.

Tout en soupirant, il ferma les yeux.

— Je te demande pardon, Lana. J'aurais dû réfléchir davantage, dit-il en se rapprochant encore d'elle. Mais quand j'ai vu le nouveau final, au dernier *luau*, je me suis dit que c'était parfait. Le personnage sait qu'il doit agir rapidement s'il ne veut pas perdre sa chance d'être avec la femme qu'il aime. Et c'est exactement ce que j'ai fait : je voulais te chanter ces paroles pour que tu comprennes que c'était vrai.

À ces mots, son visage s'était adouci.

— Tu as regardé le spectacle ? Je ne t'ai pas vu.

Ravi qu'elle ait remarqué son absence, il acquiesça. Elle était fâchée contre lui, mais elle l'avait cherché chaque soir. C'était déjà quelque chose.

— Je me suis assis dans le public pour que tu ne puisses pas me voir.

Elle poussa un profond soupir, et son corps sembla se détendre un peu.

— Je pensais que tu avais arrêté de venir nous voir danser.

— Je ne suis pas venu le premier soir, dit-il en secouant la tête, mais j'ai vite compris que je ne pouvais pas rester loin de toi, même si tu me l'avais demandé. Je t'aime, Lana. Avec ou sans public, ce que j'ai à te dire n'a pas changé.

— Je ne te crois pas. Je crois que tu te sens seul et que c'est uniquement pour ça que tu essaies de me ramener dans ta vie. S'il te plaît, ne me dis pas que tu m'aimes si tu ne le penses pas sincèrement. Si tu changeais d'avis, je ne pourrais pas le supporter, Kal. Mon cœur ne pourrait pas le supporter.

— Je viens d'en prendre conscience, Lana, et ça a été une immense révélation. Quand tu es partie, j'ai compris que mes sentiments pour toi n'avaient pas changé après notre mariage. Au départ, j'ai pensé que c'était parce que je n'étais pas amoureux de toi. Mais j'ai fini par comprendre que c'était en réalité parce que je l'avais toujours été.

Manifestement surprise, elle entrouvrit ses lèvres pleines et sensuelles. Il eut envie de la prendre dans ses bras pour l'embrasser, mais il se fit violence pour se retenir, sa dernière tentative de séduction ayant été un échec retentissant.

— Comment ça, « toujours été » ?

— Je suis amoureux de toi depuis trois ans. Durant ces trois années, tu as été la personne la plus importante de ma vie, ma meilleure amie, celle avec qui je voulais tout partager, mais j'étais trop obstiné pour comprendre que c'était bien plus que de l'amitié. Si je n'arrivais pas à m'intéresser aux autres femmes, c'était parce que ces autres n'étaient pas toi.

— Mais tu ne veux ni te marier ni fonder une famille.

— J'avais peur de me marier et de fonder une famille, peur de perdre ceux que j'aimais. Et puis je me suis rendu compte que je t'avais de toute façon perdue. Je ne peux pas faire revenir mes parents, mais avec toi, il me reste encore une chance. À condition, bien sûr, que tu me croies.

— Tu m'aimes vraiment ? chuchota-t-elle d'une toute petite voix, l'air incrédule.

— Je t'aime. Et je veux rester marié avec toi. J'ai appelé Dexter pour lui demander de différer la procédure de divorce.

Elle le dévisageait désormais d'un œil curieux, comme si elle ne l'avait jamais vu de sa vie. Et soudain, doucement, elle plongea les doigts dans ses cheveux.

— Tu ne serais pas tombé sur la tête ou quelque chose comme ça ?

Saisissant sa main, il la plaça sur son cœur.

— Bien sûr que non. Je ne suis pas fou. Je suis juste honnête avec moi-même et avec toi, pour la première fois. Et maintenant, je voudrais que toi aussi tu te montres honnête avec moi.

— À quel sujet ?

— J'ai été très clair concernant les sentiments que j'éprouve pour toi. À présent, à toi de l'être. Est-ce que tu m'aimes, Lana ?

Elle se mordit la lèvre avant d'acquiescer.

— Oui.

Ivre de bonheur, il l'attira plus près de lui.

— Et est-ce que tu veux m'épouser ?

— Nous sommes déjà mariés, Kal.

Tout en souriant, il tira de sa poche l'anneau de platine qu'elle avait laissé dans son entrée.

— Alors tu ferais bien de remettre ton alliance.

Après avoir pris une profonde inspiration, elle tendit la main devant lui pour qu'il lui glisse l'anneau au doigt.

— Et ce n'est pas tout, dit-il en produisant une petite boîte noire, dont il ouvrit le couvercle.

— Kal ! s'exclama-t-elle. Je t'avais dit que je n'avais pas besoin de bague de fiançailles.

Ignorant ses protestations, il sortit l'autre bague de son écrin et la passa à son annulaire pour la placer au-dessus de l'alliance. L'anneau de platine, parfaitement assorti à l'alliance, était une création unique d'un joaillier hawaïen et comportait en filigrane des fleurs de frangipanier ceignant un diamant marquise.

— Tu n'avais pas besoin de bague de fiançailles quand nous nous sommes mariés pour le juge. Mais maintenant que tu es ma femme pour de vrai, et pour toujours, tu as besoin d'une bague pour le prouver.

Elle passa quelques instants à regarder les deux bijoux d'un air émerveillé avant de placer sa main sur son torse en relevant les yeux vers lui.

— Nous n'avons plus besoin de prouver notre amour à qui que ce soit. Cet amour, il est réel.

— En réalité, il y a bien quelques personnes qui attendent de savoir si nous sommes amoureux, heureux et toujours mariés.

— Qui ?

Sans répondre, il lui prit la main pour l'inciter à revenir vers la foule. À leur approche, les musiciens se mirent à souffler dans leurs coquillages, produisant un son puissant pour annoncer leur arrivée.

Quand ils montèrent sur scène, tous les spectateurs étaient encore assis, attendant leur retour. Les danseurs s'étaient installés dans le public, et Kal distingua parmi eux les silhouettes familières de Mano et de Paige. Il était content qu'ils soient présents, puisqu'ils avaient manqué la première cérémonie. Juste à côté d'eux se trouvaient le père et la sœur de Lana, qui portait Akéla.

L'air paniqué, Lana, qui avait dû les voir aussi, essaya de l'arrêter en tirant sur son bras.

— Qu'est-ce qui se passe ?

Sans répondre, il s'écarta un peu sur le côté. Le *kahuna pule* qui les avait mariés se tenait au milieu de la scène. Les yeux écarquillés, Lana se tourna vers Kal.

— Nous allons renouveler nos vœux, lui expliqua-t-il.

— Ici ? Maintenant ?

— Pourquoi pas ? Tu portes une robe blanche, notre famille est là, le *kahuna pule* est là. Et je ne te parle pas de tous les invités qui attendent avec impatience que nous nous embrassions pour pouvoir entamer le gâteau à la réception.

— La réception ?

Il pointa du doigt l'autre extrémité du jardin, où avait été dressée une table sur laquelle reposait un immense et magnifique gâteau à cinq étages recouvert d'orchidées blanches et violettes.

— On n'a pas eu besoin de ça la première fois, parce que ce n'était pas pour de vrai, mais comme on reste mariés, je voulais quelque chose de grandiose pour commémorer le renouvellement de nos vœux.

Les visages des spectateurs, qui les observaient silencieusement, reflétaient un mélange d'impatience et d'anxiété.

— Je n'arrive pas à croire que tu aies fait tout ça. Comment… ? Quand… ?

Il se contenta de secouer la tête. Le moment n'était pas aux explications. Ils avaient un mariage à célébrer.

— Alors, que pensez-vous de l'idée de vous remarier, madame Bishop ?

Sans lui laisser le temps de répondre, la foule se mit à applaudir en criant de joie et en tapant des pieds. Les joues légèrement rouges, elle hocha la tête en souriant.

Il la conduisit vers l'autel, où le *kahuna pule* les

attendait. Après avoir ouvert son livre de prières à une page marquée, il reprit les mots qu'il avait déclamés un mois plus tôt :

— « *Aloha* » est le mot hawaïen qui signifie « amour ». Nous nous sommes rassemblés ici aujourd'hui pour célébrer cet *aloha* spécial qui vous unit, Kalani et Lanakila, ainsi que votre désir de rendre cet *aloha* éternel en renouvelant vos vœux.

Ils répétèrent leurs vœux, et cette fois-ci, quand ils joignirent leurs lèvres, il n'y eut ni embarras ni hésitation. La serrant contre lui, il l'embrassa avec passion, déclenchant une nouvelle salve d'applaudissements.

Quelques instants plus tard, après être allés saluer leurs proches, ils coupèrent le gâteau pour qu'il puisse être servi aux clients de l'hôtel qui étaient, en quelque sorte, une extension de leur famille.

La nuit était bien avancée quand il finit par garer la Jaguar derrière la maison, et en la portant dans ses bras pour lui en faire franchir le seuil, il lui sembla la surprendre à nouveau.

— Je ne parviens toujours pas à croire que tout cela soit arrivé, lui dit-elle dans le séjour, blottie contre lui. Que tu aies organisé tout ça pour moi. C'est génial, vraiment.

— C'est normal. Comme je te l'ai déjà dit, je t'aime. Dis-moi, qu'est-ce que tu as pensé, sur scène, quand tu t'es retournée et que tu as vu que c'était moi ?

— Tu veux vraiment le savoir ? demanda-t-elle en fronçant les sourcils.

— Oui.

— Je me suis dit que tu chantais horriblement mal.

— Moi ? s'exclama-t-il d'un air faussement surpris. Je te préviens que tu vas me payer ça. En nature, évidemment.

Tandis qu'il prenait la direction de la chambre, elle lui sourit.

— J'espère bien, répondit-elle.

Et elle l'embrassa avec une passion en tout point semblable à la sienne.

Épilogue

Lana devait admettre qu'elle était un peu jalouse de la nouvelle maison de Mano et Paige : leur immense villa était située au sommet d'une falaise qui dominait la mer du côté est d'Oahu. À droite, on pouvait voir le cratère du Diamond Head, et partout ailleurs, la vaste étendue bleue de l'océan.

C'était un décor parfait pour un mariage — et une date parfaite pour un mariage, puisqu'on était le jour de la Saint-Valentin. Dans sa robe de dentelle crème, légèrement rosée, Paige était magnifique. Ses cheveux avaient été relevés en un chignon romantique orné d'hibiscus rose pâle, et son ventre rond de femme enceinte ressortait désormais nettement.

Mano, quant à lui, était rayonnant de bonheur dans son costume blanc traditionnel. Hōkū, qui avait été le porteur d'alliances officiel de la cérémonie, était lui aussi très élégant avec son petit nœud papillon blanc.

Tout s'était déroulé à merveille, et Lana en était ravie compte tenu du stress qu'avait occasionné l'organisation de la fête. Tout bien considéré, elle s'estimait heureuse que ses deux mariages aient été littéralement improvisés, sans nécessiter le moindre effort de préparation de sa part. De toute façon, elle avait eu l'homme de ses rêves, et c'était tout ce qui comptait à ses yeux.

— Lana ? fit soudain une voix de femme, coupant court à ses pensées.

En se retournant, elle trouva derrière elle Ani, la grand-mère de Kal et Mano.

— *Aloha*, *tūtū* Ani.

Tout en souriant, l'aïeule lui prit la main.

— J'ai fait un rêve hier soir dont je dois te parler.

Lana se tourna vers une table toute proche.

— Allons nous asseoir pour en discuter.

Ani avait l'air fatiguée, et Lana se sentait elle aussi un peu lasse. La journée avait été belle, mais longue.

— Kalani ! appela la vieille femme en faisant signe à son petit-fils de se joindre à elles. Viens. J'ai quelque chose à te dire, à toi aussi. C'est important.

— Qu'y a-t-il, *tūtū* ? demanda-t-il en s'approchant.

— J'ai fait un rêve la nuit dernière.

— À quel sujet ?

— Au sujet de votre fils, répondit Ani en posant la main sur le ventre de Lana.

Surprise, celle-ci se redressa en se tournant vers Kal.

— Mais je ne suis pas enceinte.

Tout en riant, Ani secoua la tête.

— Tu ne le sais peut-être pas encore, mais tu l'es. Tu l'es ! Votre fils sera grand et fort, comme un dieu hawaïen forgé dans les feux du mont Kilauea. Keahilani sera l'avenir de la famille, celui qui la dirigera quand je serai partie et que vous serez partis vous aussi.

Kal paraissait tout aussi sidéré que Lana.

— Tu en es certaine, *tūtū* ?

L'air vexé, la vieille dame le regarda en plissant les yeux.

— Bien sûr que oui. J'ai fait les mêmes rêves sur toi et Mano quand votre mère vous portait. C'est ainsi que vos noms ont été choisis. Nos ancêtres m'ont parlé en rêve et m'ont montré ce que vous alliez devenir. Dans mes songes, tu étais le chef du clan, et ton frère s'élevait des profondeurs de la mer pour nager avec les requins. Votre fils sera *Keahilani*, « du feu des cieux ». Je l'ai vu.

Sur ces mots, Ani se leva pour aller embrasser Lana sur la joue.

— *Ho'omaika'i 'ana* à tous les deux, conclut-elle.

Et elle s'en alla, les laissant complètement abasourdis. Ils la regardèrent disparaître dans la foule, puis ils se tournèrent l'un vers l'autre et baissèrent les yeux vers le ventre plat de Lana.

— Tu crois que c'est vrai ? demanda-t-elle.

Tout en souriant, il se pencha pour l'embrasser. Au contact de ses lèvres contre les siennes, elle sentit un délicieux frisson la traverser, une sensation qui lui fit regretter de ne pas être seule avec lui.

— Elle a toujours raison. Keahi est en route. Il sera le premier enfant de notre grande et belle famille.

MARIE FERRARELLA

Conquise
par un cow-boy

Traduction française de
GABY GRENAT

Passions

HHARLEQUIN

Titre original :
FORTUNE'S SECOND-CHANCE COWBOY

- **1** -

— Chloé, tu es toujours en ligne ?

En entendant la voix de son correspondant répéter la question, les doigts de Chloé se serrèrent autour du récepteur.

Était-elle toujours en ligne ?

Oui, mais une partie d'elle-même avait une terrible envie de raccrocher…

Elle avait connu assez de déceptions au cours de ses vingt-six années d'existence pour ne pas chercher à en encaisser une nouvelle.

Pourtant, quelque part au fond d'elle demeurait le besoin de croire que des événements heureux pouvaient lui arriver. Que oui, le bonheur existait encore, parfois. C'était cette conviction qui lui avait donné la force de se lever le matin après que Donnie, son mari adoré, avait été tué en Afghanistan, alors qu'ils n'étaient pas encore mariés depuis deux ans. Deux années bien trop courtes qui étaient passées comme dans un rêve… C'était cela aussi qui lui avait donné l'envie de rassembler son courage pour faire la connaissance de la famille de son père.

Ce père qui jusqu'à ces derniers temps avait été un mystère total pour elle.

Aussi loin qu'elle se souvienne, elle avait vécu seule avec sa mère. Jamais il n'avait été question d'autres membres de la famille. Par la force des choses sans doute, elle s'en était très bien accommodée car sa mère lui avait permis de remplir les blancs liés à cette absence. Elle avait ainsi longtemps cru qu'elle était la fille de l'amoureux que sa mère avait depuis le lycée et que ce dernier, tué dans un accident de voiture, n'avait pas eu le temps d'épouser la jeune maman âgée alors d'à peine dix-neuf ans.

Comme elle avait toujours eu ce scénario en tête, elle était loin d'être préparée à apprendre que son père était le célèbre industriel Gérald Robinson. Encore moins à découvrir que pendant des années ce dernier avait vécu sous un nom d'emprunt car il était en fait rien moins que Jérôme Fortune, l'un des hommes les plus riches du Texas. Et pas davantage à découvrir ses huit enfants légitimes, ce qui lui donnait du même coup huit demi-frères et sœurs dont elle n'avait jamais soupçonné l'existence.

Cela ne l'empêchait pas de se demander combien d'autres enfants illégitimes il lui faudrait peut-être ajouter à ce tableau de famille car son père, apparemment, n'avait pas été l'homme d'une seule femme ni même d'une seule maîtresse.

Oui, il lui avait fallu beaucoup de temps pour s'habituer à cette découverte.

Brusquement, elle comprit que son interlocuteur, Graham Fortune Robinson, le troisième des huit enfants légitimes, attendait toujours sa réponse.

— Oui, oui, je suis toujours là ! se hâta-t-elle de répondre.

Il lui sembla percevoir un soupir de soulagement à l'autre bout du fil, puis la voix de Graham reprit sur un ton enjoué :

— Tu ne t'en souviens peut-être pas mais nous nous sommes déjà rencontrés à l'occasion de la grande réunion de famille que Kate Fortune avait organisée dans son ranch.

Comment aurait-elle oublié pareil événement ? Elle se souvenait au contraire des moindres détails de cette soirée à laquelle l'avait invitée Keaton Fortune Whitfield juste après lui avoir révélé qu'elle était sa demi-sœur. Et voilà comment, d'une minute à l'autre, alors qu'elle était seule au monde puisque sa mère était décédée, elle s'était retrouvée avec une famille si nombreuse qu'il lui fallait presque faire des fiches pour s'y retrouver !

Ce jour-là, alors qu'elle découvrait l'immense maison de Kate Fortune, l'appréhension et l'exaltation se disputaient la première place dans son cœur. Il abritait alors tant d'espérances !

Hélas, toutes s'étaient évanouies d'un seul coup quand elle avait rencontré Sophie Fortune Robinson, la plus jeune des filles légitimes de son père. À partir de ce moment-là, tous ses espoirs s'étaient effondrés. Sophie avait paru consternée de la découvrir et si son regard avait pu la tuer, elle ne serait certainement pas en ce moment au téléphone à discuter avec Graham !

— Si, je me souviens très bien de t'avoir parlé ce soir-là, répondit-elle.

Elle se garda de préciser qu'elle avait été terriblement impressionnée par le beau propriétaire de ranch qui était aussi l'homme d'affaires à qui Kate Fortune avait confié la direction de son entreprise de cosmétiques.

— Mon coup de fil te paraît sans doute un peu bizarre, poursuivit Graham.

— Tu sais, depuis que j'ai découvert après toutes ces années que mon père était Gérald Robinson, plus rien ne m'étonne et je suis prête à tout entendre !

Après la réception chez Kate, elle avait pensé que c'était certainement la première et la dernière fois qu'elle rencontrait tous ces gens car, à franchement parler, sa conversation avec Sophie lui avait laissé un assez mauvais souvenir. Du coup, elle avait décidé de garder ses distances avec les Fortune, d'autant plus que sa mère n'avait jamais manifesté le moindre désir de conserver une relation avec Jérôme Fortune.

— Voyons, reprit Graham, si je me souviens bien, tu es diplômée de psychologie, c'est bien ça ?

— Oui, en effet.

— Tu vas sûrement être surprise…

Surprise ? Le mot était loin de décrire ce qu'elle éprouvait depuis qu'elle avait découvert son appartenance à la famille Fortune ! Alors, un peu plus un peu moins…

— … mais je t'appelle pour te faire une offre d'emploi, poursuivit Graham.

— Une offre d'emploi ? Mais je croyais que tu t'occupais de Fortune Cosmetics. Mis à part ce que contient le placard de ma salle de bains, je ne connais rien à ce secteur !

Graham éclata de rire.

— Aucune importance ! Est-ce que tu as entendu parler de Peter's Place ?

— Oui, bien sûr. C'est un ranch où l'on accueille des adolescents en difficulté.

— Exactement. Actuellement, Sasha, ma femme, est la seule psychologue qui y travaille, mais grâce à une généreuse donation de la Fortune Foundation, nous allons pouvoir développer cette activité. Jusqu'à présent, j'ai réussi à mener de front le ranch et la direction de Fortune Cosmetics, mais avec un bébé et notre fille de huit ans, je suis, nous sommes, Sasha et moi, au bord du burn-out. Il nous faut agrandir notre équipe. Je sais que tu démarres à peine mais j'ai vraiment eu un bon feeling avec toi. Accepterais-tu de venir au ranch pour passer l'entretien réglementaire ? Il sera, j'en suis sûr,

184

une simple formalité. Si tu es intéressée, ce serait en plus l'occasion de te faire visiter le ranch.

À entendre Graham, il pensait qu'elle allait sauter sur l'occasion.

La vie l'avait malheureusement dépossédée de son optimisme naturel. Chaque fois que ce qui lui arrivait lui paraissait trop beau pour être vrai, elle avait tendance à se méfier. Voilà pourquoi elle hésitait à accepter tout de suite comme elle l'aurait fait quelques années plus tôt.

— Comme tu l'as dit, je n'ai pas d'expérience profes-sionnelle, reprit-elle. Pourquoi me fais-tu cette offre ? J'ai un peu l'impression que tu pourrais embaucher n'importe qui, pourvu que la personne te plaise.

— Ce n'est pas faux, mais j'ai pris des renseignements sur toi. J'ai appris que tu es super diplômée et que tu as un vrai sens de la relation humaine. En plus, tu fais partie de la famille.

« Tu fais partie de la famille… »

Ces mots déclenchèrent une drôle de sensation au creux de son estomac. Jusque-là, sa famille était réduite à sa mère, puis à Donnie qui lui avait été brutalement enlevé deux ans plus tôt. Même si elle demeurait sur ses gardes vis-à-vis de la proposition de Graham, elle mourait d'envie de faire partie d'une grande famille…

Ce fut ce désir-là qui fut le plus fort.

— Quand souhaites-tu que je vienne pour cet entre-tien ? demanda-t-elle.

2

N'était-elle pas en train de faire une bêtise ? songea Chloé au moment où elle se garait devant la maison principale de Peter's Place.

Certes, elle souhaitait vivement devenir membre d'une famille, de celle-ci en particulier, mais avait-elle pour autant envie de raconter sa vie comme on allait certainement le lui demander ? Le souvenir mitigé qu'elle avait conservé de la soirée chez Kate Fortune lui revint à la mémoire. La rencontre avec Sophie n'avait pas été un franc succès, c'était le moins qu'elle pouvait dire ! Et elle n'était pas vraiment disposée à réitérer l'expérience si tôt.

Après avoir coupé le contact, elle s'accorda un moment pour réfléchir avant de sortir de sa voiture.

Jamais elle n'aurait dû accepter de se présenter à cet entretien !

Pour commencer, Kate Fortune, en tant que chef de famille responsable des affaires du clan, assisterait sans doute à l'entrevue. C'était parfaitement normal étant donné ses responsabilités, mais Kate Fortune l'impressionnait beaucoup trop. À quatre-vingt-onze ans, la vieille dame en paraissait vingt de moins. Elle avait conservé toute sa vivacité d'esprit et son légendaire sens de la repartie. Bref, rien chez elle n'évoquait l'aïeule indulgente et chaleureuse à laquelle on aurait pu s'attendre étant donné son âge. Comment faudrait-il se comporter avec elle ?

Pourquoi ne pas changer d'avis et rebrousser chemin ? se demanda-t-elle brusquement.

En même temps, elle n'était pas submergée par les propositions de travail, ce qui lui aurait donné la possibilité de faire la fine bouche. La sagesse lui conseillait au moins d'envisager le poste que lui offrait Graham. Donnie lui-même n'aurait pas souhaité qu'elle renonce avant de savoir exactement de quoi il retournait. Allons, ce serait peut-être intéressant. Sans compter que cela enrichirait son CV encore bien maigre.

De toute façon, il y avait toujours une première fois. Alors autant rassembler son courage et foncer ! se dit-elle en dégrafant sa ceinture de sécurité.

Avant de quitter son véhicule, elle jeta un coup d'œil dans le rétroviseur et s'efforça de plaquer ses capricieuses boucles blondes. En vain. On aurait dit qu'elles avaient décidé de rester parfaitement indisciplinées.

Exactement comme moi, pensa-t-elle en se souvenant de ce que sa mère lui disait souvent. « Chloé, tu n'en fais qu'à ta tête… Il faudra bien un jour que tu acceptes de composer avec la réalité ! »

Assez satisfaite malgré tout de son apparence, elle ouvrit sa portière et décida de tirer le meilleur parti de cette belle journée du mois de mars. Inutile de fermer son véhicule. Qui aurait envie de voler une voiture qu'elle avait achetée d'occasion dix ans plus tôt ?

Puis, d'un pas décidé, elle gravit les trois marches qui menaient à la porte d'entrée du ranch. Avant de sonner, elle s'accorda le temps de compter jusqu'à dix afin de faire provision de calme et de mettre ses idées en ordre. Mais, juste au moment où elle allait appuyer sur la sonnette, la porte s'ouvrit, comme par magie.

C'était son imagination qui galopait, sans aucun doute…

— Oh ! Chloé, te voilà ! s'exclama Graham, l'air surpris.

Il n'était pas tout seul. À ses côtés se tenait Sasha, son épouse, une jolie jeune femme blonde aux yeux bleus. Ils paraissaient tous deux si surpris qu'un doute vint à l'esprit de Chloé.

— Désolée de vous surprendre, dit-elle. Je me suis sans doute trompée dans les dates !

— Non, pas du tout, lui assura Graham. Mais nous venons d'être prévenus par la baby-sitter que Maddie, notre fille, vient de faire une chute de la balançoire sur laquelle elle faisait des acrobaties. Hélas, ses tentatives n'ont pas été couronnées du succès qu'elle espérait. La baby-sitter pense qu'elle s'est cassé le bras en tombant. Nous filions la retrouver à l'hôpital.

— Oh ! Je suis désolée ! s'exclama Chloé, sincèrement contrariée. Est-ce que je peux faire quelque chose pour vous aider ?

Graham réfléchit un instant avant de répondre :

— Je crois que oui.

— Que veux-tu que je fasse ?

Elle s'attendait à ce qu'il lui demande de les accompagner à l'hôpital. Sans doute étaient-ils trop bouleversés pour se sentir capables de conduire.

— Si cela ne t'ennuie pas, tu nous rendrais service en restant ici un moment, expliqua Graham. Nous attendons quelqu'un qui doit passer aussi un entretien et nous n'arrivons pas à le joindre par téléphone pour le décommander. Quand il arrivera, est-ce que tu pourrais lui expliquer que nous reviendrons dès que nous serons rassurés sur le sort de Maddie ? Je me rends compte que c'est abuser de ta bonne volonté que de te demander une chose pareille, mais…

— Pas de problème ! Allez retrouver votre fille, je resterai ici le temps qu'il faudra.

— Merci, infiniment, Chloé. C'est quelque chose que nous n'oublierons pas, assura Sasha tandis que Graham et elle se hâtaient vers leur voiture.

Chloé leur adressa un sourire encourageant.

— Je suis ravie de pouvoir vous rendre ce petit service.

Après tout, elle n'était pas bousculée par un emploi du temps trop rempli. Autant se rendre utile !

En outre, se dit-elle en refermant la porte derrière elle, elle aurait ainsi l'occasion de découvrir à son rythme la personne avec qui elle se trouvait en compétition pour l'obtention du poste.

Elle s'installa confortablement sur le canapé et se prépara à attendre le visiteur promis. Au bout de cinq minutes, elle commença à sentir l'impatience la gagner. Elle se leva et fit le tour de la pièce.

Les meubles en bois sombre offraient une douce impression de sécurité. Sur le manteau de la cheminée, une pendule démodée aux chiffres dorés lui donnait la sensation de suivre le lent déroulement du temps. Allait-elle attendre longtemps ?

Depuis un moment, elle entendait les pleurs d'un bébé provenir du fond de la maison. Tout à coup, une porte claqua et les pleurs se rapprochèrent. Elle sursauta lorsqu'un homme d'un certain âge, l'air à bout de nerfs, entra dans le salon, un bébé hurlant dans les bras. Il paraissait vraiment épuisé.

Sans même se préoccuper de savoir qui elle était ni même de se présenter, il lança :

— Je ne sais pas quoi faire pour qu'elle arrête de pleurer ! J'ai tout essayé mais elle continue à hurler. Est-ce que vous savez comment on peut la calmer ?

Tout en parlant, il lui tendait le bébé comme une offrande.

— Je vous en prie, faites quelque chose !

Stupéfaite, Chloé le considéra un instant sans bouger. Elle ne savait rien en matière de puériculture et cet homme qui lui faisait confiance de manière si imprévue ne paraissait pas imaginer un instant qu'elle était peut-être une voleuse entrée dans la maison par effraction.

Il paraissait cependant si démuni, si affolé, qu'elle décida de ne pas lui faire remarquer son inconscience. Pleine de pitié pour lui, elle déclara simplement :

— Donnez-la-moi !

Pourtant, elle n'avait pas la moindre idée de ce qu'elle allait faire de ce petit paquet hurlant.

— Merci ! Merci mille fois ! Elle s'appelle Sydney et moi, je suis Roger, l'oncle de Sasha, expliqua-t-il en déposant le bébé dans les bras de Chloé. Graham et Sasha viennent de partir en urgence et m'ont demandé de veiller sur le bébé pendant leur absence.

Il s'épongea le front avec son mouchoir avant de reprendre, l'air penaud :

— J'ai accepté avant de savoir dans quoi je me lançais. Je croyais qu'elle allait continuer à dormir, mais aussitôt ses parents partis, elle s'est mise à pleurer.

Il s'interrompit, considéra le bébé qui s'était calmé, soulagé et stupéfait en même temps.

— Hé, dites donc, elle paraît vous apprécier !

À sa grande surprise, Chloé constata que la petite fille avait brusquement cessé de pleurer. En regardant le petit visage encore tout rouge de sa crise de larmes, elle découvrit que Sydney paraissait totalement fascinée par la façon dont la lumière jouait sur le pendentif en argent qu'elle portait autour du cou.

Ce pendentif que Donnie lui avait offert juste avant d'embarquer, se souvint-elle avec tristesse.

Maintenant encore, Donnie trouvait le moyen de lui venir en aide…

— Je crois que c'est mon collier qui lui plaît, fit-elle remarquer.

Comme preuve de ce qu'elle avançait, elle attrapa le pendentif et le balança lentement au-dessus du visage du bébé. Le rayon de lumière s'y reflétait tandis que, hypnotisée, Sydney le suivait du regard.

— Peu importe ! s'exclama Roger. Je suis tout simplement bien heureux qu'elle ait enfin arrêté de hurler. Elle criait si fort que j'avais peur que quelque chose se casse dans son petit corps. Franchement, pour une créature aussi minuscule, on peut dire qu'elle a des poumons extraordinaires !

Pour la première fois depuis son apparition, il considéra Chloé et comprit qu'il ne la connaissait pas.

— Vous êtes sans doute une amie de Graham et Sasha ?

— Pas exactement.

Comment devait-elle se présenter ?

Certes, elle était la demi-sœur de Graham, mais elle ne s'était pas encore habituée à ce titre. Devait-elle le déclarer au premier venu ? Qui sait si Graham ne serait pas contrarié qu'elle l'ait ainsi divulgué ?

Tout en berçant le bébé qu'elle tenait toujours dans ses bras, elle s'installa sur le canapé avant de déclarer de manière assez évasive :

— Je suis venue passer un entretien pour le poste qui vient de s'ouvrir à Peter's Place.

— Ah, je vois.

Roger hocha la tête tout en s'asseyant lui aussi sur le canapé.

— C'est un lieu de vie magnifique. Sasha et Graham font un travail remarquable mais c'est vrai qu'ils auraient bien besoin que l'on vienne leur prêter main-forte. Vous postulez pour un emploi particulier ?

— Oui. Je viens passer l'entretien de psychologue.

Maintenant qu'il n'était plus perturbé par les cris de sa petite-nièce, Roger paraissait tout à fait capable d'entretenir une conversation normale.

— Vous faites donc le même métier que ma nièce ?

— C'est ça. Vous travaillez à Peter's Place, vous aussi ?

Cette question parut le surprendre.

— Non, pas du tout. Je suis le propriétaire du Galloping Ranch sur lequel a été créé Peter's Place. Ma maison se trouve un peu plus bas. Je suis venu parce que Graham et Sasha m'ont appelé pour garder Sydney un moment. Ils ont simplement oublié de me dire de prendre mes bouchons d'oreilles ! ajouta-t-il en riant.

Il se tut un instant.

— C'est terrible parfois, les enfants. Vous en avez combien ?

— Aucun, répondit Chloé, en espérant que son visage ne trahirait pas la tristesse qu'elle éprouvait en disant cela.

Donnie et elle voulaient fonder une famille mais ils avaient remis cela à plus tard à cause du départ de Donnie à l'armée. Il voulait absolument être près d'elle pendant toute la grossesse. En outre, avait-il ajouté, ils étaient jeunes et avaient tout le temps de réaliser ce projet. Leur vie à deux ne faisait que commencer.

Hélas, il se trompait, pensa-t-elle tristement. Elle regrettait amèrement de ne pas avoir été enceinte avant son départ. Au moins, il lui resterait quelque chose de Donnie pour l'aider à surmonter son chagrin et lui donner une raison de vivre.

— Je suis désolé, marmonna Roger, visiblement gêné. J'ai dit quelque chose qui vous a fait de la peine ?

— Non, pas du tout ! C'est juste une idée qui me passait par la tête.

— Tant mieux ! Je m'en voudrais de vous avoir

perturbée alors que vous m'avez tellement aidé avec Sydney.

Il jeta un coup d'œil sur sa montre.

— Puisque Sydney paraît vous apprécier, est-ce que cela vous dérangerait de la garder encore un peu, le temps que je passe un coup de fil ? Je vous promets que je n'en ai pas pour longtemps.

Elle aurait bien aimé lui rendre le bébé mais il lui paraissait difficile de refuser. D'autant plus qu'elle avait promis à Graham d'attendre la personne qui devait arriver pour son entretien. Un peu plus de temps, un peu moins, quelle importance ?

— Bien sûr, je la garde encore un peu.

Roger lui adressa un regard plein de reconnaissance.

— Merci infiniment ! Vous allez voir, vous adorerez travailler ici. Graham et Sasha sont des personnes formidables, précisa-t-il en quittant la pièce.

— Ma petite Sydney, murmura Chloé, c'est toi et moi en tête à tête, maintenant.

Le bébé la fixait de ses immenses yeux bleus, comme si elle enregistrait avec soin la moindre de ses paroles.

— Je suis la demi-sœur de ton papa. Donc ta… demi-tante ? Tu ne savais pas que j'existais ? Peu importe ! Maintenant, tu me connais et tu sais que je porte un très joli pendentif qui brille au soleil.

Elle adressa un sourire au bébé qui l'écoutait en écarquillant les yeux.

Tout à coup, en entendant la sonnette de la porte d'entrée, elle se tut.

Ce n'était pas possible que ce soit Graham et Sasha. Par conséquent, elle allait se trouver en présence de l'autre candidat. Celui qui cherchait à obtenir le même poste qu'elle.

Elle se redressa, prête à la bagarre.

— Allons voir toutes les deux si je réussis à lui faire

peur et à le décourager d'entrer en compétition avec moi, d'accord ? murmura-t-elle.

Sydney laissa échapper un petit roucoulement, et un chapelet de bulles se forma sur ses lèvres en bouton de rose.

Chloé se mit à rire, attendrie. Elle serra un peu plus le bébé contre elle et se leva pour aller ouvrir.

Toutes les formules qu'elle avait préparées pour accueillir le visiteur s'évanouirent lorsqu'elle se retrouva en face du nouveau venu.

Il n'était pas du tout le genre de personne qu'elle s'attendait à découvrir. Absolument pas. Étant donné le poste en jeu, elle avait pensé qu'elle aurait affaire à un homme d'aspect universitaire, du genre gris et tristounet qui passe inaperçu tant il est replié sur lui-même.

Erreur monumentale ! Celui qui se tenait devant elle était un cow-boy plus vrai que nature, du genre qui fait rêver les femmes en mal d'aventure.

Il était très grand, avec des épaules larges, une chevelure blonde parfaitement indisciplinée et des yeux si bleus que l'on aurait dit qu'ils avaient été découpés dans l'azur du ciel. Il portait un jean délavé, une chemise à manches longues, des bottes et un Stetson. Bref, il était l'incarnation même du cow-boy de rêve.

Apparemment, il n'avait pas encore atteint la trentaine.

En tout cas, ce qui ne laissait pas l'ombre d'un doute, c'est qu'il était extraordinairement séduisant.

À peine avait-elle formulé ce jugement qu'une pensée la terrassa.

Extraordinairement séduisant ?

Depuis la mort de Donnie, c'était la première fois qu'elle faisait attention à un homme et, pire encore, qu'elle le trouvait séduisant. Était-elle en train de perdre la tête ?

3

Chance Howell se rendit compte qu'il faisait plus que regarder la jeune femme qui se tenait devant lui, un bébé dans les bras. Il la dévisageait sans la moindre honte ! Ce qui ne pouvait certainement pas être considéré comme un bon point vis-à-vis de celle qui était certainement l'épouse de son employeur potentiel. Comme il savait que Graham Fortune Robinson avait deux enfants, dont un bébé, il lui était facile d'en venir à cette conclusion.

Afin de faire oublier son attitude sans gêne, il retira son Stetson et se présenta.

— Je suis Chance Howell et j'ai rendez-vous avec Graham Fortune.

— Il est absent pour le moment, répondit son hôtesse. On l'a appelé pour une urgence mais il m'a chargée de vous dire qu'il serait bientôt de retour.

— J'imagine que vous êtes Sasha, son épouse ? ajouta-t-il en voyant que son interlocutrice le fixait de ses grands yeux noisette sans ajouter un mot.

— Oh ! non ! Pas du tout. Je suis la demi-sœur de Graham.

— Ah, excusez-moi pour le malentendu. Je suis ravi de faire votre connaissance.

— Je suis Chloé Elliott. Vous êtes certainement ici comme moi pour l'entretien d'embauche.

Chance considéra la jeune femme avec un certain

effarement. Elle avait bien dit qu'elle postulait pour le même emploi que lui ? Combien pouvait-elle mesurer ? Un mètre cinquante-cinq ? Un mètre soixante, au mieux ? Elle n'avait rien de la femme qui travaille dans un ranch. Et encore moins quoi que ce soit d'un ancien militaire ! Or l'annonce à laquelle il avait répondu demandait un régisseur et précisait que la préférence serait accordée à un vétéran, s'il s'en présentait un.

Mais après tout, les apparences étaient sans doute trompeuses. Le monde changeait si vite, depuis quelque temps ! Tous les repères traditionnels étaient bouleversés. Il avait entendu dire qu'après un entraînement adapté, des petites bonnes femmes de rien du tout se comportaient sur le terrain aussi efficacement que des gros costauds.

La compétition allait sans doute s'avérer passionnante, pensa-t-il. Malgré lui, son regard se porta sur l'annulaire gauche de la jeune femme. Aucune trace d'une alliance… Voilà qui lui convenait parfaitement. C'était une très bonne chose que cette jeune demoiselle ne soit pas mariée avec son employeur potentiel…

— Dans quelle section étiez-vous ? demanda-t-il, curieux de découvrir les compétences de sa concurrente.

Elle le dévisagea d'un air surpris.

— Que voulez-vous dire ? De quelle section parlez-vous ?

— Eh bien, la marine, l'armée de terre, l'armée de l'air…

Comme elle demeurait muette, il fronça les sourcils. Peut-être avait-elle fait partie des services secrets ? Voilà qui expliquerait sa réticence à parler.

— Je n'étais dans aucune section, répondit-elle enfin. Qu'est-ce qui vous fait imaginer une chose pareille ?

Il se dit qu'il avait sans doute commis une bévue.

L'essentiel était maintenant de s'en tirer sans vexer son interlocutrice.

— L'annonce disait que la préférence irait à un vétéran, dit-il.

— Je n'ai pas vu l'annonce. Graham m'a seulement parlé du poste qu'il propose et m'a demandé de venir au ranch pour passer l'entretien de rigueur. Mais il a été obligé de partir précipitamment.

Chance hocha la tête.

— Oui, vous me l'avez dit tout à l'heure. Voyons… Avez-vous une idée de l'heure à laquelle il sera de retour ?

Elle haussa les épaules.

— Non, pas la moindre. Il a seulement assuré qu'il ferait le plus vite possible.

Elle se tut un instant avant de reprendre :

— Et vous, vous étiez dans l'armée ?

— Oui. J'étais en Afghanistan, dans les forces spéciales. Tout au moins jusqu'à ce qu'une blessure m'envoie à l'hôpital et, finalement, me fasse réformer.

— Il y a longtemps de cela ? demanda Chloé en s'efforçant de garder son calme.

Le cow-boy qui se tenait en face d'elle paraissait au meilleur de sa forme, mais elle savait combien de blessures et de cicatrices peuvent rester cachées. Les pires, bien sûr, étaient celles qui vous permettaient de rentrer chez vous uniquement pour y être enterré…

— Non. Il y a plusieurs années maintenant que je suis de retour, répondit-il.

— Où vivez-vous ?

— Oh… Ici et là… Je vais là où je trouve du travail.

Chance ne souhaitait pas toutefois que cette réponse vague laisse supposer que son existence nomade était due à son manque de sérieux ou à son incompétence.

— En fait, j'aime bien bouger, précisa-t-il. Je ne reste jamais très longtemps au même endroit.

— Pourquoi ? Vous cherchez quelque chose de spécial ?

— Non, pas vraiment.

C'était tout à fait vrai. Il ne cherchait rien en particulier mais quand il commençait à se sentir las d'un environnement, il préférait partir. Un peu comme si quelque chose l'avertissait tout à coup que le moment était venu d'aller ailleurs.

— Pour être honnête, le seul endroit au monde où je me sens vraiment chez moi et en paix, c'est quand je suis sur un cheval, reprit-il. On peut dire que c'est là mon véritable port d'attache.

Chloé lui sourit.

— Quelle chance ! Voilà qui vous permet de transporter facilement vos pénates partout où vous en avez envie.

Il lui rendit son sourire.

— On peut voir les choses comme ça, en effet.

Ce n'était pas aussi simple mais il n'allait pas se lancer dans des explications avec une inconnue, aussi jolie soit-elle. Après tout, il ne connaissait Chloé que depuis quelques minutes. Inutile de lui détailler son style de vie.

Il apprécia qu'elle ne lui pose pas davantage de questions. Habituellement, les femmes qu'il avait rencontrées se montraient bien plus curieuses, surtout celles qui auraient aimé le garder auprès d'elles.

À ce moment-là, un vieux monsieur fit irruption dans la pièce.

— J'ai fini de donner mon coup de fil, expliqua ce dernier. Excusez-moi d'avoir autant tardé, Chloé. Il a duré plus longtemps que prévu.

Comme les deux hommes se dévisageaient, Chloé se sentit obligée de faire les présentations.

— Chance, je vous présente Roger, l'oncle de Sasha.

Roger, Chance est l'autre personne que Graham doit voir pour l'entretien d'embauche.

— Ah… La personne qu'il n'a pas réussi à joindre ?

— Oui, c'est cela, confirma Chloé.

Les deux hommes se serrèrent la main, puis Roger se tourna vers Chloé.

— Graham vient de m'appeler à l'instant pour me dire que Sasha et lui sont sur le chemin du retour. Maddie s'est cassé le poignet et on lui a mis un plâtre, ce qui évidemment n'est pas très agréable pour une petite fille de huit ans.

Il rangea son téléphone dans sa poche avant de poursuivre en s'adressant à Chance :

— Graham m'a dit qu'il pouvait déplacer votre rendez-vous si vous préfériez ne pas l'attendre. La même chose pour vous, Chloé, mais vous vous débrouillez tellement bien avec Sydney que j'espère que vous allez rester ici jusqu'à leur retour !

— Bien sûr, répondit Chloé. Je préfère éviter des allers-retours inutiles.

— C'est pareil pour moi, renchérit Chance.

Ses yeux se posèrent sur Chloé, et pendant un instant l'entretien d'embauche qui l'avait amené ici lui sortit complètement de l'esprit.

— Je suis même très heureux de les attendre…, ajouta-t-il.

En d'autres mots qu'il se garda bien de formuler, la perspective de passer encore un peu de temps en compagnie de la petite jeune femme blonde au sourire charmeur lui convenait à merveille, même s'il n'était pas un causeur de premier ordre.

Bizarrement, Chloé sentit un petit pincement au creux de son estomac, dans le même genre que celui de tout à l'heure quand elle avait découvert le beau cow-boy devant la porte.

Attention, Chloé… Rappelle-toi ! Tu es déjà passée par là. Pas question de recommencer. Tu sais trop bien où mène ce genre de réaction.

Donnie avait été son premier amour. Elle était tombée follement amoureuse de lui, un peu comme si elle avait sauté d'un avion sans parachute. Oui, c'est tout à fait ce genre d'exaltation qu'elle avait connu, mais à la fin, l'enivrement de l'amour qu'elle avait éprouvé pour Donnie l'avait menée aux larmes et au désespoir de l'avoir perdu. Non, elle ne voulait plus courir le risque de connaître pareille épreuve. C'était trop douloureux, elle avait trop souffert.

Pour autant, elle ne voulait pas se montrer impolie envers Chance. À elle de veiller à ne pas se laisser emporter par les émotions, et encore moins par les sentiments.

Roger rompit le silence un peu gênant qui s'était installé entre eux.

— Si cela vous intéresse, je peux vous faire faire le tour du propriétaire en attendant le retour de Graham, proposa-t-il.

Chloé jeta un regard sur le bébé qui s'était endormi dans ses bras. La présence magnétique de Chance l'avait empêchée de s'en rendre compte. De même qu'elle n'avait pas encore pris conscience de la crampe qui lui bloquait le bras et qui, maintenant, la gênait. Elle aurait volontiers déposé Sydney dans son berceau, mais la crainte de l'entendre à nouveau pleurer l'en empêcha.

— Nous allons commencer par la maison, proposa Roger. Ensuite, un petit tour dans mon pick-up vous permettra de découvrir le ranch.

— Je ne suis pas sûre que ce soit une bonne idée, déclara Chloé en désignant Sydney du menton. Je pense que cette équipée la réveillerait et, franchement, je la préfère endormie qu'en train de hurler !

— Vous avez mille fois raison, reconnut Roger. J'avais complètement oublié que cette petite personne était capable de faire un raffut de tous les diables !

— Ne vous inquiétez pas pour moi, assura Chance en découvrant le regard interrogateur que Roger posait sur lui. Je n'ai nul besoin de divertissement en attendant le retour de Graham.

— Je ne veux pas vous priver de la visite du ranch, intervint Chloé.

Et pour tout dire, elle aurait bien aimé que Chance accepte la proposition de Roger… Cela lui aurait offert une chance de se libérer momentanément de l'emprise que ce cow-boy trop beau exerçait sur elle. Elle était stupéfaite de sa réaction face à Chance ! Jamais elle ne s'était comportée de cette manière auparavant ! De plus, elle se sentait coupable d'avoir rejeté au fond de sa mémoire, ne serait-ce qu'un instant, le souvenir de Donnie, l'homme qu'elle avait tant aimé… Pareille attitude ne lui ressemblait pas du tout. Il était temps d'oublier ce moment de folie passagère et de redevenir elle-même !

Hélas, Chance n'était pas sur la même longueur d'onde qu'elle.

— Ne vous inquiétez pas. Si j'obtiens le poste, j'aurai tout le temps de découvrir le ranch. Et si je ne l'obtiens pas, à quoi me servira de l'avoir visité ?

Visiblement déconcerté par cet échange, Roger haussa les épaules et n'insista pas.

— Ce sera comme vous le souhaitez, conclut-il. Venez avec moi, Chloé, je vais vous montrer la chambre de Sydney. Vous pourrez la coucher dans son berceau et retrouver l'usage de vos bras ! ajouta-t-il en riant.

Pourquoi pas ? se dit Chloé. Si jamais Sydney se réveillait et recommençait à pleurer, elle la reprendrait avec elle en espérant que son pendentif aurait le même effet miraculeux que tout à l'heure !

Sans compter que cet intermède lui permettrait de soulager la crampe qui la paralysait… et de se soustraire un instant à la fascination que Chance exerçait sur elle à son corps défendant.

— Cela vous ennuierait que je vienne aussi ? demanda ce dernier. Ce sera plus amusant que de rester tout seul ici.

Chloé soupira.

Le sort s'acharnait sur elle…

4

Avec mille précautions, Chloé déposa Sydney dans son berceau et tant qu'elle ne l'eut pas complètement lâchée, elle retint son souffle de peur de la réveiller.

La petite fille laissa échapper un grognement de petit chat, soupira… mais eut la bonne idée de continuer à dormir.

Ouf ! Mission accomplie, se dit Chloé avec soulagement.

Elle recula sans se retourner et heurta Chance qui se tenait derrière elle.

— Oh ! pardon ! murmura-t-il en faisant aussitôt un pas de côté.

De quoi s'excusait-il vraiment ? se demanda Chance. Il n'aurait su dire si c'était de s'être trouvé sur le chemin de la jeune femme ou d'avoir éprouvé la décharge électrique qui l'avait traversé quand leurs deux corps s'étaient touchés. Pourtant, ce contact avait été parfaitement fortuit et pas du tout intime, mais le trouble qu'il avait suscité en lui n'en était pas moins intense et bien réel.

Chloé sursauta et, en se retournant brusquement, provoqua une nouvelle rencontre bien plus embarrassante puisqu'elle faillit tomber dans les bras de Chance. Heureusement, elle garda son équilibre et ils se retrouvèrent face à face, soulagés l'un et l'autre et, bizarrement, assez déçus.

Non, non, non ! Elle ne pouvait pas continuer comme ça, songea Chloé. Elle devait rapidement recouvrer ses esprits, son bon sens et sa tranquillité. Il le fallait absolument.

Certes, Chance Howell était terriblement sexy, c'était impossible à nier, mais depuis la disparition de Donnie elle avait rencontré quantité d'hommes séduisants, et jamais elle ne s'était sentie attirée par aucun d'entre eux. Qu'est-ce que ce cow-boy avait de plus que les autres ?

Rien. Absolument rien. C'était elle, qui perdait la tête !

— Pardon, j'ai reculé un peu brusquement, expliqua-t-elle.

Elle jeta un coup d'œil sur Sydney toujours endormie.

— Je ne voulais surtout pas réveiller cette petite fille qui a une voix si perçante, précisa-t-elle.

Étant donné la taille exiguë de la chambre, Roger était resté dans le couloir. Lorsque Chloé en sortit, il alla contempler le bébé aussi tranquille qu'une poupée.

— Elle est trop mignonne quand elle dort, murmura-t-il, tout attendri, après avoir quitté la pièce sur la pointe des pieds.

Puis, se tournant vers Chloé.

— Vous avez des enfants ?

La question parut surprendre Chloé qui répondit vivement, comme pour se protéger d'une perspective inquiétante :

— Non !

— Bah, vous avez bien le temps !

Le temps ?

C'est ce que croyait Donnie lui aussi…, songea Chloé. Il était persuadé qu'ils avaient tout le temps de se découvrir, de profiter de la vie à deux avant de franchir l'étape suivante qui consistait à fonder une famille. Voilà pourquoi aujourd'hui, elle se retrouvait seule dans la vie, sans pouvoir tenir dans ses bras l'enfant que lui aurait laissé son amour et qui aurait rempli le vide de sa vie…

— Allons nous installer ailleurs, proposa Roger. Il ne faut surtout pas réveiller Sydney !

Chance et Chloé le suivirent jusqu'au salon.

— J'imagine que vous souhaitez avoir des enfants, un jour, poursuivit Chance à l'adresse de Chloé.

— Tout ce que je souhaite pour l'instant, répliqua-t-elle, c'est trouver un emploi.

Puis, gênée à la pensée qu'il allait peut-être interpréter cette réponse comme une tentative déguisée de lui faire abandonner la compétition qui les opposait pour l'obtention du poste proposé par Graham, elle se hâta d'ajouter :

— Dans la mesure où je suis capable de l'assumer, évidemment. Mais si c'est vous qui apparaissez comme le mieux qualifié, je me mettrai en quête d'autre chose.

Chance parut réfléchir un instant. Quelque chose continuait à lui paraître bizarre dans leur rivalité professionnelle.

— Vous avez une bonne formation en matière de travail dans un ranch ? demanda-t-il en l'observant avec attention.

— Moi ? Non, pas du tout. Pourquoi donc ?

Décidément, quelque chose ne cadrait pas.

— Eh bien, parce que c'est pour ce poste que je suis venu passer un entretien. Graham veut engager quelqu'un de compétent pour mener son ranch, en particulier une personne capable de bien s'occuper des chevaux.

Chloé le regarda avec des yeux ronds.

— S'occuper des chevaux ? répéta-t-elle, abasourdie.

— Oui. C'est une partie importante du travail à effectuer ici. Vous avez un bon niveau en dressage ?

Chloé commençait à comprendre qu'il y avait là un malentendu à éclaircir. Depuis le début, elle pensait que Chance et elle étaient venus pour le même poste. Apparemment, elle s'était complètement trompée.

— Vous dressez les chevaux ? demanda-t-elle.

— Oui, comme je viens de vous le dire. C'est même ma spécialité.

À voir le visage encore sous le coup de la surprise de Chloé, ce n'était pas à cette activité qu'elle avait l'intention de se dédier, comprit Chance.

— Et vous ? Quel genre de travail vous a-t-on proposé au ranch ? s'enquit-il.

— Mais… De l'aide psychologique, évidemment.

Tout à coup, Chance comprit que la très jolie jeune femme blonde qui se tenait à côté de lui n'avait strictement rien à faire au corral où allait se dérouler l'essentiel de son activité à lui. Quel idiot il avait été d'imaginer qu'elle allait entrer en compétition avec lui pour dompter les mustangs de l'élevage de Graham Fortune !

— Ah… Vous allez vous occuper des adolescents ?

Chloé lui adressa un grand sourire.

— Oui, les enfants m'écoutent mieux que les animaux !

Le sens de la repartie dont venait de faire preuve Chloé amusa beaucoup Chance qui se mit à rire de bon cœur. Voici que tout se mettait en place ! Ils n'étaient pas du tout en compétition pour le même poste, chacun avait sa spécialité.

— Si vous voulez, je pourrai vous enseigner comment vous en faire obéir au doigt et à l'œil, proposa-t-il.

— J'imagine que vous voulez parler des chevaux ?

— Oui, bien sûr. Je n'ai aucun problème avec eux, ils m'écoutent volontiers. En revanche, j'ai plus de difficulté avec les humains… La plupart du temps, je reste muet comme une carpe, ce qui fait que les gens ne se rendent même pas compte de ma présence.

— Je ne crois pas un mot de ce que vous dites ! s'exclama Chloé.

Comment ne pas remarquer un homme tel que lui ? Il donnait l'impression d'occuper l'espace à lui tout seul ! En tout cas, c'est ce qu'elle ressentait en le regardant.

Chance la fixait d'une manière qui lui faisait perdre tous ses moyens. Son regard d'un bleu profond plongeait en elle comme s'il avait l'intention de la mettre à nu. Elle frissonna, gênée.

— Pour commencer, étant donné que vous êtes bien plus grand que la moyenne, il est difficile d'ignorer que vous êtes là, fit-elle remarquer pour se justifier.

Comme cette explication lui paraissait assez nulle, elle se dépêcha d'en trouver une meilleure.

— Et puis… C'est sans doute à cause de votre habitude de dresser les chevaux mais, quand on vous regarde, on n'a pas envie de vous désobéir. Je suis sûre que les garçons qui se trouvent au ranch vous obéiront sans rechigner.

— Dieu soit loué, cela ne fait pas partie des pré-requis exigés pour mon poste ! Je suis complètement nul quand il s'agit de donner des ordres. J'ai épuisé toutes mes compétences en la matière quand j'étais en Afghanistan.

— Mais vous, au moins, vous en êtes revenu…, murmura-t-elle malgré elle.

Les mots étaient sortis de sa bouche avant qu'elle ait songé à les retenir. À coup sûr, Chance les avait entendus… Le regard qu'il lui adressa, mélange de curiosité et de pitié, lui en donna la preuve.

— Vous avez perdu quelqu'un là-bas ? demanda-t-il.

Elle aurait aimé ne pas répondre à cette question, garder pour elle son histoire et sa douleur, mais il lui semblait qu'en se taisant elle allait faire comme si Donnie n'avait jamais existé. Et ça, c'était impossible.

— Oui.

Sa réponse était volontairement laconique, mais Chance poursuivit :

— Un frère ? Un père ? Un mari, peut-être ?

Elle le laissa poser ses questions sans lui donner de réponse. Il comprit alors qu'il s'était trop approché de son jardin secret.

— Peu importe, gardez cela pour vous, ajouta-t-il vivement. Pardonnez-moi de m'être montré indiscret.

— Est-ce que vous auriez préféré de ne pas y être allé ? s'enquit-elle brusquement.

Combien de fois ne s'était-elle pas demandé, allongée toute seule dans son lit, la nuit, si Donnie avait regretté d'être parti. Aujourd'hui encore, elle se posait cette question de temps à autre, une question qui demeurerait à jamais sans réponse.

— Non, je ne regrette rien parce que je suis parti combattre pour mon pays, mais j'aurais aimé ne pas voir ce que j'y ai vu.

Un silence pesant plomba un instant la conversation. On aurait dit que des scènes pénibles repassaient devant les yeux de Chance, le ramenant en arrière, bien loin du moment présent.

Au bout d'un moment, il s'éclaircit la voix et reprit :

— Voyons… Comment en sommes-nous arrivés à parler de ça ? Peu importe ! Nous savons maintenant que nous ne postulons pas pour le même emploi.

Roger, qui s'était tenu en retrait pendant leur échange, se rapprocha d'eux.

— Voilà au moins un éclaircissement bienvenu ! dit-il.

Comme le bruit de la porte d'entrée se fit entendre, il ajouta :

— Tiens, je crois que votre futur employeur est de retour !

Chance et Chloé se tournèrent vers la porte et aperçurent Graham et Sasha, accompagnés d'une petite fille.

Mis à part son bras retenu en écharpe autour de son cou, avec ses longs cheveux blonds et ses traits délicats, Maddie était une version miniature de sa mère.

— Enfin, nous voici de retour, après toutes ces émotions ! déclara Sasha. Désolés de vous avoir fait attendre.

Puis, découvrant que Roger avait les bras vides, elle demanda, inquiète :

— Où est Sydney ?

Roger désigna Chloé d'un geste du menton.

— Cette jeune personne a eu le talent de l'endormir en un rien de temps.

Il claqua des doigts, comme pour montrer que Chloé avait accompli un véritable tour de passe-passe.

— Bravo ! s'exclama Sasha. Cet exploit suffira à vous faire obtenir l'emploi, ajouta-t-elle en souriant.

— Vous n'êtes pas sérieuse, n'est-ce pas ? demanda Chloé.

— Non, en effet, intervint Graham. Mais presque. Comme moi, Sasha fonctionne à l'intuition, et nous n'avons jamais eu à le regretter.

Roger s'approcha de la petite Maddie que les adultes avaient un peu oubliée en discutant.

— Si tu allais dans ta chambre te reposer un peu ?

— Ah non, pas question ! s'écria la gamine. On m'a obligée à rester couchée pendant des heures à l'hôpital pendant qu'on prenait des photos de mon bras ! Je ne suis pas fatiguée.

Elle exhiba son plâtre avec une certaine fierté.

— Oncle Roger, j'aimerais bien que tu signes ton nom sur mon plâtre.

Plusieurs signatures décoraient déjà le plâtre tout neuf. Grâce à son sourire craquant, Maddie avait visiblement obtenu un petit mot de toutes les infirmières du service !

— Tu vois, précisa-t-elle, j'ai déjà toute une collection. Même le médecin a écrit son nom ! C'est chouette, non ?

— Magnifique ! s'exclama Roger avec enthousiasme. Viens, allons à la cuisine chercher un stylo.

— Seulement un stylo ? demanda la fillette.

— Un stylo et peut-être… un petit quelque chose de bon pour te consoler d'être tombée de la balançoire ?

— Super !

— Je crois que je ferais bien d'accompagner ces deux complices pour limiter les dégâts, déclara Sasha en leur emboîtant le pas. Si je laissais faire Roger, il nourrirait Maddie uniquement de gâteaux et de bonbons !

— Je vous en prie, dit Chloé. Prenez tout votre temps pour lui préparer un bon sandwich et un verre de jus de fruit.

— Décidément, vous êtes pleine de bon sens, fit remarquer Sasha. Je crois que nous ferons du bon travail ensemble.

Chloé la regarda quitter la pièce un peu déconcertée. Sasha ne lui avait encore posé aucune question relative à l'emploi pour lequel elle postulait. Sur quelle base s'était-elle appuyée pour la déclarer apte à l'occuper ?

— Je me sens un peu gênée d'avoir été engagée sans entretien préalable, avoua Chloé en se tournant vers Graham.

Il se mit à rire.

— Vous venez de voir du Sasha tout craché ! Depuis que je la connais, j'ai l'impression d'avoir le vertige tant elle prend des décisions rapides, mais je dois avouer qu'elle n'a jamais commis la moindre erreur. Alors j'ai appris à me fier à ses intuitions car elle s'avère bien meilleure juge que moi. Par conséquent, ma chère Chloé, tu peux considérer que tu as obtenu le nouveau poste de psychologue à Peter's Place !

Assez médusée par la vitesse à laquelle son avenir

professionnel venait d'être mis sur des rails, Chloé demeura sans voix.

— Si cela ne t'ennuie pas, ajouta Graham, j'aimerais te laisser seule quelques instants pour pouvoir m'entretenir en privé avec Chance.

Puis, avant qu'elle ait eu le temps de répondre, il lui proposa de visiter la maison ou d'aller rejoindre Sasha, Maddie et Roger dans la cuisine.

Elle refusa les deux propositions. Pour l'instant, elle souhaitait seulement rester là où elle était et s'accorder le temps d'absorber tout ce qui venait de lui arriver.

Car en fait, elle venait de décrocher sans avoir eu à fournir le moindre effort un emploi passionnant dans un cadre privilégié. Jamais elle n'aurait osé espérer pareille issue quelques jours plus tôt !

— Merci, mais je préfère rester ici.

— Comme tu voudras, répondit Graham en invitant Chance à le suivre.

Elle se laissa tomber sur le canapé et reprit tout depuis le début.

Elle était chez son demi-frère et sa belle-sœur. Son demi-frère… Elle avait encore du mal à considérer Graham sous cet angle-là. Et à admettre qu'elle faisait partie de la grande famille des Fortune, elle qui avait grandi en étant persuadée qu'à part sa mère, elle n'avait personne au monde.

Le plus agréable dans cette situation nouvelle était certainement l'obtention de ce poste de psychologue. Car non seulement cela signifiait qu'elle avait un emploi mais qu'elle allait exercer le métier dont elle rêvait depuis le début de ses études à l'université. Jusqu'à présent, elle avait accepté n'importe quel travail pour arriver à joindre les deux bouts et payer son loyer et ses factures. Elle avait même travaillé comme serveuse dans un café les week-ends pour arrondir ses fins de mois. Et tout à coup, elle venait de décrocher le jackpot ! Grâce à Graham et à Peter's Place, elle avait fait un pas important non seulement dans sa vie professionnelle mais aussi dans sa vie d'adulte encore bien précaire.

Après avoir jeté un coup d'œil autour d'elle pour s'assurer que personne ne pouvait la voir, elle se pinça le bras, juste pour être bien sûre qu'elle n'était pas en train de rêver. Ce qui lui arrivait ressemblait tellement à un conte de fées qu'elle avait peur de se réveiller tout à coup en sursaut et de découvrir que tout cela n'était qu'une invention de son sommeil.

C'est seulement ce qui concernait Donnie qu'elle aurait aimé avoir rêvé… Car dans ce cas il serait à côté d'elle, maintenant.

Hélas, elle était seule.

Seule dans ce grand salon, à attendre le retour de son demi-frère qui allait lui donner des explications et sans doute des instructions sur ce qu'il attendait d'elle dans l'exercice de ses fonctions. Malgré tout ce que Graham pouvait lui assurer, elle avait l'intime conviction d'avoir obtenu le poste uniquement parce qu'elle faisait partie de la famille.

Peu importait ! L'essentiel était maintenant de prouver qu'elle était parfaitement capable de l'assumer, ce poste, et qu'ils n'avaient pas commis d'erreur en l'engageant. Il lui restait à leur prouver par son sérieux qu'ils n'auraient pas pu faire un meilleur choix. Elle leur devait bien ça.

Elle se le devait à elle-même aussi. Et à la mémoire de Donnie qui l'avait toujours encouragée en lui affirmant qu'elle avait toutes les capacités nécessaires pour réussir dans la voie qu'elle avait choisie.

Elle espérait aussi que Chance obtiendrait la poste de régisseur car, même s'il ne lui avait pas donné l'impression d'avoir le couteau sur la gorge, elle avait senti qu'obtenir un emploi à Peter's Place représentait quelque chose d'important pour lui.

Tout en croisant les doigts pour lui porter chance, elle se mit à fixer la porte de la pièce dans laquelle il s'était retiré avec Graham, dans l'espoir que cela lui enverrait de bonnes vibrations.

Lorsque la porte s'ouvrit enfin, elle bondit comme un diable qui sort de sa boîte.

Chance affichait un sourire satisfait.

Elle devina le résultat de l'entretien avant même qu'il ait ouvert la bouche pour lui en faire part.

5

Effectivement, Chance arborait un sourire taille XXL, c'est-à-dire à peu près aussi large que sa carrure.

— Je crois que vous m'avez porté chance ! dit-il. J'ai obtenu l'emploi.

— La chance n'a rien à voir là-dedans, corrigea Graham.

Il posa une main amicale sur l'épaule de son nouveau régisseur.

— Tous vos employeurs précédents ont écrit des lettres de recommandation unanimes sur vos compétences et votre sérieux. La meilleure preuve en est que Kyle McMasters lui-même, bien connu pour ses exigences, dit que si jamais vous n'intégrez pas Peter's Place, il sera enchanté que vous retourniez travailler chez lui au Double M.

Chance ne fit aucun commentaire à propos de ces éloges, se contentant de demander quand il devait commencer.

— Dès demain matin si cela vous convient, lui répondit Graham. Le personnel se lève tôt. Si vous êtes disponible à 7 heures, ce sera parfait.

Chance hocha la tête. Il avait l'habitude de se lever aux aurores même lorsqu'il ne travaillait pas. Son horloge interne était réglée de cette manière, et il ne faisait rien pour la modifier.

— Si vous le souhaitez, je peux commencer plus tôt.

— Non. 7 heures, ça ira. Vous pouvez dès maintenant installer vos affaires dans le bâtiment où se trouve votre chambre. L'autre bâtiment est réservé aux jeunes que nous hébergeons.

— Parfait. Je ne suis pas exigeant. Il suffit que je puisse m'allonger à la fin de ma journée de travail et tout ira bien.

Graham l'observa un instant et hocha la tête.

— Vous savez, Chance, j'ai des projets pour vous. Vous n'allez pas travailler ici comme simple responsable des chevaux. Une fois que vous aurez fait connaissance avec le ranch et son organisation et que vous vous y sentirez à l'aise, je souhaite que vous jouiez le rôle de coordinateur.

Surpris par cette information inattendue, Chance fronça les sourcils.

— Qu'attendez-vous de moi exactement ?

— Je veux mettre à profit votre expérience de militaire. Les adolescents que nous accueillons ici ont besoin d'être encadrés d'une main ferme. Ils doivent apprendre à respecter l'autorité et la loi. Bien sûr, je ne vous demanderai pas un excès de sévérité. Il vous faudra juste veiller à ce qu'aucun d'entre eux ne profite de la faiblesse d'une autre personne, qu'il s'agisse d'un élève ou d'un enseignant.

En prononçant ce dernier mot, il jeta un regard à Chloé qui apprécia modérément cette attention un peu trop excessive à ses yeux. Elle avait pris l'habitude de se défendre toute seule depuis longtemps !

— Ne t'inquiète pas pour moi, Graham, dit-elle. Je n'ai pas votre carrure à tous les deux mais je ne suis pas une mauviette pour autant. Je saurai me faire respecter, tu peux en être sûr.

— Loin de moi l'idée de prétendre le contraire, précisa

Graham, mais étant donné les adolescents que nous accueillons ici, c'est toujours bon de savoir que l'on est soutenu. Actuellement, nous hébergeons quatre garçons. Ils ne sont pas méchants mais pour une raison ou une autre ils sont sortis du droit chemin et sont persuadés qu'ils ne peuvent rien faire de bien dans la vie.

Il jeta un coup d'œil en direction de la cuisine et ajouta :

— Sur ce point, je pense que Sasha est mieux placée que moi pour te mettre au courant.

Cette dernière les rejoignit, toute souriante.

— Il me semble que je viens d'entendre mon nom, est-ce que je me trompe ?

Puis, sans attendre la réponse, elle se tourna vers son mari.

— Bonne nouvelle, mon chéri. Son poignet cassé n'affecte en rien l'appétit de notre fille ! Roger lui a préparé des crêpes et j'ai eu beaucoup de mal à le persuader de garder le restant de la pâte pour un autre repas. Comme je ne suis pas sûre qu'il m'obéisse, tu ferais bien d'aller lui expliquer toi-même que Maddie est capable de manger la part de quatre personnes sans sourciller !

— J'y vais de ce pas ! répliqua Graham. Ah. J'ai le plaisir de t'annoncer qu'à partir d'aujourd'hui nous avons deux nouveaux collaborateurs.

— Bienvenue à Peter's Place ! lança Sasha, souriant à Chance et Chloé. J'espère que vous vous plairez ici. Nous nous efforçons de vivre dans une ambiance familiale car pour la plupart de ces jeunes, c'est la première fois qu'ils découvrent ce que ce mot signifie.

À ce moment-là, les cris de Sydney se firent entendre.

— Il me semble que ma petite fille a besoin de moi, déclara Sasha en se préparant à sortir.

— Écoute, lui proposa Graham, si tu restais avec

Chloé pour la mettre au courant du parcours de vie de nos quatre jeunes ? Je m'occuperai de Sydney et nous irons retrouver Maddie et l'oncle Roger.

Il adressa un signe de tête à Chance.

— Installez-vous tranquillement dans votre chambre. Nous nous retrouverons demain matin pour la mise en route.

— Parfait, répondit Chance.

Il porta la main à son Stetson qu'il inclina légèrement vers la droite.

— Mesdames, je vous souhaite une bonne soirée et je vous salue bien !

Chloé le regarda s'éloigner. Oui, il était réellement très sexy…

— Notre nouvelle recrue a une stature impressionnante, tu ne trouves pas ?

Chloé réalisa alors qu'elle avait encore les yeux fixés sur la porte que Chance venait de franchir.

— Euh, je… Oui, c'est vrai.

Lorsqu'elle se tourna vers Sasha, il lui sembla que cette dernière la regardait avec un sourire gentiment moqueur. Le rouge lui monta aux joues. Ce serait un comble que Sasha s'imagine qu'il y aurait bientôt de la romance dans l'air entre Chance et elle ! C'était d'ailleurs hors de question. Si elle était ici et avait l'intention d'y rester le plus longtemps possible, c'est uniquement parce qu'on lui avait proposé un emploi qui correspondait à sa formation. Point final.

Afin d'éviter tout dérapage dans cette direction, elle changea aussitôt de conversation.

— Parle-moi des garçons qui se trouvent au ranch en ce moment.

Sasha lui fit signe de s'installer avec elle sur le canapé mais à peine y furent-elles assises qu'elle se leva d'un bond.

— Oh ! Chloé, je suis désolée ! À croire que l'accident de Maddie m'a fait perdre toute ma bonne éducation. J'ai complètement oublié de te proposer quelque chose à boire. Qu'est-ce qui te ferait plaisir ?

Mais Chloé n'avait envie de rien d'autre que d'obtenir des renseignements sur les adolescents dont elle allait s'occuper. Elle souhaitait vivement en apprendre le plus possible sur leur compte de manière à ne pas être prise au dépourvu quand elle se retrouverait face à eux. Ils avaient été envoyés à Peter's Place pour racheter leurs forfaits en travaillant au ranch et y devenir des personnes capables de s'insérer dans la société et d'y vivre normalement.

— Non, je te remercie, je n'ai besoin de rien, répondit-elle. En revanche, j'apprécierai que tu me dises tout ce que tu sais sur les jeunes avec qui je vais travailler.

Sasha réfléchit un instant.

— Je vais commencer par Jonah Wright. C'est un gentil garçon à la base mais il a pris un mauvais virage après que son père a quitté le foyer familial. Sa mère a été obligée de prendre un second emploi pour réussir à joindre les deux bouts, ce qui fait qu'elle était très peu à la maison. Jonah s'est donc retrouvé chargé de veiller sur ses trois jeunes frères et sœur. Inutile de te dire que pareille responsabilité pesait bien lourd sur ses jeunes épaules. Lui qui adorait jouer au base-ball après la classe a dû abandonner pour rentrer à la maison s'occuper des plus jeunes.

Chloé sentait déjà la compassion l'envahir. Quoi d'étonnant à ce qu'un gosse dans une telle situation ne puisse pas assurer un rôle trop lourd pour lui ?

— Obligé de renoncer au sport qui lui plaisait et dans lequel il réussissait bien, il a eu l'impression d'être victime d'une injustice, poursuivit Sasha. Une colère sourde s'est amassée en lui. Il a commencé à manquer l'école et à se bagarrer dans la rue. Ensuite, il a volé dans les magasins. Il s'en est tiré une paire de fois sans trop d'ennuis, mais à force de récidives, on a fini par l'arrêter. Heureusement, au lieu de le mettre en prison, on l'a envoyé ici. Au début, il s'est montré très difficile, révolté, irrespectueux, mais au fur et à mesure il s'est calmé, et on dirait qu'il est sur la bonne voie.

Elle paraissait tout heureuse de pouvoir partager cette bonne nouvelle.

— Il va même recommencer à jouer au base-ball dans une équipe de la ville, précisa-t-elle. Ce qui, pour lui, est la meilleure des récompenses.

— Donc, le travail est pratiquement terminé avec Jonah.

— Pas tout à fait mais le plus gros est fait. Notre second pensionnaire est Ryan Maxwell. À son arrivée, il était beaucoup moins révolté que Jonah mais très déprimé et replié sur lui-même.

— Est-ce que tu connais les causes de cette dépression ?

— Oui. Ses deux parents sont morts brutalement et les services sociaux l'ont envoyé vivre chez son oncle. Malheureusement, la famille n'est pas toujours ce que l'on souhaiterait qu'elle soit… Il s'est avéré que cet oncle était un voyou. Il s'est approprié l'argent que les parents de Ryan avaient mis de côté pour payer les études de leur fils et l'a dépensé pour lui sans s'occuper de son neveu. À mon avis, Ryan s'est mis à faire des bêtises pour qu'on le sépare de cet oncle auprès duquel il ne se sentait ni protégé ni soutenu.

— On peut le comprendre. Après tout, il n'avait rien à perdre !

— C'est vrai. Sa stratégie, si c'en était une, a payé car depuis qu'il est ici, il a fait d'énormes progrès. Il communique beaucoup plus volontiers et fait partie d'un club de sciences au collège. S'il continue sur cette lancée, il y a toutes les chances pour qu'il obtienne une bourse qui lui permettra de faire les études de sciences dont il rêve. Bref, son avenir est nettement plus gai que son passé !

— Et les deux autres ? Qu'est-ce que tu peux m'en dire ?

— Dans leur cas, la situation est moins rose. Ils sont arrivés plus récemment et ne paraissent pas s'être adaptés à la vie au ranch, tout au moins pour le moment. Brandon Baker a perdu son frère en Afghanistan. Cette perte l'a tellement affecté qu'il en veut au monde entier et passe sa rage sur tous ceux qui l'approchent.

Chloé ne dit rien mais une vague de sympathie pour l'adolescent l'envahit. Après la mort de Donnie, elle avait connu une période identique. Sa colère était si violente qu'il lui semblait parfois qu'elle allait l'étouffer, au point que pendant plusieurs semaines elle s'était demandé si elle n'allait pas basculer dans la folie. Heureusement, elle avait réussi à surmonter cette période, mais elle en conservait un souvenir extrêmement douloureux.

— Et le dernier pensionnaire ? demanda-t-elle. Quelle est son histoire ?

— Le dernier s'appelle Will Sherman. Sa mère est seule pour l'élever alors qu'elle est alcoolique. Elle avait pris l'habitude de passer toutes ses frustrations sur son fils qui se réfugiait dans la rue pour fuir ses coups. Une assistante sociale a rencontré Will un soir alors qu'il errait comme une âme en peine. Il avait été tellement battu qu'il tenait à peine debout.

— Oh… Le malheureux !

— Le comble, c'est que lorsque l'assistante sociale l'a questionné, il a juré que sa mère ne l'avait pas touché. Tu imagines dans quelle situation il se trouvait ? Battu comme plâtre mais soucieux de protéger sa tortionnaire ! Évidemment, les services sociaux ont estimé qu'il ne pouvait pas rester chez lui. Il a été placé ici. C'est une bonne chose car s'il était resté à la rue il aurait eu recours aux pires moyens qui soient pour assurer son existence.

Chloé hocha la tête.

— C'est vrai que beaucoup de jeunes finissent dans la drogue ou la prostitution après avoir connu des épisodes difficiles, murmura-t-elle.

— Will est ici depuis quelque temps mais il donne l'impression de ne plus croire en la vie. Il n'a confiance en rien ni personne et se sent complètement abandonné, exactement comme il l'a été par sa mère. Notre but est de lui redonner le goût de la relation et de lui réapprendre la confiance.

— Ce n'est pas une petite tâche…

Mais après tout ce que Sasha venait de lui décrire, elle comprenait encore mieux ce à quoi elle avait envie de dédier sa vie : aider ce genre de personnes à revivre et à retrouver une place dans la société qui les a si durement rejetés.

Elle se rendit compte que Sasha la regardait, l'air un peu soucieux.

— J'espère qu'avec ce que tu viens d'entendre, tu ne te sens pas découragée avant d'avoir commencé !

— Pas du tout ! la rassura Chloé. C'est évident que ces jeunes ont besoin d'aide et je suis ici pour ça. Quel genre de psychologue est-ce que je serais si je prenais mes jambes à mon cou dès qu'il y a une difficulté ?

— Le genre qui dort plus tranquillement la nuit ! répliqua Sasha en riant.

— Non, au contraire. Je suis sûre que je serais beaucoup moins sereine si je me disais que je n'ai rien fait pour aider ces jeunes. Personne ne mérite de voir ainsi son avenir brisé. Ce qui me mettra en paix avec moi-même sera d'essayer de nouer une relation avec eux dans l'espoir qu'elle leur donnera un nouveau départ dans la vie.

Et elle y mettrait tout son cœur.

Elle savait parfaitement l'impression qu'elle faisait, la première fois qu'on la rencontrait. On la prenait volontiers pour une gentille jeune femme tout juste bonne à distribuer des bonbons ou à organiser des ventes de charité. Mais c'était là une grossière erreur. Elle avait bien d'autres cordes à son arc.

— Je sais que la vie n'est pas une vallée de roses, Sasha, mais grâce à notre métier, nous avons le pouvoir de réussir parfois à faire qu'elle ne soit pas seulement chagrin et tristesse.

Tout en parlant, elle se rendait compte avec plaisir qu'elle était déjà dans l'esprit du travail qui l'attendait et qu'elle avait énormément à offrir.

— Moi aussi, j'ai été élevée par une mère célibataire reprit-elle. Moi aussi, j'ai connu ce sentiment de ne pas être comme les autres, d'avoir été privée de ce que tous les autres ont. Quant à la perte et au deuil, je connais hélas la déchirure que cela représente et la difficulté qu'il y a à se reconstruire ensuite.

Malgré cet aveu bien triste, elle se sentait pleine d'enthousiasme et de détermination.

— Je pense réellement que je peux aider ces jeunes à se sentir mieux et à aborder leur existence avec davantage de confiance en eux-mêmes, conclut-elle.

Sasha lui adressa un grand sourire.

— Moi aussi, Chloé, j'en suis persuadée. Et je suis reconnaissante à Graham d'avoir eu l'idée de te proposer ce poste.

Elle se tut un instant et parut réfléchir.

— Si tu es d'accord, l'idéal serait que tu vives sur la propriété, reprit-elle. Nous avons une chambre d'amis dans la maison où tu peux t'installer si tu le souhaites, mais je me demande si tu ne serais pas mieux tout de même dans le petit cottage qui se trouve derrière la maison. Nous le mettons à la disposition de nos invités qui souhaitent avoir un peu d'indépendance. De cette manière, tu vivrais sur place mais tu n'aurais pas l'impression d'avoir toujours Graham ou moi sur le dos.

— Oh ! Jamais je ne penserais une chose pareille !

Sasha et Graham s'étaient réellement mis en quatre pour elle. Cela lui allait droit au cœur car les autres Robinson n'en avaient pas fait autant. Ils ne pouvaient pas imaginer ce que le fait d'appartenir à une famille représentait pour elle. Elle était à la fois émue et enchantée. Pour rien au monde elle n'aurait voulu leur faire regretter leur générosité.

Sasha la regarda en souriant.

— Tu sais, Chloé, il n'y a qu'une règle que je demande à chacun de suivre ici, c'est de toujours me dire la vérité. Même si tu crains de me faire de la peine, dis-moi toujours ce que tu penses vraiment. De cette façon, je n'aurai pas besoin de me demander si tu es franche ou si tu essaies de me ménager. Cela représente un gain de temps et d'énergie considérable.

— Alors je vais te parler sans détours. Oui, je comprends l'intérêt pour les jeunes que je vive au ranch car cela me rendra disponible à tout moment si l'on a besoin de moi. Et, oui, je préfère disposer d'un espace à moi plutôt que de vivre avec vous dans la grande maison. De cette manière, nous ne nous gênerons pas les uns les autres et nous aurons davantage de plaisir à travailler ensemble.

Sasha éclata de rire.

— Eh bien voilà ! C'était si difficile que ça de me dire ce que tu pensais réellement ?

— Oui. J'ai l'habitude de m'inquiéter des réactions

que mes paroles provoquent chez les gens qui m'écoutent et j'ai toujours peur de leur faire de la peine.

— En ce qui me concerne, je préfère que l'on me fasse de la peine plutôt que de me mentir. L'affaire est donc réglée ! annonça-t-elle en se levant. Tu t'installeras dans le cottage.

— Merci beaucoup. Cet arrangement me convient à merveille.

— Parfait ! Comme il y a un certain temps que cette petite maison n'a pas été utilisée, il est possible qu'il y manque certaines choses ou qu'il faille y faire quelques aménagements. N'hésite pas à nous en faire part. Ni Graham ni moi ne sommes bricoleurs mais nous savons à qui demander de l'aide.

Elle prit les mains de Chloé dans les siennes et ajouta :

— Nous avons très envie que tu te sentes bien au ranch.

— Je suis déjà très heureuse que vous ayez eu l'idée de me contacter et je t'avoue que mon travail ici s'annonce sous les meilleurs auspices. J'ai réellement envie d'aider les jeunes dont tu m'as parlé.

— N'attends pas de miracle ! Ici, on n'est pas dans une série télévisée où tout se déroule comme prévu en une heure et tout le monde s'embrasse à la fin.

— Je m'en doute ! Je suis diplômée en psychologie, pas en scénarios à l'eau de rose !

— Alors nous sommes bien sur la même longueur d'onde ! conclut Sasha en souriant.

À ce moment-là, Graham fit son apparition, Sydney dans les bras, hurlant avec autant de conviction que lorsque Chloé l'avait vue pour la première fois.

— Et alors, mon cœur ? Pourquoi tu pleures comme ça ? demanda Sasha.

— Je suis dépassé par les événements, avoua Graham.

Je l'ai changée, je ne pense pas qu'elle ait faim puisqu'elle a mangé tout à l'heure.

Il jeta un coup d'œil sur Chloé.

— Oncle Roger m'a dit qu'il n'arrivait pas à la calmer tout à l'heure et que c'est Chloé qui y a réussi, précisa-t-il.

— C'est vrai, Chloé ? demanda Sasha.

— Je n'ai rien fait d'autre que la prendre dans mes bras, répondit Chloé. Elle a juste adoré mon pendentif qui brillait au soleil.

Sans attendre davantage, Graham lui mit sa fille dans les bras.

Chloé la prit contre elle et commença à la bercer. Quelques secondes plus tard, Sydney se calma et la gratifia même d'un sourire.

Sasha observait la scène, aussi surprise qu'enchantée.

— Je me demande si nous ne ferions pas mieux de t'engager comme nounou que comme psychologue !

— Qui sait, Chloé se sent peut-être capable de porter les deux casquettes ? fit remarquer Graham en riant.

Bien sûr, il était hors de question de donner suite à cette proposition fantaisiste, mais une onde de chaleur envahit le cœur de Chloé. Elle se sentait acceptée. Elle faisait partie d'une famille.

Il lui fallut cligner des paupières plusieurs fois pour chasser les larmes qui lui brûlaient les yeux.

6

Le cottage mis à la disposition de Chloé était davantage un studio de bonne taille qu'une maison au sens habituel du terme mais, situé à une centaine de mètres de la maison principale, il lui permettrait de se sentir vraiment chez elle, et c'est tout ce qui lui importait. Autant elle était heureuse de vivre sur place, autant elle savait qu'elle apprécierait de pouvoir satisfaire son besoin de solitude lorsqu'il se ferait sentir.

Occupée à arranger à sa guise les quelques meubles de sa nouvelle résidence, elle sursauta en entendant une voix qu'elle aurait reconnue entre toutes.

— Je vois que nous nous installons le même jour !

Chance s'était approché sans qu'elle l'entende arriver et jetait un coup d'œil par la porte du cottage qu'elle avait laissée ouverte.

En voyant sa réaction, il s'excusa aussitôt.

— Pardon, je ne voulais pas vous faire peur ! La prochaine fois, je ferai du bruit pour vous annoncer mon arrivée.

Elle fit un geste de la main pour lui faire comprendre qu'il n'avait pas à s'excuser, quelque peu gênée de sa réaction qui pouvait laisser croire qu'elle s'effrayait pour un rien.

Elle jeta un regard autour d'elle. Maintenant que

Chance se trouvait à l'intérieur, la pièce lui paraissait beaucoup plus petite que tout à l'heure.

— J'étais tellement plongée dans mes rangements que je ne faisais attention à rien, expliqua-t-elle. Je vais avoir du mal à caser tout ça. Comme je ne savais pas exactement de quoi j'aurais besoin, j'ai amené beaucoup d'affaires. Beaucoup trop…

Chance avait remarqué une berline garée devant le cottage. Sur le siège arrière s'empilait une montagne de cartons et de valises.

— Vous avez un chez-vous en plus de ce cottage ? demanda-t-il.

Il oubliait régulièrement que dans l'énorme majorité des cas les gens disposaient effectivement d'un lieu où ils vivaient au quotidien. Pour lui, c'était différent. Il avait tellement bourlingué depuis qu'il avait quitté l'armée qu'entre deux emplois il dormait dans son pick-up. Cette solution lui simplifiait la vie et le satisfaisait parfaitement.

Chloé hocha la tête.

— Oui. J'ai un petit appartement en ville.

Chance, d'ordinaire avare de questions, aurait pu en rester là et la laisser s'installer, toutefois, sa curiosité envers la jeune femme était plus forte que sa réserve habituelle…

— Mais alors pourquoi venez-vous vous installer ici ?

— Sasha pense que ce sera plus facile si je vis sur le ranch, tout au moins au début. En cas d'urgence, je serai présente.

En fait, elle aurait très bien pu expliquer à Sasha que son appartement ne se trouvait pas loin du ranch et qu'il ne lui faudrait que peu de temps pour venir, mais la vraie raison était autre et, bizarrement, elle osa la formuler à haute voix devant Chance.

— C'est surtout que ce poste ici marque mes vrais

débuts dans la profession. Je veux mettre toutes les chances de mon côté pour que tout se passe bien.

Une lueur de sympathie brilla dans les yeux de Chance.

— Ne croyez pas que tout va bien se passer, assura-t-il sans ciller.

Elle lui jeta un regard surpris. Ce n'était pas du tout le genre d'encouragement auquel elle s'attendait ! Cela ressemblait davantage à une sinistre prédiction qu'au souhait de bonne chance qu'elle avait espéré !

Elle le fixa droit dans les yeux.

— Qu'est-ce que vous voulez dire par là ?

— Je veux dire que… Que forcément il y aura des ratés. Pas une grosse catastrophe, mais des choses qui tournent mal au moment où on s'y attend le moins. Une fois que l'on a accepté que cela fait partie de la vie, on se sent beaucoup mieux et on peut se mettre à travailler.

— Ah. Vous me rassurez un peu, murmura-t-elle, encore inquiète malgré tout.

— L'essentiel est de faire de votre mieux. Personne ne s'attend à la perfection.

— Cela vous est déjà arrivé de voir certaines de vos entreprises mal tourner ?

La mise en garde de Chance avait aiguisé sa curiosité. Elle avait imaginé qu'il réussissait tout ce qu'il entreprenait grâce à l'expérience qu'il avait acquise dans sa profession. Sasha lui avait dit qu'il avait travaillé dans des ranchs avant et après son passage à l'armée.

À sa grande surprise, il éclata de rire.

— Voyons… Vous voulez un classement par ordre alphabétique, chronologique ou en fonction de l'importance des dégâts ? Et dans le cas où vous choisiriez cette dernière option, préférez-vous que je commence par le plus grave ou l'inverse ?

Elle haussa les épaules, consciente que sa question était déplacée.

— D'accord, j'ai compris !

Plus elle regardait Chance, plus elle trouvait qu'il avait l'air bien détendu pour quelqu'un qui, comme elle, était en train de déménager. Il avait certainement déjà vidé ses valises puisque, comme chacun sait, les hommes s'encombrent moins que les femmes.

— Votre installation est terminée ? demanda-t-elle.

Il haussa les épaules.

— Vous savez, j'ai eu vite fait de ranger mes deux jeans, mes trois chemises, ma paire de bottes de secours et mes affaires de toilette. On ne peut pas vraiment parler d'*installation*, dans mon cas.

Peut-être n'allait-elle pas le prendre au sérieux, mais il lui avait réellement fait la liste de tous ses bagages.

Tout en parlant, il regardait autour de lui. Le cottage était meublé d'un poêle, d'un réfrigérateur et d'un coin évier équipé d'une table et de deux chaises. De l'autre côté se trouvait un canapé qui devait se déplier pour offrir un couchage supplémentaire et en face duquel étaient installées une télévision à écran plat et une commode. Qu'aurait-il fait de tout cela ?

— Vous avez besoin d'un coup de main ? s'enquit-il.

— Si cela ne vous ennuie pas, ce serait sympa de me porter les deux valises et les cartons qui se trouvent dans ma voiture. Ah ! et aussi les sacs des provisions que j'ai faites sur le chemin du retour !

Elle s'interrompit un instant pour contempler le réfrigérateur.

— Le problème, c'est qu'étant donné la taille du réfrigérateur, je me demande où je vais bien pouvoir stocker tout ça !

— Dans la penderie, suggéra-t-il, pince-sans-rire. Il faudra juste vous débarrasser de vos vêtements d'abord.

Elle comprit qu'il se moquait d'elle et rougit un peu. Évidemment, il n'avait pas tous ces problèmes, lui !

— C'est sûr qu'avec votre chapeau, vos bottes et votre lasso pour tout bagage, votre installation a été plus vite faite, répliqua-t-elle.

— Chloé Elliott ! Avouez que vous êtes venue jeter un coup d'œil dans mon placard ! lança-t-il sur un ton taquin.

— Non, je suis trop bien élevée pour cela, mais en revanche je suis assez bonne en devinettes, comme vous pouvez le constater.

— Eh bien, si vos études de psychologie vous permettent de voir à travers les murs, c'est de l'argent bien dépensé.

Il se mit à rire.

— Vous savez, je suis plutôt méfiant envers les psychologues et autres psys qui pensent que tous les problèmes peuvent être résolus en fouillant dans le passé des gens jusqu'à tomber sur le nœud qui bloquait tout.

— C'est vrai ?

— Complètement. Pour moi, parler pendant des heures et des heures, c'est une perte de temps ridicule. Je ne crois qu'à l'action.

— Je vois que nous ne travaillons pas du tout de la même manière, mais quelle importance, après tout ? Vos chevaux ont sans doute moins de choses à raconter que mes adolescents !

— Sans doute. Mais pour que tout soit bien clair entre nous, je préfère vous dire que je n'apprécierais pas du tout que quelqu'un fouille dans mon passé pour savoir si j'ai grandi en croyant qu'il y avait des monstres cachés sous mon lit.

— Je ne peux pas vous le reprocher. Je suis tout à fait de votre avis.

Il la regarda, assez surpris, mais elle paraissait sincère. Parfait ! Pour lui le sujet était clos.

— Si j'allais chercher les valises dont vous me parliez ? proposa-t-il.

— Seulement si cela ne vous dérange pas.

— Pas du tout. Je suis content de pouvoir vous donner ce petit coup de main.

— Alors je veux bien vous accorder ce plaisir !

En moins de temps qu'il n'en faut pour le dire, il était déjà de retour avec valises et paquets. Et il n'avait rien laissé tomber.

— On peut dire que vous bougez rapidement ! lui fit-elle remarquer, surprise.

— C'est quelque chose que l'on a vite fait d'apprendre quand des gens vous tirent dessus, même si vous êtes aussi silencieux qu'une panthère.

Il fit le tour de la pièce des yeux.

— Où est-ce que je pose tout ça ?

— Je ne sais pas. N'importe où. Il faut que je vide mes valises et que je range mes vêtements.

Il déposa son chargement par terre, à côté du canapé.

— Encore une corvée qui m'est épargnée, dit-il en souriant. Et tant mieux, car il n'y a pas de penderie dans ma chambre.

— Vous plaisantez ?

— Pas du tout. Qu'est-ce que j'en ferais ?

— Vous n'avez vraiment pas de placard ?

— Sauf si vous pensez qu'une cantine peut être considérée comme un placard.

— Oui, quand on est en colonie de vacances.

— Eh bien disons que je suis perpétuellement en colonie de vacances !

Chloé avait ouvert une de ses valises, et Chance se surprit à regarder ce qu'elle contenait. À la place des chemises et des jeans qu'il s'attendait à découvrir, ce furent des robes aux couleurs pastel, imprimées de fleurs romantiques qui s'offrirent à ses yeux. Tout à fait le genre de vêtements que l'on porte pour s'installer sur la balancelle d'une terrasse en sirotant une tasse de thé ! Pas du tout la tenue à toute épreuve qui lui paraissait de mise quand on devait travailler avec plusieurs adolescents dans un ranch.

Pourtant, il avait bien compris le projet que Graham lui avait exposé et qui était à l'origine de Peter's Place : faire travailler des adolescents désorientés et vindicatifs pour leur permettre d'apprendre la discipline et le respect de la loi.

À ses yeux, cette garde-robe pleine de coquetterie ne cadrait pas du tout avec un accompagnement quotidien au milieu de la poussière et des animaux.

En apercevant le regard surpris que Chance posait sur ses robes, Chloé se dit… qu'elle avait préparé ses bagages en dépit du bon sens. Les vêtements qu'elle avait choisis reflétaient sa personnalité, certes, mais paraissaient fort peu adaptés à la tâche qui l'attendait ici. Peu importait ! Chance ne lui demandant pas d'explications, elle ne lui en donna pas. En revanche, elle aurait bien aimé savoir quelque chose…

— Comment avez-vous supporté tout cela ? demanda-t-elle.

— Comment j'ai supporté quoi ?

— Vous m'avez dit tout à l'heure que vous aviez appris à vous déplacer rapidement parce qu'à chaque instant quelqu'un pouvait vous prendre pour cible et vous tuer. Ce genre d'angoisse ne doit pas être facile à gérer ?

— La plupart du temps, je n'y pensais pas. Il m'a semblé que c'était la meilleure tactique de survie. J'ai découvert que si l'on pense au danger que l'on court, on se retrouve paralysé. Le mieux est de se dire que si l'on vous tire dessus, la balle ne vous atteindra pas parce qu'elle ne vous est pas destinée.

— C'est assez intellectuel comme méthode, non ?

— Il y en a une autre aussi, plus pragmatique, qui consiste à tirer en retour et à viser au mieux afin d'éliminer celui qui veut votre peau. C'est dur, mais que faire d'autre ? Chacun a envie de rentrer chez lui indemne.

Pendant qu'il parlait, elle accrochait ses robes sur les cintres mis à sa disposition.

À la dureté des souvenirs qu'il évoquait, Chance voyait se superposer des visions enchanteresses du corps de Chloé dans ces tenues légères soulevées par la brise qui les plaquait contre son corps menu et bien fait…

C'était suffisant pour lui rappeler qu'il était un homme jeune, plein de force et de vitalité, mais il ne céda pas au charme de cette évocation. Il n'était pas venu à Peter's Place pour rêver, ni pour poser des questions personnelles à la psychologue de service !

Et pourtant… C'est exactement ce qu'il était en train de faire ! Il alla même jusqu'à proposer l'impensable.

— Si un jour vous avez envie de parler, souvenez-vous que je suis prêt à vous écouter.

Elle se tourna vers lui, surprise de cette proposition.

— De quoi voulez-vous que je vous parle ?

Faisait-il allusion à des conversations générales ou bien avait-il deviné le deuil qui lui avait brisé le cœur ?

— De votre solitude, Chloé. Vous avez perdu quelqu'un de proche qui était dans l'armée. C'est une épreuve qui doit être terrible à vivre et bien difficile à surmonter.

Il n'était pas doué pour la conversation mais les mots lui étaient venus du fond du cœur, et il en fut le premier surpris.

— Je vous remercie de votre proposition, répondit simplement Chloé. Pour l'instant, il est encore trop tôt.

Il se le tint pour dit. Plus tard, peut-être ?

Comme si elle avait deviné ses pensées, elle ajouta :

— Si un jour je me sens prête, je vous promets de me souvenir de votre offre.

Il hocha la tête. Il avait compris qu'il était inutile d'insister. Tout au moins pour cette fois.

— Sachez que je serai là, dit-il. Tout au moins pendant un certain temps.

Chloé se retourna vivement et lui jeta un regard surpris.

— On dirait que vous envisagez déjà votre départ, fit-elle remarquer. Une date de fin d'engagement est prévue dans votre contrat ?

— Non. C'est moi qui décide.

— Quel genre de raison vous fait partir ailleurs ?

— Aucune en particulier. C'est une question de feeling qui n'a rien à voir avec le travail lui-même ni avec l'ambiance qui y règne. Tant que je me sens bien quelque part, j'y reste. Quand je commence à éprouver de la lassitude, je comprends qu'il est temps de boucler mon sac pour aller voir ailleurs.

— Comme c'est étrange… Vous menez une existence de nomade, alors.

— On peut dire les choses comme ça.

Si son travail marchait bien, s'il n'avait pas de difficulté avec les personnes qui travaillaient avec lui, pourquoi partait-il ? se demanda Chloé. À ses yeux, cela paraissait insensé. Elle ne comprenait pas. Il ne pensait qu'à rouler sa bosse alors qu'elle, elle ne rêvait que de s'enraciner.

Chance n'aimait pas le tour qu'avait pris la conversation. Jusqu'à présent, personne ne lui avait posé de questions sur son mode de vie. Chloé venait de l'épingler pour le forcer à se mettre en question. Elle ne manquait pas de cran. Ni d'intuition. Voilà qui la lui faisait découvrir sous un jour nouveau, bien éloigné de la construction romantique qu'il avait élaborée tout à l'heure en fantasmant sur sa garde-robe.

— Vous pouvez m'expliquer ce qui vous indique qu'il est temps pour vous de passer à autre chose ?

reprit-elle, tout en accrochant une robe en chintz fleuri sur un cintre.

Quelle idée saugrenue d'avoir apporté pareil vêtement dans un ranch ! Pourquoi pas une crinoline ?

— Non. Je ne sais pas le mettre en mots, répondit Chance. C'est juste quelque chose que je ressens, voilà tout.

Sans en avoir conscience, il fuyait quelque chose, et sans doute ne savait-il même pas ce que c'était…

— C'est peut-être la peur qui vous fait partir, dit-elle.

À voir la grimace qu'il fit, elle comprit que sa suggestion ne lui plaisait pas. Peu importait ! Elle avait parlé avec honnêteté et n'avait pas l'intention de s'excuser. Au contraire, elle essaya d'expliquer ce qu'elle avait voulu dire :

— Ne vous fâchez pas ! Je ne veux pas dire que vous manquez de courage, loin de là. D'ailleurs, vous avez fait vos preuves. Simplement, je me demande si, dans le fond, ce n'est pas la perspective de mener une vie confortable, sans imprévu, qui vous fait peur.

— Et alors ? Qu'est-ce que vous en déduisez ?

— Eh bien… Quand vous commencez à vous sentir à l'aise quelque part, quand vous avez pris vos marques, que votre travail se déroule sans problème, je pense que vous redoutez de perdre votre combativité et de vous encroûter. Quand il n'y a plus de défi à surmonter, vous vous ennuyez, la vie vous paraît perdre de son attrait. Alors vous cherchez un autre sommet à escalader, ou un autre dragon à décapiter.

Un silence les laissa face à face un instant, les yeux dans les yeux.

— Vous pensez que je me trompe ? reprit Chloé.

— Vous vous moquez de moi avec cette histoire de montagne et de dragon…

Visiblement, cette remarque le contrariait.

— Non, pas du tout, assura-t-elle, tout en continuant de vider sa valise.

Chance l'observa avec attention. Quel pouvoir avait donc cette petite bonne femme blonde pour le plonger ainsi dans l'embarras ? Il n'avait pas envie de réfléchir ! Il faisait ce qu'il voulait de sa vie, sans se poser de questions inutiles. De quoi se mêlait-elle ? Voilà que maintenant il se sentait obligé de s'interroger sur ce nomadisme qui lui convenait si bien ! C'était un comble ! Il était un homme d'action, il aimait bouger, point final. À quoi bon se torturer les méninges à trouver un sens caché à ce qu'il faisait spontanément ?

Et pourtant, il n'avait pas envie de quitter Chloé. En tout cas, pas tout de suite. On aurait dit qu'une sorte de fil invisible noué au cours de cette conversation au départ si anodine les reliait l'un à l'autre. Ce qui ne lui donnait pas pour autant envie de lui laisser marquer des points !

— C'est ce genre de balivernes que vous allez raconter aux jeunes de Peter's Place ? lança-t-il.

— Non, rassurez-vous.

— Tant mieux ! Parce que je suis sûr que vos histoires de dragon ne les intéresseront pas. Ils n'en sont plus aux contes de fées, Chloé. Ils ont eu maille à partir avec la loi, vous n'aurez pas affaire à des enfants de chœur.

— Je sais, ne vous inquiétez pas. Ces histoires de dragon comme vous dites, c'est à moi qu'elles sont utiles. Elles vont m'aider à les comprendre et à les aider à se relier à la société.

Chance se mit à rire.

— Eh bien, bonne chance avec tout ça ! Moi, je pense que beaucoup de travail et quelques responsabilités sont le meilleur remède à leurs problèmes.

— Beaucoup de travail et quelques responsabilités… Est-ce que cela vous a aidé, à vous ?

Chance fronça les sourcils, puis d'un geste de la main écarta la question.

— N'essayez pas de vous glisser dans ma tête, Chloé. Vous n'y trouveriez rien qui vous intéresse. Je ne demande rien et je me trouve très bien comme je suis.

— Parfait ! Si vous êtes heureux de cette manière, tout va bien.

Heureux ? Depuis combien de temps n'avait-il pas été heureux ? Cela remontait à trop loin pour qu'il puisse s'en souvenir…

— Le bonheur n'a rien à voir là-dedans, répondit-il brusquement. Je fais ce que je veux, comme je veux, quand je veux. C'est tout ce qui compte à mes yeux.

Il se sentait à deux doigts de se mettre en colère mais il ne voulait pas céder à l'envie de se rebeller contre les insinuations de Chloé. Une fois que les choses étaient dites, elles pouvaient causer beaucoup de dégâts et il n'y avait pas moyen de revenir en arrière. Il ne voulait pas en arriver là. En tout cas, pas avec Chloé.

Après avoir jeté un dernier coup d'œil sur la pièce où Chloé allait vivre et le désordre bien féminin qu'elle y avait semé en vidant le contenu de ses valises, il se dirigea vers la porte.

— Bon, je vais chercher Graham, dit-il. Il m'a dit qu'il voulait me faire faire le tour de la propriété dès que je me serais installé.

— Allez-y vite ! Je ne veux pas vous mettre en retard.

Il sortit avec le sentiment assez frustrant qu'ils étaient loin de s'être dit tout ce qu'ils souhaitaient. Oui, beaucoup de choses étaient restées en suspens. Sans doute était-ce mieux ainsi.

Plus il y pensait, moins il avait envie d'analyser chacun de ses faits et gestes. Non, vraiment, cela ne faisait pas partie de ses projets. Même si la personne qui avait envie de se charger de ce travail était belle à couper le souffle…

Mieux valait laisser certaines choses dans l'ombre.

- 7 -

Chloé avait le trac. Un sacré trac ! Son estomac lui paraissait être réduit à la taille d'un pois chiche tant il était contracté. Quant à la boule qui lui serrait la gorge, elle se demandait si elle lui permettrait de parler. En un mot, elle se sentait à deux doigts de la crise de panique…

L'explication de ce malaise était simple : elle s'apprêtait à faire la connaissance des adolescents hébergés à Peter's Place en sachant parfaitement que si elle laissait paraître le moindre signe de nervosité ou de doute, elle perdrait d'emblée toute crédibilité auprès d'eux. L'essentiel pour cette première rencontre était de paraître calme et maîtresse de la situation.

Cette entrevue donnerait le ton des entretiens qu'elle aurait par la suite avec eux. Si jamais ils ne la voyaient pas comme une professionnelle sûre d'elle, ils ne la respecteraient pas et elle serait dans l'incapacité de les aider.

Ce qui serait une catastrophe, tant professionnellement qu'humainement.

Donc, pas de stress.

Plus vite dit que fait, évidemment.

Sa mission était de guérir ces jeunes de leurs blessures, de leur permettre de retrouver confiance en eux. Elle avait toujours eu envie d'aider les autres, et maintenant plus que jamais. Peut-être parce qu'elle espérait qu'en redonnant un sens à la vie de ceux qui lui étaient confiés, elle réussirait à en redonner un à la sienne ?

Au départ, elle avait cru qu'elle les rencontrerait tous les quatre à la fois, en présence de Sasha, et qu'elle apprendrait ensuite un peu de chacun au cours des séances suivantes.

Mais Sasha avait renoncé à cette formule, craignant que la présence de quatre garçons rebelles ne déstabilise la psychologue débutante qu'elle était. Elle avait donc décidé, pour ce premier contact, d'étaler les rencontres et de ne la mettre en contact avec eux que l'un après l'autre.

Bien sûr, Chloé avait accepté. Un entretien en tête à tête serait plus facile à mener, et, en tant que novice, elle avait tout intérêt à suivre les conseils de Sasha qui avait de l'expérience.

D'un pas assuré, elle se dirigea vers la pièce qui avait été aménagée pour les entretiens à côté de la maison principale et qui allait devenir son bureau.

Quand elle la découvrit, elle fut tout heureuse de constater qu'elle était chaleureuse et inondée de lumière grâce aux grandes baies qui donnaient sur le corral où se promenaient les chevaux.

Le soleil avait décidé de coopérer, mais elle ne put en dire autant de son premier patient !

Dès qu'il mit le pied dans la pièce, Brandon Baker lui jeta un regard suspicieux. C'était un garçon de quinze ans, aux traits fins, aux cheveux noirs et aux yeux bruns, mais à la maigreur impressionnante. Toute son attitude respirait la méfiance.

Il fit rapidement le tour de la pièce des yeux et lança :

— Où est la psy ?

Chloé ne s'inquiéta pas de savoir s'il voulait parler de Sasha ou de quelqu'un d'autre.

— C'est moi, la nouvelle psychologue. Nous serons en tête à tête pour cet entretien.

Sans un mot, Brandon pivota sur lui-même et se dirigea vers la porte qu'il venait à peine de franchir.

Chloé comprit qu'elle devait réagir immédiatement.

— Mme Fortune Robinson a estimé que nous ferions plus facilement connaissance si elle ne se trouvait pas avec nous.

Brandon, la main sur la poignée de la porte, ne prit même pas la peine de se retourner pour répondre :

— Elle s'est trompée.

— Reviens ici et assieds-toi, Brandon.

Elle n'avait pas élevé la voix mais le ton sur lequel elle avait parlé ne laissait pas de doute. Il s'agissait d'un ordre, non d'une invitation. Elle en fut la première surprise.

Brandon ne se retourna pas pour autant mais ne quitta pas la pièce. Un peu comme s'il attendait un mot de plus pour être convaincu.

— Tout de suite, s'il te plaît, ajouta-t-elle.

Brandon soupira, fit demi-tour et se rapprocha de la chaise placée devant le bureau.

— Assieds-toi, s'il te plaît.

Après un moment pendant lequel elle eut le sentiment qu'il se demandait jusqu'à quel point il pouvait pousser le bouchon, Brandon Baker finit par s'affaler sur la chaise.

— OK, je suis assis.

Le regard qu'il posait sur elle était aussi dénué d'expression que sa voix.

— Et maintenant ? demanda-t-il.

— Maintenant, nous allons parler.

— *Parler ?*

Le sourire frondeur qui apparut sur son visage jusque-là renfrogné n'échappa pas à Chloé.

— Je refuse de parler avec les gens que je ne connais pas, décréta-t-il.

— Justement. Nous allons parler pour apprendre à nous connaître.

— Et après ? rétorqua-t-il sur un ton cette fois franchement insolent. Pour devenir copains ?

— Pourquoi pas ?

— Des copains, j'en ai assez. Je n'ai pas besoin de m'en faire d'autres.

— C'est possible. Tu fais peut-être partie de ces gens qui ont la chance d'avoir tous les amis dont ils ont besoin. Mais parfois, on se trompe.

Le visage de Brandon se ferma mais Chloé poursuivit :

— Je crois que tu as beaucoup de colère en toi et que tu serais soulagé de trouver un moyen de t'en débarrasser.

Brandon s'agita sur sa chaise, comme pour montrer qu'il en avait assez entendu comme ça.

— Écoutez, madame…

— Tu peux m'appeler « Chloé ».

Tout en sachant qu'elle aurait peut-être dû se faire appeler « madame », elle eut le sentiment que le fait d'user de son prénom paraîtrait moins officiel et que cela les rapprocherait. Le but de l'entretien était de trouver une brèche qui lui permettrait de construire un pont entre elle et Brandon.

Ce dernier haussa les épaules.

— Si vous voulez, moi, je m'en fiche…

Il se tut un instant, et elle respecta son silence, espérant qu'il en profiterait pour réfléchir.

— Je ne sais pas ce que vous imaginez en essayant de me faire parler, mais je ne suis pas un cobaye pour vos expériences, marmonna-t-il. Pour ça, allez voir ailleurs !

La tactique de Brandon était claire, classique : il cherchait à la mettre en colère pour pouvoir se lever et partir en claquant la porte. Évidemment, elle n'allait pas tomber dans le panneau.

— Je n'imagine rien, Brandon. Si je veux te connaître,

c'est pour t'aider à trouver le moyen de te débarrasser de ta colère. Quoi que tu penses de moi en ce moment, sache que je ne suis pas ton ennemie.

— OK. D'accord. Vous n'êtes pas mon ennemie, répéta-t-il comme un perroquet. Maintenant, est-ce que je peux partir ?

Elle jeta un coup d'œil sur sa montre.

— Non, Brandon. La séance doit durer encore quarante-cinq minutes.

Il s'affala un peu plus sur sa chaise et croisa les bras sur sa poitrine d'un air arrogant avant de la dévisager effrontément.

— Si je comprends bien, vous faites partie de leur bande de psys ?

— Je suis psychologue, pas psychiatre.

— Je ne vois pas la différence.

Sur ce, il arbora un air ennuyé et bâilla longuement sans mettre la main devant sa bouche.

Elle s'efforça de garder tout son calme et sa présence d'esprit, mais elle se demandait si elle était assez expérimentée pour mener à bien la bataille qui venait de s'annoncer.

— Il y en a une pourtant, entre ces deux métiers, et elle est importante, dit-elle. Toutefois je ne vais pas t'ennuyer en t'expliquant ce qui fait la spécificité de chacun. Mieux vaut passer à ce qui nous intéresse.

— Comme si ça m'intéressait d'être ici !

— Écoute, je te propose de te poser quelques questions. Tes réponses m'aideront à mieux te connaître. Ça te va ?

En guise de réponse, Brandon fronça les sourcils et s'avachit encore davantage sur sa chaise de manière à bien lui faire comprendre qu'il se fichait complètement de ce qu'elle allait faire.

Face à cette détermination, Chloé se sentit démunie au

point de se soucier en priorité de ne pas lui laisser voir que la main qui tenait sa fiche commençait à trembler. S'il se rendait compte qu'elle était mal à l'aise en sa présence, c'en était fait de leur relation.

— Si les renseignements que j'ai sur ta fiche sont exacts, je lis que tu avais un frère aîné, Blake, qui a été tué…

Brandon bondit de sa chaise. Debout, le corps tendu comme un arc, le regard flambant de colère, il se mit à crier :

— Pas touche à mon frère, d'accord ? C'est moi que ça regarde, pas les psys ! Je ne dirai pas un mot sur lui, compris ?

Cette réaction brutale ne fit que confirmer ce que Chloé pensait depuis le début, à savoir que la mort de Blake était à la source de la rage qui gâchait la vie de Brandon.

— Ton frère a fait quelque chose de noble, dit-elle d'une voix calme. Tu ne crois pas que cela mérite d'être reconnu ?

— Non ! Ce qu'il a fait était complètement dingue ! S'il ne s'était pas engagé dans l'armée, il n'aurait pas été tué ! Il serait encore vivant ! On serait encore tous les deux…

Sa voix se brisa sur les derniers mots.

— Brandon, je comprends que tout cela est très douloureux pour toi et je…

— Arrête tes salades, madame la psy ! Tu ne me connais pas, tu ne connais pas mon frère. Fiche-moi la paix !

Chloé se dit qu'il ne fallait pas faire marche arrière. Si elle renonçait maintenant, elle pouvait tout aussi bien abandonner et la séance et son métier.

— Écoute, Brandon, c'est vrai que je ne te connais pas mais je sais ce que tu ressens.

— N'importe quoi ! Personne peut savoir ça !

Au bord des larmes, il courut vers la porte qu'il ouvrit sans se retourner.

Il aurait continué à courir et serait sans doute sorti s'il ne s'était pas heurté à Chance qui passait par là.

— Et alors, mon vieux ! s'exclama ce dernier. Qu'est-ce qui te fait courir comme ça ?

Il aperçut Chloé qui sortait de la salle d'entretien, le visage soucieux.

— Tout va bien, Chloé ?

— Oui, pas de problème, répondit-elle.

La tête baissée, Brandon lui jeta un regard surpris.

— J'ai décidé de terminer la séance un peu plus tôt que prévu, précisa-t-elle. Comme c'est la première fois que nous nous rencontrons, j'ai pensé que Brandon avait besoin d'un peu de temps pour penser à ce que nous venions de dire avant de continuer.

Chance regarda l'adolescent qui fixait ses chaussures. Les explications données par Chloé ne l'avaient pas convaincu.

— C'est vrai, ça ? demanda-t-il à Brandon.

Brandon jeta un regard vers Chloé, et Chance devina parfaitement ses pensées : le gosse se demandait comment jouer son prochain coup. Allait-il confirmer ce qu'avait dit Chloé ou faire la forte tête ?

Finalement, après un dernier regard sur Chloé, il hocha la tête.

— Oui. Chloé me donne du temps pour réfléchir.

Chance continuait à douter, mais Chloé renchérit :

— C'est tout à fait exact. Cette première séance était seulement une séance d'introduction. La prochaine sera plus longue, n'est-ce pas, Brandon ?

Plutôt que d'approuver, Brandon haussa les épaules d'un air aussi désinvolte qui si cela ne le concernait pas.

— Comme ça vous ira, marmonna-t-il.

Chance les regarda tour à tour. Rien ne s'était passé comme Chloé l'avait dit, il en était sûr, mais ce n'était pas son problème.

— Bon, eh bien, puisque tu es libre, tu vas te rendre utile tout de suite, mon gars, dit-il. Il y a une écurie à nettoyer, va t'en occuper.

Brandon fit une grimace de dégoût que Chance fit mine de ne pas remarquer.

— Tu connais les règles de la maison, précisa-t-il. D'abord le boulot, ensuite la détente. Quand tu en auras fini avec l'écurie, tu pourras monter à cheval. Mais si tu préfères reprendre tout de suite la conversation avec ta psy, il n'y a pas de problème.

Brandon n'hésita pas une seconde.

— Je préfère aller nettoyer les box.

Et, sans demander son reste, il sortit et se dirigea vers l'écurie.

Chance se tourna vers Chloé et l'observa avec attention. Apparemment, sa première séance avec Brandon avait été rock'n'roll.

— Ça ne s'est pas passé aussi bien que vous le souhaitiez, n'est-ce pas ? demanda-t-il.

— Non. Je crois que j'ai mérité d'aller nettoyer quelques box, moi aussi...

Chance se mit à rire.

— Ne le prenez pas pour vous, Chloé. Ce gamin est en colère contre tout le monde ! D'après ce que j'ai compris, le grand frère de Brandon était son dieu. Il le croyait plus fort que tout, carrément invincible. Quand il a découvert qu'il n'était pas à l'abri des balles, il a carrément disjoncté. Depuis, il est perdu dans un monde qu'il refuse parce que son frère n'en fait plus partie. C'est un ajustement difficile à effectuer. Surtout à son âge.

— C'est un ajustement difficile à tout âge. Voilà ce

que j'essayais de lui dire. Je voulais qu'il sache que je comprends sa peine.

— Il n'est sans doute pas encore prêt à l'entendre. Pour l'instant, tout ce qu'il sait faire, c'est s'envelopper dans sa révolte et sa souffrance. Elles sont devenues la cuirasse qui lui permet de continuer à vivre. Sans cette protection, il plongerait dans la dépression et n'aurait peut-être pas la force de s'en sortir. C'est sa colère qui le maintient debout. Si vous lui enlevez cette béquille trop vite, avant qu'il se sente capable lui-même d'y renoncer, on ne sait pas ce qui peut se passer.

Chloé entendit l'avertissement. Chance était en train de lui expliquer que la compassion qu'elle avait commencé à manifester envers Brandon était un chemin dangereux qui risquait de l'amener à faire des bêtises. Bien vu.

Avec un petit rire triste, elle hocha la tête. Chance aurait mieux géré la situation qu'elle ne l'avait fait. Autrement dit, le dresseur de chevaux était plus compétent qu'elle en matière de psychologie. C'était un comble !

— Vous me paraissez bien avisé pour un cow-boy…

Chance afficha un air faussement vexé.

— Hé ! J'ai presque envie de me fâcher, pour cette remarque ! Vous croyez que nous, les cow-boys, nous sommes des êtres incapables de réfléchir ?

— Oh ! Surtout pas ! Non, je… Je suis désolée, Chance. Bien sûr, ce n'est pas ce que je voulais dire. Je crois que je ne fais que des bêtises aujourd'hui et je…

Il arrêta d'un geste l'avalanche d'excuses qu'elle allait lui présenter.

— Stop, Chloé ! Je plaisantais. J'avais juste un peu envie de me moquer de vous.

— Vous êtes capable de ça, vous un cow-boy ? Vous savez plaisanter ?

— Oui, cela m'arrive de temps en temps.

Tout à coup, elle trouva que Chance était beaucoup

trop proche d'elle. Il était si près qu'il devait même entendre les battements de son cœur. Si près… qu'il n'aurait eu qu'à se pencher pour l'embrasser.

Pourtant, même si cette idée lui faisait battre le cœur encore plus vite, elle savait que ce serait commettre une erreur énorme que d'en arriver là. Surtout en ce qui la concernait. Car ce serait alors laisser la porte ouverte à une situation qu'elle n'avait aucune envie de recommencer à vivre.

Une situation où l'amour aurait à nouveau sa place.

Et la perspective d'éprouver à nouveau ce genre de sentiment pour quelqu'un l'épouvantait au-delà de ce qu'elle aurait pu dire.

Allons ! Si elle avait besoin de mots en ce moment, c'était uniquement de ceux qui lui seraient utiles pour entrer en relation avec les quatre adolescents qu'on lui avait confiés. Cette tâche ne lui laissait pas de temps pour autre chose. Ni pour les rêveries sentimentales ni pour le vertige amoureux. Même le cow-boy le plus séduisant qu'elle ait jamais rencontré ne devait pas la laisser tomber dans ce piège.

Cette remise sur les rails effectuée, elle recula d'un pas, afin de mettre un peu de distance entre Chance et elle.

— Je vous laisse, dit-elle très vite. Je vais me préparer pour mon second entretien.

— Qui allez-vous recevoir maintenant ?

La conversation roulait à nouveau sur son travail. Parfait ! Sur ce registre, elle était à l'aise. Et à l'abri de tout dérapage…

— Will Sherman. J'espère que je me débrouillerai mieux qu'avec Brandon.

— C'est différent avec celui-ci. Chez lui, le problème, c'est qu'il est complètement replié sur lui-même et n'ose pas parler. Il a été victime de maltraitance de la part de sa mère. Le résultat, c'est qu'il a perdu toute confiance dans les adultes. Il les voit toujours comme autant de menaces.

— Oui, c'est ce que Sasha m'a expliqué hier.

— La bonne nouvelle pourtant, c'est qu'il n'a pas envie de rester comme ça. Il souhaite nouer une relation qui le réconforte et le sécurise. Je pense que vous réussirez à la créer si vous allez lentement. Écoutez-le le plus possible, il finira par vous ouvrir son cœur.

— Apparemment, il a déjà commencé à le faire. Avec vous.

Cette remarque obligea Chance à s'expliquer. Il ne voulait surtout pas que Chloé s'imagine qu'il allait empiéter sur son territoire.

— Non, ne croyez pas ça. Simplement, je suis assez bon pour interpréter les attitudes.

Comme elle n'avait pas l'air de comprendre, il précisa :

— Mon métier est de dresser les chevaux. Comme vous le savez, contrairement à vos adolescents, ils ne parlent pas, mais si on les observe attentivement, avec un peu de pratique, on finit par savoir ce qu'ils veulent, de quoi ils ont besoin, ce qui leur fait peur. Une fois que l'on a compris ça, c'est facile de gagner leur confiance. En fait, c'est la même chose avec les gens.

Chloé lui adressa un grand sourire. En quelques mots tout simples, il venait de résumer une pile de livres de psychologie. Il aurait dû être à sa place !

Pourtant, elle n'alla pas jusqu'à lui faire cet aveu.

— Merci pour vos conseils, dit-elle simplement. Je vais les garder en tête et les mettre à profit dès mon prochain entretien.

— Alors, bonne chance ! Et à bientôt.

8

Chloé travaillait depuis une quinzaine de jours. Au fur et à mesure que le temps passait, elle s'accoutumait à la routine que Sasha avait instituée. Le trac qu'elle avait éprouvé au début de son travail à Peter's Place avait considérablement diminué. Elle n'était pas encore parfaitement sereine avant de rencontrer les adolescents mais son appréhension n'avait rien de comparable avec son angoisse des premiers jours.

Au début, les entretiens n'avaient pas été faciles à mener. Chacun était tendu, sur le qui-vive et assez méfiant. Elle comme les adolescents. Maintenant qu'elle les connaissait un peu, elle savait mieux comment s'y prendre avec eux. Ils venaient la voir trois fois par semaine, parfois quatre. Parfois plus, s'ils en éprouvaient le besoin.

Elle continuait à les recevoir individuellement. Étant donné qu'ils passaient beaucoup de temps ensemble pendant leurs heures de travail et quand ils s'occupaient des chevaux avec Chance, ils avaient largement le temps d'échanger leurs impressions entre eux. Par conséquent, elle avait estimé qu'il valait mieux continuer de cette manière.

Jonah et Ryan, les deux plus anciens pensionnaires à Peter's Place, lui paraissaient mieux psychologiquement que les deux nouveaux arrivés. Ce qui était normal ;

ils avaient eu davantage de temps pour réfléchir à leur colère et l'exprimer sans avoir recours à des comportements asociaux répréhensibles. Le cadre du ranch les contenait et les sécurisait. Tout doucement, ils reprenaient confiance en eux et appréciaient de mener à bien les tâches qui leur étaient confiées.

Sasha et Chloé avaient toutes les deux le sentiment qu'ils étaient revenus sur de bons rails après leur dérapage émotionnel et qu'ils seraient bientôt à même de reprendre une existence hors du cadre protecteur du ranch. Ils avaient appris à gérer les difficultés que la vie leur avait imposées et paraissaient avoir assez de force en eux pour affronter celles qu'elle leur amènerait sans doute encore.

Rien n'était encore gagné, dans le cas de Brandon et de Will, mais ils paraissaient l'un et l'autre cheminer doucement dans la bonne direction. Elle n'était pas peu fière de se dire qu'elle jouait son rôle dans ces progrès, même s'ils étaient plus lents qu'elle l'aurait souhaité.

En revanche, du côté de sa vie personnelle, il y avait encore beaucoup à faire, elle en était bien consciente… Au moins connaissait-elle la satisfaction de se sentir utile, c'était déjà mieux que rien !

— Vous avez l'air rayonnante aujourd'hui ! lui fit remarquer Chance lorsque leurs chemins se croisèrent.

Jusqu'à récemment, il aurait gardé pour lui ce compliment, mais la fréquentation même irrégulière et distante de Chloé le faisait peu à peu sortir de l'espèce d'hibernation affective dans laquelle il s'était enfermé et dans laquelle il croyait se sentir bien. Grâce à elle, à sa présence souriante, il commençait à se souvenir d'un moment de son existence où il avait connu la gaieté et la joie de vivre. Un moment où la tristesse et le deuil n'étaient pas ses compagnons de tous les instants.

— Je suis très contente, en effet.

— J'imagine que vos relations avec les garçons vous apportent des satisfactions ?

— Comment savez-vous cela ?

Il prit appui sur le chambranle de la porte du bureau avant de poursuivre :

— Figurez-vous que je m'en doute parce que je ne les entends plus rouspéter autant qu'avant quand ils sont dans le corral avec moi. Bien sûr, tout n'est pas tout rose avec Brandon. Il continue à râler quand on lui demande de faire son travail mais beaucoup moins que la semaine dernière. Par conséquent, j'en déduis que les moments que vous passez avec eux portent leurs fruits.

Il s'interrompit un instant, rajusta son Stetson et conclut :

— Bref, pour résumer, ça gaze entre eux et vous !

Il était vraiment trop gentil de lui faire ce compliment, mais elle n'était pas seule à s'occuper des adolescents.

— Oui, ça *gaze* plutôt bien, en effet, mais je n'oublie pas que nous faisons un travail d'équipe. Les activités que vous menez auprès d'eux sont tout aussi importantes pour leur équilibre mental et leur réadaptation à la société que ce qui se passe ici, entre les quatre murs de cette salle.

Et elle le pensait vraiment. Chance était un homme peu bavard. Il supportait tout sans jamais se plaindre, commandait avec fermeté, encadrait avec bienveillance et réprimandait à bon escient. Les adolescents ne pouvaient que se sentir impressionnés par cette forte personnalité. Chance offrait un modèle de substitution particulièrement attirant à ces gosses qui avaient manqué de la présence d'un père digne de ce nom. Et cela, même s'ils n'en avaient pas conscience.

Chance se contenta d'approuver d'un hochement de tête.

— Si vous le dites…

Il resta silencieux un instant et reprit :

— Voyons, est-ce que vous seriez disponible maintenant ? Vous êtes sans doute libre de votre temps entre les séances avec les garçons ? Je vais les amener dans le corral pour leur faire travailler les chevaux. Cela pourrait être sympa que vous veniez les regarder faire et qui sait, ça vous aiderait peut-être à mieux les comprendre quand vous parlez avec eux ? Et puis… Cela vous ferait du bien de sortir prendre l'air. Ce serait même une bonne habitude à prendre !

Un sourire éclatant éclaira son visage tanné par le soleil. Ses yeux clairs paraissaient plus bleus que jamais.

— Est-ce que vous êtes en train d'insinuer que je vis comme un ermite ? répliqua-t-elle un peu vexée.

Chance la voyait vraiment comme ça ?

— Non, je ne veux pas parler d'un ermite… Les ermites ne parlent pas avec les gens, ce qui n'est pas votre cas.

Il réfléchit quelques instants.

— Voyons… Comment appelle-t-on ces êtres qui fuient la lumière du jour et ne sortent que la nuit ?

Chloé écarquilla les yeux.

— Vous voulez parler des *vampires* ? Vous êtes en train de me traiter de *vampire* ? s'exclama-t-elle.

Chance se mit à rire.

— Pas vraiment, rassurez-vous, mais il me semble que, comme eux, vous n'aimez pas trop vous promener en plein air.

— Quelle idée stupide !

— Vraiment ? Tant mieux si je me trompe, dit-il avec le plus grand sérieux. J'avoue que cela m'inquiétait.

Puis, l'instant d'après, un sourire revint sur ses lèvres,

ce sourire étincelant qui troublait Chloé au point de venir la hanter dans ses rêves.

— Allez, Chloé, je me moque de vous ! Mais c'est vrai que je vous trouve un peu trop pâle.

Elle haussa les épaules.

— Le fait est que je reste beaucoup à l'intérieur. C'est mon métier qui le veut.

— Il y a moyen de porter remède à cela ! déclara Chance, plein d'entrain. Faites ce que je vous proposais et accompagnez-moi dans le corral pour regarder les gamins à cheval. Je pense même que vous y trouverez du plaisir. De plus, ils seront fiers de vous montrer ce qu'ils ont appris, eux qui sont des gosses de la ville et qui ne connaissaient rien aux chevaux quand ils sont arrivés ici.

En l'écoutant parler, Chloé se dit qu'elle s'était forgé une idée complètement fausse de lui. Elle l'avait vu comme un homme secret, peu disposé à parler, et voilà qu'elle le découvrait intarissable.

— Vous qui vous vantiez de ne pas savoir parler, je trouve que vous vous y prenez très bien quand il s'agit de convaincre quelqu'un d'aller dans votre sens ! lui fit-elle remarquer, moqueuse.

— Je n'essaie pas de vous convaincre de quoi que ce soit, Chloé. J'essaie juste de vous proposer quelque chose d'intéressant. D'ailleurs, il y a à l'écurie une jument adorable, très calme et gentille. Si vous voulez la seller, vous pouvez vous joindre à nous dans le manège.

— Non, pas question ! Pas de cheval pour moi. Regarder les garçons me suffira amplement. Je veux bien être spectatrice mais pas cavalière !

Chance parut surpris de cette vive réaction.

— Vous ne montez pas à cheval ? Vous plaisantez !

Chloé ne répondit pas tout de suite. Cette remarque l'avait agacée. Elle n'aimait pas que l'on découvre ses faiblesses et encore moins ses défauts. Après tout, ce n'est pas parce que l'on vivait au Texas que tout le monde naissait les éperons aux pieds, que diable !

Un instant, l'envie de bluffer l'effleura. Mais elle comprit très vite que ce n'était pas une bonne idée car tôt ou tard Chance découvrirait la vérité, et elle aurait l'air d'une idiote. Mieux valait être franche tout de suite… Même si elle trouvait cela très embarrassant. Ce serait bien pire s'il découvrait qu'elle lui avait menti.

— J'ai grandi en ville, expliqua-t-elle. Ma mère ne gagnait pas beaucoup d'argent. L'équitation était un sport bien au-dessus de nos moyens. Voilà.

Elle éprouva un tel sentiment de soulagement à faire cet aveu qu'elle décida de continuer :

— J'ai été élevée dans un quartier pauvre. Évidemment, il n'y avait pas de cheval à proximité.

Chance l'avait écoutée avec attention.

— Par conséquent, vous ne savez pas monter à cheval…

— Il me semble que c'est clair, avec ce que je viens de vous dire, non ?

— Oui… Bien sûr…

Visiblement, une idée lui trottait dans la tête, nota-t-elle, pas très rassurée soudain. Et elle avait raison.

Chance lui prit la main et l'entraîna avec lui.

— Voilà un petit manque dans votre éducation que nous nous appliquerons à combler le plus vite possible, décréta-t-il.

Elle se dégagea vivement. La dernière des choses qu'elle souhaitait, c'était de montrer son incompétence dans quelque domaine que ce soit !

— Pas question ! Nous avons l'un et l'autre des missions beaucoup plus urgentes à remplir que de nous soucier de mon incapacité à monter à cheval.

Franchement, que croyait-il ? Il était payé pour

s'occuper des adolescents, pas pour combler les lacunes équestres de la psychologue de service !

— Aucune loi ne nous interdit de faire plusieurs choses, répliqua-t-il. Mais pour commencer, venez avec moi voir comment les garçons se débrouillent. Vous verrez qu'il n'y a pas de quoi avoir peur.

Son sourire engageant n'empêcha pas Chloé de voir clair dans son jeu. Évidemment, il voulait faire d'une pierre deux coups…

Elle s'avisa soudain qu'il avait utilisé le mot « peur ». Qu'est-ce qu'il croyait donc ? Qu'elle avait peur des chevaux ? De poser ses fesses sur une selle ?

— Je n'ai pas du tout peur, affirma-t-elle en redressant les épaules. C'est seulement que je n'ai jamais eu l'occasion d'essayer.

— Tant mieux si vous n'avez pas peur. C'est déjà quelque chose que nous n'aurons pas à surmonter.

Cette fois, elle ne releva pas. Mieux valait ne pas s'attarder sur ce que cela sous-entendait… On verrait plus tard. D'autant plus que tout en parlant ils venaient de rejoindre les quatre garçons qui étaient occupés à panser la monture dont ils étaient responsables. Rapidement, cinq chevaux furent sellés et prêts à être montés.

Jonah, l'adolescent qui se trouvait à Peter's Place depuis le plus longtemps et qui avait fait le plus de progrès, se tenait entre deux chevaux, celui qui lui avait été confié depuis qu'il était arrivé au ranch et celui que montait Chance quand il les accompagnait en promenade.

Chance le remercia d'un signe de tête et conduisit le petit groupe à l'intérieur du manège. Il plaça Chloé contre les planches qui délimitaient l'espace réservé aux évolutions.

— Ça va aller si vous restez là ? demanda-t-il, l'air soucieux.

— Oui, bien sûr. À condition que vous ne décidiez pas tous les cinq de me foncer dessus !

Chance esquissa un petit sourire en coin tout à fait craquant…

— Non, ce n'est pas au programme de la leçon d'aujourd'hui. Toutefois…

Il l'observa un instant avec attention quelques secondes avant de poursuivre :

— … je crois qu'il vaut mieux que vous grimpiez sur la palissade. Vous y verrez mieux. Vous voulez un coup de main pour l'escalader ?

Vexée, elle lui jeta un regard noir.

— Bien sûr que non ! Je peux me débrouiller toute seule !

Mais elle eut tôt fait de découvrir… qu'elle n'y arrivait pas. Juste au moment où elle se rendait compte qu'elle risquait de tomber, une main ferme se posa au milieu de son dos pour l'empêcher de basculer en arrière.

Elle retint son souffle et se tourna pour s'insurger contre cette intervention, mais Chance parla avant elle :

— Pas de manières, s'il vous plaît ! Et arrêtez de vous tortiller sinon vous allez tomber. Je ne suis pas en train de profiter de la situation, comme vous avez l'air de le croire, je vous empêche de vous casser la figure, c'est tout.

Une poussée supplémentaire, et hop ! Elle se retrouva à cheval sur la palissade qui dominait le manège.

— Et voilà ! conclut Chance. Maintenant, vous pourrez suivre le cours comme il faut. Mais n'essayez pas de descendre sans mon aide !

Puis il rejoignit les quatre garçons et prit les rênes que lui tendait Jonah.

— Merci, Jonah. Et vous, écoutez tous, maintenant. Vous avez remarqué que vous avez une spectatrice aujourd'hui. Montrez-lui ce que vous avez appris et ne me faites pas honte !

— Elle ne vient pas monter avec nous ? demanda Ryan.

— Non. Miss Elliott est venue en observatrice. Par conséquent, chacun s'applique. On ne cherche pas à faire l'intéressant mais on ne traîne pas non plus, d'accord ? En avant, calme et droit, comme je vous ai appris.

Il jeta un regard de réprimande à Brandon qui paraissait prêt à talonner son cheval pour le faire partir au galop.

— Brandon, j'ai dit « calme », OK ? Vous ne vous entraînez pas pour les jeux Olympiques. Et n'oubliez pas que vous êtes sur des chevaux, pas sur des mobylettes. Celui qui poussera trop sa monture, je le mets de corvée à l'écurie jusqu'à la fin de la semaine. Compris ?

— Compris ! répondirent en chœur les quatre adolescents.

— Allez, maintenant, on y va.

Chloé eut le plaisir de voir ses jeunes patients s'appliquer à travailler calmement et avec application. D'abord au pas tout autour du corral, puis au trot, et finalement au petit galop bien maîtrisé. Puis, alors qu'elle pensait que la démonstration était terminée, ils lui montrèrent qu'ils étaient capables d'exécuter différentes figures de manège, en particulier une serpentine qui l'impressionna vivement. On aurait dit qu'ils étaient attentifs à une sorte de musique qui les guidait mais qu'eux seuls pouvaient entendre.

Quand ils eurent terminé, elle applaudit avec enthousiasme.

— Bravo ! C'était magnifique !

— Je ne dirais pas que c'était *magnifique*, corrigea Chance en la rejoignant, mais ce n'était pas mal du tout. Au moins, ils ont bien respecté les règles.

Comme les garçons s'approchaient d'eux, il précisa :

— C'est vous que je félicite, les gars, pas les chevaux. Eux, ils savent déjà tout ça par cœur, mais ils ont besoin que quelqu'un les guide proprement pour le démontrer.

Puis il se tourna de nouveau vers elle.

— Alors, qu'est-ce que vous en pensez ?

Elle lui adressa un grand sourire.

— Je vous l'ai déjà dit, j'ai trouvé que c'était très bien.

— Non, vous avez mal compris ma question, précisa Chance. Je voulais dire : qu'est-ce que vous diriez de faire un petit essai, maintenant ?

Brusquement, elle se sentit le point de mire de cinq paires d'yeux qui attendaient sa réponse.

9

Il lui fallut une bonne minute pour comprendre que Chance ne plaisantait pas. Puis la réponse jaillit du fond du cœur.

— Non, pas maintenant ! J'ai beaucoup de travail de bureau en retard, ça ne serait pas sérieux que je le laisse s'accumuler, précisa-t-elle, s'efforçant d'éviter le regard des quatre garçons.

L'excuse était vague et peu crédible, mais, prise au dépourvu, c'est ce qu'elle avait trouvé de mieux.

Comme pour prouver sa bonne foi, elle se hâta de descendre de la palissade — toute seule ! Un miracle dû à son instinct de survie, sûrement —, mais en touchant le sol elle réalisa que Chance et les quatre garçons, toujours sur le dos de leurs immenses montures, lui bloquaient la sortie.

— Allez, Miss Elliott, un peu de courage ! Vous allez voir comme c'est sympa ! lança Ryan.

— On va veiller sur vous, lui promit Jonah. Mirabel est une jument super gentille. Y'aura pas de problème avec elle.

— On va rester à côté de vous, Jonah et moi. Impossible de tomber avec nous pour vous encadrer ! ajouta Ryan.

Évidemment, ils avaient compris qu'elle était nulle en matière d'équitation... C'était vrai, et elle s'en moquait bien ! Le problème, c'est qu'elle ne voulait pas se donner en spectacle.

Elle jeta un regard accusateur sur Chance.

— Qu'est-ce que vous leur avez dit ?

— Rien du tout ! assura ce dernier. Ils sont assez malins pour comprendre tout seuls.

Comme si cette question l'avait vexé, il mit pied à terre, confia les rênes de son cheval à Ryan et quitta le manège, la laissant en tête à tête avec les quatre adolescents.

— Ce n'est pas la peine d'avoir peur des chevaux, la rassura Brandon. Pas vrai, Will ?

Ce dernier devint tout rouge mais accepta tout de même de répondre :

— Quand je suis arrivé ici, j'avais juste vu des chevaux au cinéma et sur les jeux vidéo, et j'avais un peu peur, mais j'ai appris à monter avec Chance.

— Tu montes même très bien, lui fit remarquer Chloé, vivement impressionnée par les talents de cavalier qu'il avait acquis en quelques mois seulement.

Elle fit le tour du petit groupe des yeux et ajouta :

— Vous vous débrouillez tous très bien, mais je comprends parfaitement où vous voulez en venir.

Ryan tourna vers elle un visage innocent.

— On veut en venir où, à votre avis ?

— Vous cherchez à m'embobiner avec vos histoires pour m'obliger à faire comme vous.

À ce moment-là, elle aperçut Chance qui revenait vers eux, accompagné d'un cheval sellé. La fameuse Mirabel, sans aucun doute.

— Allez, on vous aide à monter ! s'exclama Jonah avec enthousiasme.

— On vous jure qu'on va empêcher Mirabel de vous emporter au galop, renchérit Ryan. De toute façon, c'est sûr qu'elle va rester bien calme, on dit ça juste pour vous rassurer parce qu'on voit bien que vous vous faites du souci.

— Si je comprends bien, vous avez appris à lire dans mes pensées, n'est-ce pas ? demanda Chloé, mi-amusée, mi-contrariée.

Leur gentillesse et leur perspicacité étaient une preuve que les séances qu'elle conduisait avec eux commençaient à porter leurs fruits. Ce qui lui faisait réellement plaisir. Toutefois, ce n'est pas pour cela qu'elle allait accepter leur proposition ! Elle tenait à conserver son autorité. Non, elle n'allait pas leur dévoiler l'étendue de sa maladresse et de sa peur devant ces grosses bêtes capables de galoper à bride abattue. Si elle le faisait, elle deviendrait la risée de tout le ranch. Et ça, c'était hors de question !

— Allez, Miss Elliott, à cheval ! lança Jonah.

— Oui, à cheval ! renchérirent les trois autres.

Elle réprima un frisson. Elle avait l'impression d'être entourée de quatre pitbulls ! Maintenant qu'ils l'avaient coincée, ils n'étaient pas près de la lâcher. Une seule solution s'offrit à elle : le mensonge.

— Je n'ai pas besoin de leçon d'équitation ! répliqua-t-elle effrontément.

Chance s'approcha d'elle, la bride de Mirabel à la main et lui murmura à l'oreille :

— Je croyais que le but de vos entretiens était de les amener à parler vrai…

— C'est en effet leur but.

— Alors ?

Alors… Ils étaient tous ligués contre elle ! Eh bien tant pis ! Ce n'est pas pour autant qu'elle allait changer de ligne de conduite.

Malheureusement, le regard des garçons pesait lourdement sur elle. Elle savait très bien ce qu'ils lui reprochaient sans le formuler : l'incapacité de reconnaître ses propres limites.

C'est alors que la réponse à donner s'imposa à elle, claire, précise, et foncièrement honnête. Même Chance ne trouverait rien à lui reprocher.

— Je n'ai pas besoin de leçons d'équitation parce que je ne veux pas apprendre à monter à cheval, voilà tout.

Elle sourit à Chance, toute fière de la victoire diplomatique qu'elle venait de remporter.

— Et maintenant, excusez-moi tous, je retourne à mon travail, conclut-elle. Amusez-vous bien !

Sur ce, elle regagna son bureau.

Effectivement, elle avait bien du travail qui l'attendait, simplement, il n'était pas aussi urgent qu'elle le prétendait.

En revanche, ce qui était urgent, réellement urgent, c'était qu'elle se tire de ce mauvais pas…

Avait-elle imaginé que l'on frappait à sa porte ? C'était bien possible car le bruit avait été à peine audible. Mais lorsqu'elle l'entendit pour la seconde fois, elle n'eut plus aucun doute : il y avait bien quelqu'un derrière sa porte. Sans doute un des garçons avait-il envie de lui faire un petit commentaire sur la petite scène de tout à l'heure, dans le manège…

Ce soir, après le dîner, au lieu de rester avec Graham et sa famille pour passer le début de la soirée comme elle le faisait d'habitude, elle avait regagné son cottage dès le repas achevé. Elle avait besoin d'un peu de tranquillité pour recouvrer ses esprits.

L'affrontement amical qu'elle avait eu cet après-midi avec Chance et les adolescents l'avait mise mal à l'aise car il montrait une fois de plus la difficulté qu'elle avait à admettre son incapacité à monter à cheval.

Pourtant, elle savait parfaitement que personne n'était parfait et que chacun devait s'accepter avec ses failles et ses faiblesses. Le problème, c'est qu'elle voulait que les garçons la trouvent irréprochable.

Qu'allait-elle expliquer à celui qui se trouvait en ce moment derrière la porte ? Sur quel ton allait-elle lui parler ? Et comment réagirait-elle s'il venait l'encourager une fois de plus à monter Mirabel ?

En même temps, toutes ces questions, bien qu'embarrassantes, lui donnaient envie de sourire. Ces quatre terreurs des banlieues étaient finalement adorables de se soucier ainsi d'elle. Ils avaient réellement cherché à l'encourager par tous les moyens possibles et elle était peut-être seulement très sotte de s'entêter dans son refus. Si elle décidait d'oublier sa peur une bonne fois pour toutes et acceptait d'apprendre ? Dans l'État du Texas, tout le monde savait se débrouiller à cheval. Pourquoi pas elle ? Après tout, elle n'était ni plus bête ni plus maladroite qu'une autre !

La question méritait d'être envisagée sérieusement.

Demain.

En attendant, elle alla ouvrir la porte, et le joyeux « Salut ! » qu'elle s'apprêtait à lancer à celui des quatre garçons qui était venu jusque chez elle pour parler resta figé sur ses lèvres.

C'était Chance qui se tenait devant elle.

Le vieux réflexe pessimiste qu'elle avait acquis depuis la mort de Donnie se manifesta immédiatement.

— Quelque chose ne va pas ?

— Cela dépend comment on regarde les choses.

Cette réponse l'agaça. Ne comprenait-il pas qu'elle souhaitait être rassurée le plus vite possible ?

Dire qu'il affirmait être un type simple qui avait son franc-parler ! Cela ne l'empêchait pas à l'occasion d'être franchement abscons.

— Si vous traduisiez ? lança-t-elle sèchement.

Il franchit le pas de la porte mais ne chercha pas à pénétrer plus loin dans la pièce.

— Je veux dire que vous avez menti aux garçons, cet après-midi. Comme ça, vous n'avez pas besoin de leçons d'équitation ?

Elle se redressa de toute sa petite taille.

S'il était venu pour lui faire des reproches, il tombait mal !

— L'essentiel, c'est que finalement ils ont entendu la vérité, non ? répliqua-t-elle.

Le regard bleu de Chance la cloua sur place.

— Pourquoi ne pas l'avoir dite d'emblée ?

— Pour éviter qu'ils aient une mauvaise image de moi.

Aux yeux de Chance, cette réponse n'avait aucun sens, elle en était sûre.

— Vous croyez qu'ils auraient eu une mauvaise image de vous parce que vous ne savez pas monter à cheval ? Quelle idée bizarre !

— Ici, au Texas…

— Allons, Chloé, personne ne vous demande d'être championne de rodéo !

Elle soupira, déçue. Elle avait espéré que Chance comprendrait son attitude mais elle s'était trompée. Il faisait parfaitement bien tout ce qu'il avait à faire et il le savait. Pourquoi aurait-il douté de lui ou du regard que les autres portaient sur lui ?

— Je préférerais que nous changions de conversation, proposa-t-elle.

— Volontiers, mais à une condition.

— Laquelle ?

— Vous le saurez dès que vous serez sortie avec moi.

Et, afin de ne pas lui laisser la possibilité de refuser, il la prit par la main et l'entraîna dehors.

Elle n'avait pas envie de provoquer une scène mais

le moins que l'on puisse dire est qu'elle l'accompagna à contrecœur.

— Où m'emmenez-vous ? marmonna-t-elle.

— Arrêtez d'avoir peur.

— Je n'ai pas peur !

— Alors pourquoi traînez-vous les pieds comme si je vous enlevais ? demanda-t-il en riant.

Elle eut le sentiment qu'il se moquait d'elle, ce qui lui déplut vivement. Pas question d'être l'objet de ses boutades parce qu'elle n'était pas championne de saut d'obstacles !

— Je sais parfaitement que vous n'êtes pas en train de m'enlever et je vous répète que je n'ai pas peur, répliqua-t-elle entre ses dents serrées.

Elle s'arrêta brusquement.

— Chance, j'exige de savoir où vous m'emmenez !

Il se tourna vers elle et plongea son regard dans le sien, un sourire au coin des lèvres.

— Rassurez-vous, pas dans ma chambre…

Elle se sentit rougir jusqu'à la racine des cheveux.

À sa grande honte, alors qu'elle savait que Chance n'était pas le genre d'homme à se comporter d'une telle manière, c'était la première pensée qui lui était venue à l'esprit.

— J'espère bien ! répliqua-t-elle d'un ton bravache.

Elle ne s'attarda pas à se demander si elle était vraiment sincère en faisant cette réponse et poursuivit aussitôt :

— Vous pourriez au moins me dire où nous allons ? Qu'est-ce que je dois penser ?

Il éclata de rire.

— Celui qui vous dira que ce que vous devez penser n'est pas encore né !

Cette réponse la laissa momentanément sans voix. Était-elle réellement ce genre de femme ? Cette femme indépendante que Chance avait l'air d'imaginer ? Si c'était le cas, jamais elle ne lui permettrait de l'entraîner comme ça sans savoir ce qu'il avait dans la tête.

La colère commença à la gagner.

— Pour la dernière fois, Chance, où m'emmenez-vous ?

— Dans un endroit où vous pourrez vous libérer de vos inhibitions.

Et il continua à l'entraîner à sa suite sans lui donner davantage d'explications.

Cette fois, en plus de la colère, ce fut l'agacement qui l'envahit. De nouveau elle s'arrêta net, le forçant à s'arrêter aussi.

— Je ne veux pas être débarrassée de mes inhibitions ! Absolument pas.

— Bien sûr que si !

Elle était sur le point de retirer sa main de la sienne d'un geste brusque et de partir en courant lorsqu'il ajouta d'une voix douce :

— Pas un seul habitant du Texas qui se respecte ne refuse de monter à cheval.

— Monter à cheval ? Vous avez bien dit « monter à cheval » ?

— Oui, vous avez bien entendu, Chloé Elliott. Ne faites pas comme si vous étiez sourde.

La colère et l'agacement qu'elle ressentait un instant auparavant disparurent comme par enchantement pour laisser place à la panique.

— Je refuse de monter à cheval ! s'exclama-t-elle.

— Du calme. Il s'agit seulement de vous expliquer les notions de base. Pour commencer.

— Et ensuite ?

— Ensuite, si tout se passe bien, je vous mettrai en selle.

— Jamais de la vie !

— Et si tout se passe bien, je ferai avancer Mirabel tout doucement. Comme ça, si quelqu'un vous pose un jour la question, vous pourrez répondre que, oui, vous êtes bien montée à cheval.

Comme ils étaient arrivés près des écuries, Chance lui lâcha la main et plongea son regard dans le sien, un regard qui n'était pas moqueur mais d'une douceur incroyable, nota-t-elle en réprimant un frisson qui n'avait rien à voir avec l'appréhension.

— Et si vous avez la curiosité de me demander pourquoi je fais ça, je vous répondrai que c'est à cause de la lueur qui brillait dans vos yeux cet après-midi quand vous avez répondu aux garçons.

— De quelle lueur voulez-vous parler ? demanda-t-elle d'une voix mal assurée.

— Celle que j'ai vue quand vous avez reconnu devant eux que vous ne saviez pas monter à cheval. J'ai compris que cela vous contrariait beaucoup plus que vous ne vouliez le reconnaître. Quand on en est à ce point, il faut faire quelque chose pour se libérer de ce problème. Si on ne fait rien, il va devenir une hantise.

Il se tut un instant. Son visage se fit sérieux.

— Et croyez-moi, en matière de hantises qui gâchent la vie, j'en connais un rayon, précisa-t-il.

Il n'aurait pas dû dire ça, songea-t-il aussitôt. Il s'éclaircit la voix, comme pour chasser l'émotion qu'il avait accidentellement réveillée. D'habitude, il réussissait bien mieux à réprimer les sentiments qu'il ne voulait pas laisser affleurer. Mais en fin de journée, il était beaucoup moins capable de les contrôler.

Il fit un effort pour regarder Chloé bien en face.

— Croyez-moi, on n'est jamais aussi en paix avec soi-même et le monde que lorsqu'on est sur un cheval. Plus tôt vous aurez découvert ça, mieux vous vous porterez.

Chloé découvrit avec surprise que Mirabel était déjà sellée, comme si elle était prête à partir en promenade. Chance était donc sûr qu'il réussirait à l'amener jusque-là !

— Il faut vraiment commencer maintenant ? murmura-t-elle, soudain impressionnée.

Il lui adressa son sourire le plus éclatant.

— Pourquoi remettre au lendemain ce que l'on peut faire le jour même ?

— Mais… Il y a plein d'autres moments…

Elle avait beau s'efforcer de cacher son malaise, il voyait parfaitement clair en elle, elle n'avait aucun doute là-dessus. De même qu'il savait qu'elle avait peur, qu'elle avait envie de partir, de regagner son petit cottage. Mais au lieu de ressentir de la pitié et d'abandonner l'expérience, on aurait dit au contraire qu'il avait encore plus hâte de commencer !

— C'est bien pour cette raison que maintenant est le meilleur moment possible, décréta-t-il.

— Ah bon ? Vous pouvez m'expliquer pourquoi ?

— Parce que plus vite vous serez débarrassée de votre peur, plus vite vous serez capable de monter réellement. Et bientôt, vous vous demanderez pourquoi vous avez tant hésité.

Sur le fond, elle savait qu'il avait raison. Sur la forme…

Chance se tut et laissa réfléchir Chloé. Elle essayait de se dominer, il le voyait bien, mais sans y parvenir. Il était parfaitement conscient de l'appréhension qu'elle éprouvait mais il savait qu'il lui avait dit la vérité. On ne réglait pas ses problèmes, quels qu'ils soient, en les fuyant. Cela encore, sa propre expérience le lui avait appris.

À son retour d'Afghanistan, il avait voulu éviter tout contact humain, partir dans la nature, rester à l'écart, s'isoler le plus totalement possible. Puis il avait compris qu'il voulait être seul pour essayer d'échapper aux images de mort et de dévastation qui le hantaient. La perte des compagnons auprès desquels il s'était battu avait fini par l'amener au bord de la dépression. Pourtant, fuir complètement la société étant impossible, il avait trouvé un compromis en travaillant dans des ranchs qu'il quittait au bout d'un certain temps, avant d'y avoir créé des liens avec les personnes qui s'y trouvaient.

Chloé ne bougeait pas. Pour autant elle ne donnait plus l'impression d'avoir envie de s'enfuir en courant.

Que les gens aient peur des chevaux lui paraissait incroyable. À ses yeux, cela revenait un peu comme avoir peur du chien de la famille ! Il est vrai que, à part la période qu'il avait passée dans l'armée, les chevaux avaient toujours fait partie de sa vie. Ce qui n'est pas le cas pour tout le monde.

— Donnez-moi votre main, proposa-t-il.

Au lieu d'obéir, Chloé fit exactement le contraire et plaça sa main derrière son dos.

— Pourquoi ?

— Parce que j'en ai besoin. Je vous promets, vous n'aurez pas mal.

Tout en hésitant, Chloé lui tendit sa main qu'il prit dans la sienne et qu'il amena jusqu'au museau tiède de la jument qu'ils caressèrent ensemble.

— Voyez, rien de terrible là-dedans !

Il eut le plaisir de voir Chloé se détendre un peu. Il lui lâcha la main.

— Maintenant, à vous. Toute seule.

Chloé retint son souffle et s'exécuta. Brusquement, Mirabel secoua la tête. Chloé sursauta et recula vivement.

— Tout va bien, assura Chance. Mirabel est un cheval, pas une statue. C'est normal qu'elle bouge de temps en temps, même quand on ne s'y attend pas. Ne croyez pas qu'elle vous rejette, c'est plutôt parce que quelque chose l'a chatouillée ou qu'une mouche l'a dérangée.

Il flatta l'encolure de la jument qui se laissa docilement faire.

— Allez, recommencez maintenant, proposa-t-il.

Pour lui, il s'agissait simplement d'une invitation, sans doute, mais Chloé la perçut comme un ordre, ce qui lui donna envie de se rebeller. Mais si elle refusait, Chance allait certainement croire qu'elle cédait à la peur… Alors elle posa à nouveau la main sur le museau de la jument et le caressa timidement.

Cette fois, Mirabel ne bougea pas.

Un sourire éclaira le visage de Chance.

— Voyez, c'était tout simple.

— Oui. C'était même très agréable, murmura-t-elle.

— Si vous montiez sur elle, maintenant ?

Elle ne s'attendait pas à pareille proposition. La panique s'empara d'elle à nouveau.

— Pour faire une promenade ?

— Non, bien sûr, se hâta de répondre Chance. Je vous propose juste de vous asseoir sur la selle un moment, c'est tout pour l'instant.

Debout à côté de la jument, Chloé considéra la hauteur à laquelle elle était supposée s'asseoir.

— Non, c'est trop haut, décréta-t-elle.

— Pas tant que ça, je vous assure !

— Et qu'est-ce que je ferai, si elle décide de partir au galop ?

— Aucun risque. Vous n'avez pas affaire à un mustang sauvage mais à une vieille jument très sage et très bien dressée. Je connais bien les chevaux, Chloé, vous ne me faites pas confiance ?

— Si, bien sûr. Mais là n'est pas la question, et…

— Allez, je vous aide à monter !

Elle n'avait aucune envie d'obéir. Vraiment aucune. Mais comme elle plongeait son regard dans celui de Chance, elle y puisa la certitude qu'il saurait la garder en sécurité, même là-haut, juchée sur Mirabel.

Un peu à contrecœur, elle acquiesça.

— D'accord, marmonna-t-elle.

Chance la fit se placer dans la bonne position, l'aida à glisser son pied dans l'étrier gauche et lui expliqua comment prendre son élan en soulevant la jambe droite qui lui permettrait de se retrouver en selle et de placer son autre pied dans le second étrier.

Ces premières manœuvres se déroulèrent sans incident. Elle ne comprit pas très bien ce qui se passa exactement, mais elle était en selle. Tout là-haut…

— Parfait ! Vous vous êtes très bien débrouillée.

— Alors comment se fait-il que je ne me sente pas à mon aise ?

— Sans doute parce que vous êtes raide comme un bâton.

— Sans doute. Je peux descendre, maintenant ?

Elle espérait vivement que la séance était terminée et qu'elle allait pouvoir retourner à ses livres, soulagée d'avoir posé ses fesses suffisamment longtemps sur une selle pour pouvoir assurer quand on lui poserait à nouveau la question : « Oui, je suis déjà montée sur un cheval. »

Ses ambitions en matière d'équitation s'arrêtaient là. Elle ne souhaitait rien d'autre.

— J'ai une idée…, murmura Chance.

Elle n'eut pas le temps de lui demander laquelle. Elle le vit prendre les deux rênes dans sa main gauche et sauter en selle derrière elle.

— Mais… Qu'est-ce que vous faites ? s'écria-t-elle.

— Je fais tout mon possible pour que vous vous sentiez davantage en sécurité.

Chance était tout proche d'elle, si près qu'elle pouvait sentir la chaleur de son torse dans son dos. Une myriade de sensations l'envahit…

Hélas, aucune, vraiment aucune, ne lui apportait davantage de sécurité…

- 10 -

Il fallait absolument qu'ils sortent au plus vite de l'écurie ! Chance, tout au moins, avait un besoin urgent de respirer un peu d'air frais car le parfum des cheveux de Chloé affolait ses sens et le poussait à éprouver des émotions qu'il n'aurait jamais dû ressentir. S'il ne faisait pas quelque chose tout de suite, il risquait de se laisser aller à des gestes qu'il regretterait plus tard.

Obnubilé par le souci de se préserver, sa première idée fut de faire sortir Mirabel. Il se ravisa très vite. Mieux valait dans leur intérêt à chacun qu'il demande d'abord son avis à Chloé. Ce serait une maladresse de lui imposer cela sans l'avoir préparée, elle était déjà suffisamment à cran sans qu'il rajoute à son stress.

— Voyons, Chloé, vous êtes d'accord ?

— D'accord pour quoi ?

— Faire une petite promenade.

— Loin ?

Elle sentit qu'il haussait les épaules.

— Non. Je pense que ce soir faire le tour de l'écurie sera suffisant. La prochaine fois, nous irons plus loin et chacun montera son propre cheval.

Cette idée paraissait lui plaire car sa voix s'était faite enjouée.

— Vous êtes prête ?

Oui, elle était prête. Prête à sauter à bas du cheval et à

273

courir se réfugier dans le cottage ! Pourtant, elle hocha la tête et accepta cette proposition qui l'épouvantait.

En toute honnêteté, qu'est-ce qui l'épouvantait le plus ? Pas le cheval, non, pas cette pauvre Mirabel qui avait l'air si douce. C'était Chance. Chance et la chaleur de son corps qu'elle sentait se propager dans son propre corps… Chance et sa voix de velours… Chance et son regard bleu qui s'assombrissait et s'éclaircissait selon son humeur…

Non, elle n'était pas prête à sentir ses bras l'enlacer pour tenir les rênes, ni à sentir son souffle chaud pendant qu'il parlait à Mirabel pour la mettre en route, ni à sentir ses cuisses serrées contre les siennes tandis qu'ils se promenaient tout autour du corral… Prête ? Jamais de la vie !

Tout à coup, la soirée lui parut beaucoup trop chaude et elle se redressa pour refuser de s'abandonner au contact avec l'homme qui la tenait par la taille.

— Ça va ? demanda Chance. Je vous sens toute raide.

Elle répondit par la première excuse qui lui passa par la tête.

— J'essaie de ne pas tomber !

— Tomber ? Impossible. D'abord parce que je vous tiens et ensuite parce que Mirabel est au pas. Pour aller plus lentement, il faudrait qu'elle recule !

Mais collée contre Chance comme elle l'était en ce moment, elle ne pouvait pas se sentir à l'aise. Si elle se laissait aller, cela voudrait dire qu'elle baissait la garde. Et ça, elle ne pouvait pas se le permettre.

— Je ne pensais pas que le corral était aussi grand, fit-elle remarquer pour se distraire de ce troublant contact.

— Il n'est pas grand, en réalité. Il vous paraît grand parce que nous nous déplaçons à la vitesse de l'escargot. Si vous voulez, nous pouvons aller plus vite.

Sur ce, il fit mine de talonner la jument pour la faire accélérer.

— Non, non ! s'écria-t-elle. Le pas me convient très bien. Si cela ne vous dérange pas.

Elle venait de comprendre que monter à cheval à la vitesse qu'elle imposait était certainement d'un ennui mortel pour quelqu'un comme Chance. À ce rythme-là, il devait avoir envie de s'endormir. Tant mieux ! S'il s'ennuyait, il mettrait fin à cette promenade qu'elle trouvait bien trop troublante à son goût.

Bien calé derrière Chloé, Chance souriait. Non, cela ne le dérangeait pas le moins du monde de marcher au pas en tenant dans ses bras une belle jeune femme ! Comment est-ce que respirer le parfum de ses cheveux aurait pu l'ennuyer ?

Cette proximité avec Chloé lui rappela qu'il y avait bien longtemps qu'il ne s'était pas autant rapproché de quelqu'un, et d'une femme en particulier, sans s'inquiéter des conséquences qui pouvaient en découler.

— Non, rassurez-vous, cela ne me dérange pas du tout. En fait, ajouta-t-il comme ils arrivaient près de la porte de l'écurie, nous pouvons faire le tour encore une fois si vous en avez envie.

Chloé passa la langue sur ses lèvres. Oh oui, elle en avait envie ! C'était bien cela le problème. Il lui suffisait de fermer les yeux pour être transportée dans une autre époque, au temps béni où le monde lui paraissait plein de promesses.

À ce moment-là, elle rêvait du futur qui s'étirait devant elle, un futur riche de la présence de son mari et de leurs enfants. La douceur qu'elle éprouvait dans les bras de Chance l'amenait malgré elle à penser à Donnie…

Il fallait arrêter ces divagations ! La réalité était là, dure et vide, sans mari ni enfants.

— Non, ça ira comme ça, répondit-elle. Une fois

me suffit, si cela ne vous contrarie pas. Vous avez certainement d'autres occupations qui vous attendent, et moi aussi.

— Non. Moi, je n'ai rien de spécial à faire.

À part s'enivrer du parfum de Chloé…

— C'est mon moment de tranquillité, précisa-t-il. Les garçons sont en train de faire leurs devoirs ou de se détendre, et je suis libre d'occuper ma soirée comme bon me semble.

— Ah… Eh bien, ce n'est pas le cas pour moi.

Elle se mordit les lèvres. Que lui arrivait-il ? Deux mensonges dans la même journée ? Tant pis, elle décida de s'absoudre elle-même pour celui-ci. Ce serait de la folie de prolonger ce moment avec Chance alors qu'elle se sentait si vulnérable. C'était sans doute cette heure romantique où le soleil vient de se coucher et où la nuit tombe doucement qui la rendait si fragile. En fait, c'est d'elle-même qu'elle avait peur, pas de Chance.

— Il faut vraiment que je rentre, ajouta-t-elle.

— D'accord, je comprends.

Chance avait décidé de ne pas insister et encore moins de lui demander des détails sur ce qu'elle allait faire une fois rentrée chez elle. Il voulait surtout éviter qu'elle ne se sente gênée par son insistance ou son indiscrétion.

Il ramena donc Mirabel à l'écurie, mit pied à terre et se tourna vers Chloé pour l'aider à en faire autant.

Chloé hésita un instant avant d'accepter le bras qu'il lui tendait. Puis, se sachant parfaitement incapable de descendre de sa selle avec aisance, tout au moins pour l'instant, elle accepta son aide.

Le résultat de cette manœuvre fit qu'elle se retrouva serrée contre le torse musclé de Chance pendant un très très long moment. Un moment pendant lequel il lui sembla que son cœur s'arrêtait. Chance la prit par la taille et la laissa glisser le long de son corps jusqu'à ce que ses pieds touchent terre.

Ce contact emporta Chloé dans une telle griserie que lorsqu'il la relâcha, une vague de regret la submergea.

Lorsqu'elle voulut le remercier, elle se découvrit incapable de parler. Elle avait la bouche et la gorge sèches, la langue paralysée. Elle était incapable d'articuler trois mots.

Après avoir dégluti avec peine, elle réussit enfin à retrouver l'usage de la parole, mais parla d'une voix cassée qui résonna à ses oreilles comme un croassement.

— Merci… Merci pour la leçon.

Chance se mit à rire.

— Difficile de considérer ce que nous venons de faire comme une leçon !

— Appelez cela comme il vous plaira. En tout cas, merci…

Maladroitement, elle laissa sa phrase un moment en suspens, avant de réaliser que Chance risquait d'interpréter ses mots dans un sens bien différent de celui qu'elle avait voulu leur donner.

— … de m'avoir fait découvrir l'équitation, se hâta-t-elle d'ajouter.

— Avec plaisir.

Troublée, elle se détourna rapidement pour rentrer chez elle sans qu'il s'aperçoive de sa confusion.

Mais il la rappela pour ajouter :

— Vous ne vous en tirerez pas comme ça ! J'ai l'intention de vous donner de véritables cours.

Pas question qu'elle lui promette quoi que ce soit !

— Quand j'aurai le temps !

— Débrouillez-vous pour en trouver !

Ce n'était pas une suggestion mais un ordre, clair et net, qui résonna en elle tout le long du chemin qui la ramenait chez elle.

Chance la regarda s'éloigner plus longtemps qu'il ne l'aurait dû. En fait, il avait plaisir à regarder la petite silhouette qui s'effaçait peu à peu dans la nuit. Il resta debout tant qu'elle n'eut pas complètement disparu.

Et alors ? Qu'y a-t-il de mal à cela ? Après tout, c'était bien normal d'admirer la beauté des créatures qui nous environnaient, non ?

— Quelque chose te contrarie, Chloé ? demanda Sasha le lendemain.

— Non, tout va bien. Mon seul souci est de faire du bon travail avec ces jeunes.

Sasha était venue assister à l'un de ses entretiens avec Ryan et à un autre avec Brandon. Comme elle débutait, Sasha venait occasionnellement la superviser. Ces jours-là, la présence de sa patronne la rendait un peu nerveuse, certes, mais ce n'était pas le cas aujourd'hui.

En fait, elle redoutait que Chance l'attende à la sortie pour lui annoncer qu'il était prêt à lui donner sa première vraie leçon d'équitation, et cette idée lui mettait les nerfs en pelote.

Sasha lui adressa un sourire amical.

— Réponse parfaite, Chloé, mais ce n'est pas celle que j'attendais. Je voulais savoir si, en dehors de ton travail qui se déroule au mieux d'après ce que je vois, tu n'as pas d'autres raisons de t'inquiéter. Je te sens nerveuse, comme si tu appréhendais quelque chose.

Chloé se mordit les lèvres. Ou elle n'était vraiment pas douée pour le théâtre, ou Sasha avait des dons de voyance.

— Non, tout va bien, répéta-t-elle.

Puis, comprenant qu'il était difficile de nier totalement sa nervosité, elle décida d'accorder un minimum d'informations à Sasha, en espérant que cela satisferait sa curiosité. Sur le plan professionnel, tout au moins.

— Le fait de me sentir observée me trouble certainement un peu, reconnut-elle. Je sais que je débute et qu'il y a certainement beaucoup à reprendre dans mes interventions par rapport aux tiennes.

— Je ne cherche pas à nous comparer, affirma Sasha. Chacune a son style propre. Ma présence ici a seulement pour but de voir si tu as pu créer un lien avec nos ados. D'après ce que je viens de voir, je suis tout à fait certaine qu'il existe.

Chloé sentit un vent d'allégresse la soulever. Elle craignait tellement de ne pas être à la hauteur de sa belle-sœur ! Au départ, les adolescents avaient été suivis par Sasha, et elle redoutait qu'ils considèrent leur nouvelle psychologue comme une intruse. Apparemment, ce n'était pas le cas.

— Tu ne peux pas savoir combien ce que tu viens de dire me rassure ! s'exclama-t-elle avec un grand sourire.

— C'est une simple question d'honnêteté, Chloé. Pourtant, il me semble que tu es assez tendue. Si c'est le cas, tu as peut-être besoin de prendre quelques jours de repos.

— Du repos ? Mais je viens juste de commencer à travailler ! Il faut que je m'adapte à la routine de l'établissement et que je me fasse tout doucement une place au milieu de vous tous. Pas question que j'arrête maintenant, même pour quelques jours.

Sasha haussa les épaules.

— Je comprends ton point de vue, mais ce serait peut-être bon que tu prennes un peu de temps pour t'acclimater à la région. La vie à la campagne est bien différente de la vie en ville.

— Là, j'avoue que tu marques un point. C'est tellement calme ici que j'ai presque du mal à dormir ! Mais je m'y habitue, et c'est même très agréable.

— Parfait. Tu commences à te sentir un peu chez toi, alors ?

— Tout à fait.

— Voilà qui me fait grand plaisir. Tu ne peux pas savoir à quel point j'apprécie qu'il y ait enfin à Peter's Place une autre présence féminine. Bien sûr, j'ai mes filles, et je les adore, mais je vais devoir attendre quelques années pour qu'elles soient capables d'entretenir une conversation avec moi !

Comme Chloé hochait la tête, Sasha se hâta d'ajouter :

— Graham est un mari merveilleux, un père adorable, mais même le meilleur des hommes a parfois du mal à comprendre ce que ressent une femme.

— Là, je ne peux pas te donner tort !

— Je veux seulement que tu saches qu'au cas où tu aurais envie de me parler de quoi que ce soit, sérieux ou pas, je suis prête à t'écouter.

En entendant ces mots, Chloé ne put se retenir de rire.

— J'ai dit quelque chose de drôle ? demanda Sasha, tout étonnée de cette réaction.

— Non, pas vraiment. Ce qui m'amuse, c'est que tu viens de me dire mot pour mot ce que j'ai dit à chacun des quatre garçons à la fin de notre premier entretien.

— Pourtant, je t'assure que mon offre n'avait rien de professionnel. Elle était purement amicale. Et c'est en tant qu'amie que je vais poursuivre. Telle que je te vois en ce moment, tu me fais l'effet d'un chat qui se tiendrait sur un toit brûlant.

— Vraiment ?

Avec une certaine inquiétude, elle se demanda si elle avait donné la même impression à Brandon et Ryan, qu'elle avait reçus dans la journée.

— Pas tout à fait, mais il y a un peu de ça, répondit

Sasha. J'ai l'impression que tu attends quelque chose…
ou quelqu'un. À moins que ce ne soit moi qui te rende
nerveuse ?

— Mais non, pas du tout !

Comment oser dire à Sasha, qu'elle connaissait à
peine, que c'était Chance qui la mettait dans cet état ?

Car la vérité était simple : Chance la troublait au-delà
du raisonnable.

Et il était temps d'admettre que ce qui lui faisait
peur, ce n'était pas la leçon d'équitation, ni cette pauvre
Mirabel, même si elle n'était pas réellement en confiance
quand elle s'approchait d'elle. Non, ce qui la perturbait,
c'était Chance lui-même. Et la perspective de se trouver
bientôt à nouveau en sa présence.

Une présence qui serait un tête-à-tête.

Quand d'autres personnes se trouvaient autour d'eux,
tout allait bien. Ils n'étaient que deux employés à Peter's
Place, deux collaborateurs qui avaient le même but en
vue : aider quatre jeunes à se sentir mieux avec eux-
mêmes et avec les autres.

Dans ce registre-là, elle se sentait capable de travailler
avec Chance toute la journée sans problème.

En revanche, imaginer se retrouver seule avec lui
la plongeait dans une agitation qui, hélas, n'avait pas
échappé à Sasha, tout à l'heure…

La présence du séduisant cow-boy au regard si bleu
plein de mélancolie et même de tristesse par moments
éveillait en elle des émotions qu'il valait mieux laisser
dormir.

Oui, elle se porterait mieux en laissant tout cela
enfoui au fond d'elle. Bien mieux !

Sasha continuait à la regarder, attendant une réponse.

Que faire ? Partagée entre la crainte de faire de la
peine à son amie qui lui offrait sa sympathie et son envie

de garder pour elle ce qui concernait sa vie privée, elle ne sut que choisir.

Finalement, elle prit sa décision. Cela l'aiderait peut-être à remettre les choses en place et à travailler plus sereinement.

— Chance veut me donner des leçons d'équitation, avoua-t-elle.

À ces mots, le visage de Sasha s'illumina.

11

— C'est vrai ?

Sasha semblait manifester non seulement un intérêt sincère pour cette nouvelle mais aussi un réel plaisir.

— Oui, répondit Chloé, mal à l'aise.

Elle s'efforçait de demeurer aussi calme que possible. Pour rien au monde elle n'aurait voulu que Sasha devine le trouble qui s'emparait d'elle lorsqu'elle imaginait l'intimité inévitable que ces leçons amèneraient entre Chance et elle…

— Tu veux dire que tu ne sais pas monter à cheval ?

Chloé haussa les épaules.

— L'occasion ne s'est jamais présentée.

Elle espérait avoir ainsi mis le point final à un sujet de conversation qui la mettait de plus en plus mal à l'aise. D'abord parce qu'elle se sentait honteuse que son incompétence en matière d'équitation soit ainsi révélée et ensuite, parce que la perspective d'un rapprochement avec Chance la troublait et qu'elle se le reprochait.

Sasha, en revanche, paraissait enchantée de cette nouvelle.

— C'est génial ! s'écria-t-elle en applaudissant.

— Je n'irais pas jusque-là…, marmonna Chloé qui aurait préféré que sa belle-sœur ne soit pas informée de cette carence dans son éducation. C'est… comme ça, voilà tout !

Dans son for intérieur, elle se dit qu'elle aurait mieux fait de se taire. Sa fierté n'aurait pas eu à souffrir et Sasha ne pourrait pas la considérer comme la pauvre fille qui avait dû attendre d'avoir vingt-six ans pour monter sur le dos d'un cheval.

Pour aggraver la situation, ce fut le moment que Chance choisit pour pénétrer dans le bureau. Comme si elle n'était pas déjà suffisamment mal à l'aise !

Aussitôt, son estomac se serra. Comme elle aurait aimé pouvoir expédier Chance au bout du monde d'un seul regard…

— Tiens, quand on parle du loup, il sort du bois ! s'exclama gaiement Sasha.

Chance fit un pas en arrière et afficha une mine faussement chagrinée.

— Depuis quand est-ce que je suis devenu le loup de Peter's Place ? Je n'ai encore dévoré personne, que je sache !

Sasha se leva, son carnet de notes plaqué contre sa poitrine.

— Nous étions justement en train de parler de vous, expliqua-t-elle. Chloé va vous raconter tout ça sans moi parce que j'entends Maddie m'appeler. Je file la rejoindre !

Chloé aurait bien aimé la suivre ! Avec ce que Sasha venait de dire, elle était obligée de raconter leur conversation à Chance. Elle s'en serait volontiers dispensée…

Chance se tourna vers elle.

— Vous parliez de moi ? Diable… Qu'est-ce que vous disiez donc ?

— Rassurez-vous, rien de méchant, au contraire. Je disais à Sasha que vous aviez proposé de m'apprendre à monter à cheval, c'est tout.

Elle s'éclaircit la voix avant de préciser :

— Sasha trouve que c'est une très bonne idée.

284

— Ah, tant mieux…

Le malaise éprouvé par Chloé ne fit que croître. D'ici à ce qu'il voie bien plus dans cette approbation que ce que Sasha avait voulu y mettre, il n'y avait qu'un pas. Et l'étincelle de malice qui brilla dans son regard lorsqu'il parla ne fut pas pour apaiser ses craintes.

— Oui, c'est une bonne idée parce que tout le monde devrait savoir monter à cheval, voilà le fond de ma pensée.

— Eh bien, moi, je trouve que vous exagérez ! Vous en parlez comme si c'était une question de vie ou de mort alors que c'est une question d'envie et de disposition ! C'est la même chose que pour apprendre à nager.

— Franchement, vous ne préférez pas savoir faire quelque chose plutôt que de ne pas savoir ?

Chloé retint un soupir. Il venait de marquer un point… Et de toute façon, elle n'avait aucune envie de lui laisser imaginer qu'elle avait peur d'élargir son horizon.

— Bien sûr que si, répondit-elle.

Elle se leva, bien décidée cette fois à penser que Chance la considérait comme une élève de plus et qu'il allait s'occuper d'elle exactement comme il s'occupait des garçons, ni plus ni moins. Inutile de se ronger les sangs pour une simple leçon d'équitation !

Tout à coup, une question lui vint à l'esprit.

— Vous allez me donner le cours dans le corral ?

— Oui. C'est là que je m'occupe des garçons. Vous préféreriez que ça se passe ailleurs ?

Elle évita de croiser le regard de Chance de peur d'y découvrir une lueur d'amusement, voire de moquerie, ce qui aurait achevé de la déstabiliser.

— C'est que… Je préférerais que personne ne me voie. Il n'y a pas un autre endroit où je serais loin des regards ?

— Si, bien sûr. Le ranch est très grand, nous n'aurons pas de mal à en trouver un. Simplement, il me semblait que vous vous sentiriez davantage en sécurité dans l'enceinte du corral.

Enfin, elle osa le regarder en face.

— Pour quelle raison ne me sentirais-je pas en sécurité ailleurs ?

— Parce que le corral offre un espace fermé. Si nous allons travailler en extérieur, vous allez craindre que Mirabel se mette au grand galop en vous emportant sur son dos.

— Ah…

Elle comprenait. Ils ne parlaient pas de la même sécurité ! Elle avait imaginé que Chance voulait la faire évoluer dans le corral pour lui éviter de s'inquiéter de privautés qu'il se permettrait peut-être. Erreur grossière ! Il pensait tout simplement à sa sécurité de base : rester en selle.

— Votre cheval est plus rapide que Mirabel, n'est-ce pas ? demanda-t-elle.

— Sans vouloir dire du mal de Mirabel, oui, il n'y a pas de comparaison entre eux.

— Si jamais il y avait un problème, que quelque chose lui fasse peur et qu'elle parte au grand galop comme vous venez de l'évoquer, vous pourriez nous rattraper ?

— Sans problème. Mais Mirabel est une jument très calme, avec beaucoup d'expérience. Elle ne prend pas peur facilement.

— Bon, je vous crois. Ce qui fait que je vous répète que je préfère aller quelque part où personne ne verra à quel point je suis nulle.

— Mais vous n'êtes pas nulle ! Vous n'avez juste aucune expérience. Il vous faut seulement apprendre la technique de base, c'est tout. Et vous verrez, ce n'est pas compliqué.

Tout ce qu'il disait avait pour but de l'apaiser et de

calmer son appréhension, Chloé le voyait bien. Elle voyait aussi… que cela ne fonctionnait pas.

— Si vous ne vous sentez pas rassurée et si vous souhaitez toujours avoir une leçon sans public, je sais où nous pouvons aller, proposa-t-il enfin.

— C'est loin d'ici ?

— Non. C'est une clairière, près du lac. Elle conviendra très bien à notre projet.

Une clairière au bord d'un lac ? Certes, c'était parfait pour une leçon d'équitation, mais pareil cadre paraissait aussi propice à d'autres exercices bien plus romantiques…

Restait à souhaiter que la même idée ne fût pas venue à l'esprit de Chance.

Comme la clairière en question se trouvait à une certaine distance du ranch, Chance décida de prendre Chloé sur son propre cheval pour y aller. Elle serait beaucoup plus en sécurité de cette manière pour effectuer ce trajet que toute seule sur la jument.

— Mais qu'allons-nous faire de Mirabel ? demanda Chloé, inquiète. Elle vient avec nous aussi, n'est-ce pas ?

— Elle va nous suivre. Je vais seulement prendre sa bride en main pour m'assurer qu'elle ne traîne pas derrière.

— Ça ne va pas énerver votre cheval ?

Tout en parlant, elle jetait des regards inquiets sur l'étalon noir qu'il avait sellé pour lui et qui, ayant compris qu'une promenade s'annonçait, piaffait d'impatience.

— Énerver pour quelle raison ?

— Que nous le montions tous les deux en même temps ?

— Mais non ! Il est bien assez vigoureux pour ça.

— Et la présence de Mirabel derrière lui ne va pas le contrarier ?

— Allons, Chloé, arrêtez de vous faire du souci, nous perdons du temps avec toutes vos questions. À moins que…

Il la considéra d'un air mi-amusé, mi-narquois.

— À moins que vous ne cherchiez justement des excuses pour nous retarder ?

Chloé se sentit rougir.

En toute honnêteté, elle ne l'avait pas fait exprès, mais il y avait sûrement de cela…

Chance se dit qu'il avait affaire à une élève pas ordinaire. Lui, si réservé d'habitude, qui parlait le moins possible pour ne pas entrer en relation avec les gens allait devoir se comporter différemment. Mais quelque chose chez cette femme l'attirait et lui donnait envie de faire un effort.

Il aimait les éclairs qui passaient dans son regard noisette quand elle n'était pas d'accord ou quand, au contraire, elle était enthousiasmée par ce qu'on lui disait. Il aimait la manière qu'elle avait de rejeter ses cheveux blonds en arrière quand elle s'opposait à son interlocuteur. Il l'avait vue faire à plusieurs reprises quand elle tenait tête à l'un des garçons. Et en même temps, malgré la détermination dont elle faisait preuve, malgré la fermeté qu'elle manifestait à chaque instant, il sentait bien que sous cette carapace apparente, elle était aussi vulnérable et fragile qu'un petit oiseau tombé du nid.

Jusqu'à ce jour, il n'avait jamais eu envie de s'occuper d'un oiseau tombé du nid ! Mais la découverte de cette faiblesse qu'elle essayait si vaillamment de dissimuler éveillait en lui un sentiment nouveau : l'envie de la protéger.

Plus encore, il découvrait que cela lui plaisait.

Il hocha la tête, surpris de cette découverte. Après tout, son âme n'était peut-être pas complètement morte sur les champs de bataille comme il l'avait cru ?

— Allons, il nous faut y aller, maintenant ! dit-il.

— D'accord, murmura Chloé sans grand enthousiasme. Allons-y…

Elle se rapprocha, stupéfaite de constater la différence de taille entre la jument et ce… ce gigantesque étalon. Mais avant qu'elle ait pu se poser la moindre question et ressentir la moindre inquiétude, deux mains solides l'avaient prise par la taille et, en moins de temps qu'il n'en faut pour le dire, elle se retrouva juchée sur la selle du gigantesque étalon en question ! Ce n'est qu'à ce moment-là qu'un petit cri de surprise lui échappa.

La seconde d'après, Chance se retrouva derrière elle. Pratiquement collé contre elle. Seigneur ! Son corps paraissait fait pour se trouver là, tout contre le sien et en épouser les formes…

Ce contact la fit frissonner. Certaines sensations lui étaient familières, d'autres entièrement nouvelles, mais toutes parfaitement déstabilisantes.

Allons ! Il ne s'agit que d'une leçon d'équitation, se répéta-t-elle.

Rien ne justifiait qu'elle réagisse aussi fortement. Chance lui consacrait un peu de son temps pour lui permettre plus tard de partir en promenade avec les garçons. C'était tout. Il n'y avait vraiment pas de quoi écrire un roman ! À elle d'envisager les choses sous cet angle, tout simplement.

Tout simplement ?

Chance passa ses bras autour de sa taille et attrapa les rênes. En sentant ce cercle protecteur autour d'elle, elle réussit à se détendre un peu.

— Ça va ? demanda-t-il.

— Ça va.

Mis à part le fait que son cœur était à deux doigts d'éclater tellement il battait vite…

Chance se pencha sur elle. Son cœur battit encore plus vite.

L'instant d'après, il lui soufflait à l'oreille :

— Je vous jure que tout irait mieux si vous respiriez !

C'est alors qu'elle se rendit compte que depuis un moment elle avait bloqué sa respiration, comme si cela devait du même coup bloquer ses sensations. Évidemment, sans succès aucun.

— Bien sûr…, murmura-t-elle.

Et à partir de ce moment, elle s'appliqua à obéir à cet ordre tout simple et pas du tout compromettant : respirer.

Chloé aurait été incapable de se souvenir de leur trajet jusqu'à la clairière, tout au moins en termes de paysage. Toute son attention restait concentrée sur l'agréable balancement d'avant en arrière du pas de l'étalon, qui amenait le corps de Chance à se plaquer contre le sien de manière extrêmement sensuelle. Elle s'appliquait tellement à ne pas réagir à cette sensation qu'elle ne se rendit même pas compte qu'ils avaient atteint la clairière.

— Nous voici arrivés ! annonça Chance.

La minute d'après, sans l'avoir prévenue, Chance avait mis pied à terre. Brusquement privée du soutien qu'il lui avait offert jusque-là et persuadée qu'il y avait un problème, elle se pencha pour lui demander ce qui se passait… et faillit dégringoler de la selle !

— Hé là ! Défense de faire des mouvements brusques tant que je ne serai pas satisfait du niveau que vous avez atteint. C'est comme ça avec tous mes élèves. Question de sécurité, tout simplement. Je n'ai pas envie de vous conduire aux urgences !

Il s'interrompit.

— D'ailleurs, je n'ai pas l'habitude de vouvoyer mes

élèves… Ça vous dérangerait que nous nous tutoyions ? Je trouve un peu ridicule de continuer à nous traiter comme si nous étions deux étrangers, pas vous ?

— Tu veux dire, pas toi ? répondit Chloé en riant. D'accord. D'accord pour que l'on se tutoie et d'accord aussi pour ne pas aller aux urgences. Je vais être la plus docile de tes élèves !

— Parfait !

Il lui tendit les bras.

— Pour commencer, laisse-moi t'aider à descendre de là.

Une fois encore, il l'attrapa par la taille et la maintint jusqu'à ce que ses pieds touchent le sol.

— C'est la dernière fois que je t'aide à mettre pied à terre, dit-il. Je vais te montrer comment t'y prendre, et ensuite tu te débrouilleras toute seule.

Aussitôt, une lueur d'inquiétude traversa le regard de Chloé, et Chance résista à l'envie de la prendre dans ses bras pour la rassurer et lui donner du courage.

— Tu n'as pas de souci à te faire, précisa-t-il. Je suis sûr que tu vas très bien te débrouiller.

— Je ne me fais pas de souci ! répliqua-t-elle un peu trop vivement.

Tout en étant persuadé du contraire, Chance accepta la réponse sans faire de commentaire.

— Mes excuses… Je me suis trompé.

Sur ce, il rapprocha Mirabel de Chloé et annonça :

— En avant pour la leçon numéro 1 !

Chance fit preuve d'une patience à toute épreuve pendant les deux heures qui suivirent. Il décomposa chacun des mouvements que Chloé devait accomplir, et très vite elle oublia son appréhension.

Chaque nouvelle explication la faisait progresser. À la

fin de la leçon, elle avait assimilé les bases, y compris la manière de se mettre en selle et d'en descendre avec aisance. Chance lui avait aussi enseigné comment tenir les rênes de manière à ce que la jument comprenne quand elle devait avancer et quand elle devait s'arrêter.

À aucun moment Chance n'éleva la voix, même quand elle fit preuve de maladresse. Il était toutefois avare de compliments. En revanche, chaque fois qu'elle commettait une erreur, il la lui signalait de manière à ce qu'elle ne la reproduise pas. Lorsque cela se produisait malgré ses explications, il la faisait recommencer depuis le début jusqu'à ce que le geste correct soit acquis.

Chaque fois, au moment où elle pensait ne jamais réussir, le miracle se produisait et elle arrivait à faire exactement ce que Chance attendait d'elle.

Enfin, il lui adressa un grand sourire.

— Je crois que ça suffit pour aujourd'hui.

Elle était épuisée. La perspective de rentrer chez elle prendre une bonne douche et se reposer l'enchantait.

— C'était assez mauvais, non ? demanda-t-elle.

— Au contraire, c'était tout à fait bien.

— Vraiment ?

— Vraiment. La prochaine leçon aura lieu dans le corral parce que tu n'as vraiment pas à avoir honte de quoi que ce soit. En attendant, comme récompense de tes efforts, je veux te faire découvrir quelque chose que beaucoup de gens qui vivent dans le coin n'ont jamais vu.

— Qu'est-ce que c'est ?

À nouveau, la nervosité la gagna. Chance la prit par la main et la conduisait jusqu'au lac.

— Regarde...

12

Chloé resta sans voix. Chance avait mille fois raison. Le spectacle qui s'offrait à leurs yeux était tout simplement sublime.

Bien sûr, elle avait déjà contemplé des couchers de soleil, mais aucun, jamais, ne lui avait offert pareille splendeur.

Debout près de Chance, au bord du lac, elle leva les yeux vers le ciel. Une multitude de couleurs éclataient au-dessus de sa tête, exactement comme si le soleil voulait donner le maximum de sa splendeur avant de se cacher dans le crépuscule et de sombrer dans la noirceur de la nuit.

— Je ne me fatigue jamais de ce spectacle, déclara Chance. Grâce à lui, je prends conscience de la beauté de la nature. Et cela m'aide à croire que, même lorsque la vie paraît désespérante, tout finira par s'arranger.

— C'est vrai que c'est magnifique..., murmura-t-elle.

Était-ce la magie du coucher de soleil ou le fait qu'elle se tenait tout près de Chance ? Elle n'aurait su le dire. Toujours est-il qu'un sentiment de paix qu'elle n'avait plus éprouvé depuis fort longtemps l'envahit.

À moins que cela ait un rapport avec tout ce qui avait précédé ?

Elle ne chercha pas à analyser la raison de ce bien-être

plus longtemps, mais lorsqu'elle se tourna vers Chance, une attirance violente, irrésistible, la poussa vers lui.

Aussi, lorsqu'il se pencha vers elle et approcha ses lèvres des siennes, elle ne bougea pas. Elle retint sa respiration, souhaitant que ce moment dure toujours.

Et lorsqu'il commença à l'embrasser, son souhait ne fit que s'amplifier.

Au moment où leurs lèvres se rencontrèrent, elle sentit quelque chose exploser en elle, qui libéra soudain une réserve de joie qu'elle avait enfouie et oubliée, et qui se révélait à elle avec une griserie inconnue. Un peu comme le plongeur à bout de souffle qui sort tout à coup la tête hors de l'eau et redécouvre avec volupté le bonheur de respirer.

C'était un peu ce qu'elle espérait depuis qu'elle avait rencontré Chance. Ce qu'elle attendait. Et pourtant, cette révélation la surprit.

Oui, elle était surprise que Chance l'embrasse. Mais ce qui la surprenait encore plus, c'était le fait de se sentir vivante. C'était la première fois que cela lui arrivait depuis qu'elle avait appris la mort de Donnie.

Lorsque Chance l'enlaça, elle passa ses bras autour de son cou et s'appuya contre lui tandis qu'il approfondissait son baiser. Le soleil lançait ses derniers feux sur la surface du lac mais dans son cœur, c'était comme s'il explosait, envoyant l'ardeur de ses rayons dans toutes les fibres de son corps.

Elle ressentait si fort ce rayonnement qu'il lui semblait que Chance allait l'apercevoir quand il ouvrirait les yeux.

Quant à Chance, il ne comprenait pas ce qui lui arrivait. Bien sûr, il venait de contempler un coucher de soleil magnifique en compagnie d'une femme séduisante, mais cela ne suffisait pas à justifier ce qu'il était en train de faire. Chloé et lui travaillaient ensemble. Il avait toujours été persuadé qu'il ne fallait pas mélanger le travail et le plaisir.

Depuis son retour de l'armée, il ne s'était jamais lié, persuadé que pour éviter ce genre de situation qui s'avérerait immanquablement inconfortable, le mieux était de ne jamais rester longtemps au même endroit. Au début, il avait pensé qu'il en serait de même à Peter's Place.

Cependant, la situation évoluait dans un sens qu'il n'avait pas prévu. Quelque chose dans ce ranch, dans le travail qu'il y effectuait le retenait. Un peu comme s'il y avait trouvé une place qui ne pouvait être occupée que par lui. Les objectifs de Peter's Place lui plaisaient. Ils avaient un sens. Tout cela lui donnait envie d'apporter sa contribution au projet de façon durable.

Plus encore, il souhaitait que sa participation apporte un plus significatif, quelque chose que lui seul était en mesure de donner.

Tout cela était autant de raisons pour ne pas se lancer dans une aventure avec une femme qui travaillait au ranch elle aussi. Hélas, ce n'était pas simple de respecter ce principe car Chloé avait touché en lui une corde sensible qui le bouleversait. Il voulait la protéger. Mieux encore, il voulait la faire rire, réussir à chasser cette tristesse discrète qui l'habitait même lorsqu'elle souriait.

Pour l'instant, c'était elle qui chassait sa mélancolie. Il y avait si longtemps qu'embrasser une femme ne lui avait donné l'impression que le monde basculait autour de lui ! C'est exactement ce qu'il était en train de ressentir.

À tel point qu'il oublia ce qui avait été sa règle de vie depuis son retour d'Afghanistan pour se laisser aller au bonheur de se sentir revivre. Il resserra son étreinte autour de Chloé, s'oublia dans le baiser qu'ils échangeaient. Comme c'était bon de plonger dans le parfum enivrant qui le troublait tant chaque fois qu'il s'était approché de Chloé !

Il sentait le désir monter en lui.

S'il avait eu affaire à une autre femme qu'elle, il se serait certainement laissé aller aussi loin que sa partenaire le lui aurait permis. Mais il sentait bien que Chloé n'était pas le genre de femme qui accepterait une aventure d'une nuit, même riche de promesses torrides. Non, elle faisait partie de ces jeunes femmes que l'on présentait à sa mère. Tout au moins, quand on en avait une…

Ce qui n'était pas son cas. Sa mère était morte six mois après qu'il avait terminé le lycée. Son père, lui, l'année précédente, dans un accident de chasse. Il s'était donc retrouvé seul dans la vie. Et jusqu'à présent, cela ne lui avait pas posé de problème.

Jusqu'à aujourd'hui.

Dès le début il avait deviné que Chloé était fragile et pouvait facilement être blessée. Il était certain qu'elle avait déjà été durement touchée. Par quel événement ? Par quelle personne ? Peut-être l'apprendrait-il un jour, mais il suffisait de la regarder pour apercevoir dans ses yeux le voile de tristesse qui ne s'effaçait jamais, même quand elle paraissait contente. Il ne voulait pas ajouter à sa souffrance ; c'était un fardeau qu'il ne voulait pas endosser.

Pourtant, il savait que s'il continuait à l'embrasser comme il était en train de le faire, il allait la désirer violemment, et que s'il insistait un peu il réussirait à la convaincre de faire l'amour avec lui.

Mais ce n'est pas de cette manière qu'il souhaitait que cela se passe. Ce ne serait pas honnête envers elle.

Aussi, bien que cela soit un réel sacrifice pour lui, il s'obligea à éloigner sa bouche de celle de Chloé.

Malgré son cœur affolé de désir, il fit un pas en arrière tout en continuant à la tenir par la taille. Comme pour se récompenser un instant du courage dont il était en train de faire preuve.

Chloé leva les yeux vers lui sans comprendre, et frissonna en reprenant son souffle. Pourquoi s'était-il arrêté ?

Chance était face à une lutte qu'il n'était pas habitué à livrer. D'habitude, quand il commençait à embrasser une femme et que cette dernière ne lui opposait pas de résistance, il allait jusqu'au bout. Cette fois, c'était différent. Il fallait arrêter, il le sentait.

— Je crois que nous ferions bien de rentrer avant que Graham n'envoie une équipe à notre recherche, dit-il d'une voix un peu rauque.

Le soleil avait presque disparu à l'horizon. Le crépuscule ne dispensait plus qu'une lumière incertaine, suffisante pourtant pour qu'il remarque la rougeur sur le visage de Chloé.

L'avait-il gênée en l'embrassant ? En arrêtant de l'embrasser ? Il n'aurait su le dire.

— Oui, je crois que c'est plus sage, murmura-t-elle. Nous ne voulons pas aller plus loin, de toute façon…

Il hocha la tête sans un mot.

Tandis qu'ils retournaient vers les chevaux qu'il avait attachés à un arbre, elle garda le visage baissé.

— Merci pour la leçon d'équitation, dit-elle sur un ton léger. Et merci aussi de m'avoir invitée à partager ce coucher de soleil avec toi.

Il se mit à rire doucement.

— En matière de coucher de soleil, je n'y suis pas pour grand-chose, fit-il remarquer. Il n'a pas besoin de moi pour exister. Quant à la leçon d'équitation, j'y ai réellement pris un grand plaisir. J'adore faire partager ma passion.

Cette fois encore, il l'aida à se mettre en selle avant d'enfourcher sa propre monture.

— Mais attention, tu n'es pas tirée d'affaire ! ajouta-t-il. J'ai encore pas mal de choses à t'apprendre.

Pendant le trajet qui les ramenait au ranch, Chloé se demanda si Chance parlait vraiment d'équitation ou s'il avait autre chose en tête… Avant de se reprocher d'imaginer des choses qui ne l'avaient sans doute même pas effleuré. Quoi qu'il en soit, c'était vrai : dans quelque domaine que ce soit, Chance avait beaucoup à lui apprendre.

Qu'est-ce qui te prend, Chloé ? se demanda-t-elle tout en chevauchant à côté de Chance. *Un baiser, un seul, et tu es déjà prête à oublier Donnie ? À oublier tout ce que tu as vécu avec lui ?*

Une pointe de culpabilité lui serra le cœur. Elle avait perdu la tête pour un simple baiser. Comme une gamine de quinze ans. Elle devrait avoir honte !

Sans compter que ce baiser ne signifiait sans doute rien pour Chance. Il avait profité de l'occasion qui se présentait, tout simplement. Le cadre s'y prêtait, elle s'était abandonnée, pourquoi se serait-il refusé ce plaisir ?

Elle lui jeta un regard en coin. Il était beau. Plus que beau, pour tout dire. Il était l'incarnation parfaite du cow-boy tel que toutes les femmes le rêvent. Il devait avoir l'embarras du choix parmi toutes celles qui étaient prêtes à passer une nuit avec lui. Voilà pourquoi il ne recherchait pas une relation durable et encore moins un engagement à vie.

En admettant, ce qui était hautement improbable, qu'elle se laisse aller à s'intéresser à Chance, elle en souffrirait inévitablement. Ce qu'elle avait enduré avec la disparition de Donnie suffirait à lui faire mal toute sa vie, nul besoin d'ajouter à son malheur. Elle allait donc veiller à ne pas se laisser embarquer dans une histoire qui ne pouvait que la rendre encore plus triste, même si Chance souhaitait nouer une relation avec elle, ce dont elle doutait fort.

Plus elle y pensait, plus elle sentait qu'il n'était pas homme à chercher une histoire qui dure. Il était foncièrement un solitaire. D'ailleurs, il l'avait lui-même reconnu lors de leur première rencontre.

Donc, pour résumer la situation, ce qui venait de se passer était une aberration. Charmante, romantique, agréable, mais une aberration tout de même. Et il n'était pas question de continuer sur cette lancée.

Lorsqu'ils arrivèrent devant l'écurie, elle était épuisée et ne souhaitait qu'une chose : rentrer chez elle !

Chance pourtant ne l'entendait pas de cette oreille.

— La leçon n'est pas terminée !

— Pardon ?

Que lui réservait-il encore après cette longue séance qui lui avait brisé les reins et ce baiser qui lui avait presque brisé le cœur ?

— C'est moi qui ai sellé Mirabel pour toi tout à l'heure, mais il faut que tu t'occupes d'elle quand tu as fini de la monter, expliqua-t-il. Tu dois apprendre à desseller et à prendre soin de ta monture. C'est comme quand tu étais petite et que tu devais ranger tes jouets quand tu avais fini de t'amuser.

Il n'y avait qu'un détail de faux dans ce que Chance venait de dire…

— Je n'avais pas de jouets quand j'étais petite.

Cette découverte prit Chance au dépourvu. Pas possible ! Chloé avait donc été si pauvre ? Il réalisa alors qu'il savait très peu de choses au sujet de cette jeune femme qui l'attirait tant.

— C'est vrai ? Vraiment aucun ?

Il était d'autant plus surpris qu'il savait que Chloé était la demi-sœur de Graham et qu'il en avait déduit que, comme tous les enfants Fortune, elle avait été largement gâtée. Mais pourquoi lui aurait-elle menti ? Son enfance avait sans doute été bien différente de celle des enfants légitimes. Une nouvelle fois, son cœur, ce cœur qu'il croyait devenu incapable de compassion après toutes les horreurs qu'il avait vues sur les champs de bataille, se serra.

Chloé le regardait, un sourire triste sur les lèvres.

— En fait, j'en avais un, précisa-t-elle. Un ours en peluche que j'appelais Théodore. Je l'emmenais partout, il était mon compagnon de tous les instants.

Une lueur de tendresse traversa un instant son regard.

— Que lui est-il arrivé ? s'enquit-il.

Elle haussa les épaules, comme pour s'excuser.

— Je l'aimais tellement, tellement, qu'il a fini par tomber en morceaux !

Chance mit pied à terre et conduisit son cheval dans son box.

— Autrement dit, c'est dangereux d'être aimé par toi !

Bien sûr, Chance plaisantait, mais elle n'eut pas le cœur de rire.

En voyant qu'elle gardait son sérieux, il décida de passer à un autre sujet.

— Je vais te montrer comment t'y prendre mais la prochaine fois que tu monteras Mirabel ou un autre cheval plus vif, si tu préfères, tu te débrouilleras toute seule.

— Mirabel est bien assez vive pour moi ! s'exclama-t-elle. Je n'ai aucune envie de chercher des complications.

Elle regarda attentivement Chance faire glisser le mors entre les dents de Mirabel, et passer les rênes par-dessus son encolure.

— Je veux bien m'occuper moi-même de Mirabel la prochaine fois, mais je crains qu'elle soit moins docile avec moi, dit-elle.

— Cela se passera très bien et elle ne bronchera

pas, je te le promets. Il suffit de faire les choses dans l'ordre, ce n'est pas compliqué.

Puis il reprit le ton de l'enseignant pour poursuivre :

— Bien sûr, pense à défaire la sangle avant de vouloir enlever la selle.

— Défaire la sangle…, répéta-t-elle comme un perroquet. Bien sûr. C'est quoi, la sangle ? Et elle se trouve où ?

Chance éclata de rire.

— Regarde par ici.

Il souleva l'étrier et Chloé découvrit la boucle qui se trouvait en dessous. Ensuite, il lui détailla patiemment chacun des gestes qu'elle devait accomplir. Effectivement, rien ne paraissait très difficile à exécuter et Mirabel se laissait faire avec une placidité tout à fait rassurante.

Cela fait, elle se préparait à sortir de l'écurie lorsque Chance la retint d'un geste.

— Minute ! Ce n'est pas terminé.

— Tu plaisantes ?

À moins de lui retirer les fers que la jument avait sous les pieds, ils avaient tout enlevé !

— Tu as l'intention de la mettre en pyjama ?

— Non, mais il faut la brosser au cas où elle aurait transpiré et où la température baisserait pendant la nuit. Si on ne le fait pas, elle risque de prendre froid. Quoi que tu aies pu voir à la télévision ou au cinéma, les chevaux sont des animaux délicats. À cause de leur grande taille, on les imagine plus robustes qu'ils ne le sont en réalité. En résumé, prends soin de ton cheval et ton cheval prendra soin de toi.

Il laissa échapper un petit rire et ajouta :

— Je viens de te dire exactement ce que je dis aux garçons à chaque cours.

Il ne souhaitait pas jouer les « monsieur-je-sais-tout »

mais il avait réellement le souci du bien-être des chevaux. En particulier de ceux dont il s'occupait.

— J'ai profité de la leçon et j'ai appris beaucoup de choses, répondit Chloé, sur le ton de la bonne élève.

— Je t'en prie, ne te moque pas de moi !

— Loin de moi cette idée, je suis parfaitement sincère.

— Ah… Je préfère.

Il lui tendit une brosse aux poils durs.

— En avant !

— Mirabel ne va pas regimber ?

— Non, pas du tout, elle adore ça. Et ce contact permet de créer un lien entre vous deux.

Chloé saisit la brosse mais hésita à s'approcher de la jument.

— N'aie pas peur ! N'y va pas trop fort, c'est tout, comme pour un massage.

Voilà qui ne l'aidait pas beaucoup…

— Si seulement je savais ce que ça fait !

— Tu n'en as jamais reçu ?

— Non. Et toi ?

Il éclata de rire.

— Je ne suis pas du tout le genre de types à fréquenter les spa ! J'essayais juste de te faire comprendre l'idée.

— Eh bien, c'est raté, répliqua-t-elle en se mettant à l'œuvre. Ça va comme ça ?

— Pas trop mal.

Il posa sa main sur la sienne pour la guider.

— Continue de cette façon, lui conseilla-t-il en laissant leurs deux mains réunies glisser sur les flancs de la jument.

Techniquement, ils ne faisaient rien d'autre que brosser un cheval, mais ce geste effectué ensemble, au même rythme, parut à Chloé quelque chose de terriblement intime…

Elle sentait son cœur s'accélérer, exactement comme lorsque Chance l'avait embrassée près du lac.

Il fallait à tout prix qu'elle garde le contrôle d'elle-même mieux que tout à l'heure. Le meilleur moyen pour cela était de mettre de la distance entre eux deux.

Elle écarta la main de Chance.

— Je peux faire ça toute seule maintenant.

— Parfait, continue.

Peut-être était-ce plus raisonnable, en effet, songea Chance en allant s'occuper de son propre cheval. Cette proximité commençait à le troubler plus que de raison.

Et il s'efforça de penser à autre chose qu'à Chloé.

Ou tout au moins, essaya…

- 13 -

Au fur et à mesure que les jours s'écoulaient, Chloé avait l'impression que sa vie s'organisait tout doucement et sans heurts.

Son travail auprès des quatre garçons progressait régulièrement, à un rythme différent pour chacun, ce qui était tout à fait normal. Au départ, elle avait eu l'impression qu'ils la considéraient avec une certaine méfiance et restaient sur la défensive, mais cela avait changé au cours des séances.

Les progrès avaient été plus rapides avec Jonah et Ryan. Les entretiens qu'ils avaient eus auparavant avec Sasha leur avaient permis d'évoluer, et ils avaient été assez rapidement en confiance avec leur nouvelle psychologue. Ils n'hésitaient plus, maintenant, à lui parler de ce qui les perturbait ni à évoquer les points sur lesquels ils s'efforçaient de progresser.

Le travail avec Brandon et Will, en revanche, lui paraissait plus ardu. Brandon continuait à refuser toute relation avec elle de peur de la perdre comme il avait perdu son frère. Quant à Will, tout en souffrant de l'absence de sa mère, il continuait à ne faire confiance à aucune des femmes qu'il côtoyait. Ce qui, étant donné ce que sa mère lui avait fait subir, se comprenait parfaitement.

De ce fait, leurs progrès étaient plus lents, mais elle notait tout de même une évolution certaine dans leur relation, ce qui lui paraissait extrêmement gratifiant. Il lui semblait qu'elle changeait réellement quelque chose dans leur vie, et en retour, eux aussi changeaient beaucoup de choses dans la sienne. En particulier, ils apportaient à son existence un sens qu'elle n'avait pas auparavant. Désormais, elle avait un but.

À cela s'ajoutaient les leçons d'équitation qu'elle continuait à prendre avec Chance. Jamais, au grand jamais, elle n'aurait imaginé tirer une quelconque fierté de ses progrès dans ce domaine, mais le fait est… qu'elle était très fière d'elle !

Chance se révélait être un professeur hors pair, ce qui ne cessait de la surprendre. Au début de leur collaboration, elle l'avait catalogué comme le type même du solitaire ne s'intéressant à personne. Or il se révélait extrêmement attentif à ses craintes, à ses réactions, et en tirait chaque fois le meilleur parti pédagogique avec une patience jamais prise en défaut.

Il faisait preuve du même calme avec les adolescents, comme elle le remarquait chaque fois qu'elle allait les regarder travailler. Il lui apparaissait de plus en plus évident que tous les quatre considéraient Chance comme le père qui leur avait fait défaut dans leur enfance.

En définitive, pensa-t-elle en rangeant les notes qu'elle avait prises tout au long de la journée, Chance représentait pour ces ados à la dérive l'autorité bienveillante qui leur permettrait d'évoluer dans le bon sens.

Elle soupira en refermant son classeur.

Et pour elle, que représentait-il ? Quels sentiments éprouvait-elle réellement pour lui ? Elle avait beau y réfléchir, elle n'en savait toujours rien. Il lui semblait qu'elle tournait en rond et que plus elle réfléchissait, moins elle savait ce qui se passait en elle.

Comment aurait-elle pu s'empêcher d'analyser, de comparer, de se souvenir ? Elle se rappelait si clairement comment elle était tombée amoureuse de Donnie et comment leur histoire s'était terminée, la laissant brisée et désespérée…

— Ça suffit ! Profite de ce qui t'est offert en ce moment. Pour une fois dans ta vie, laisse-toi porter au lieu de porter les autres…

Oui, c'était là une preuve de sagesse, mais la mise en œuvre était difficile.

Avec un nouveau soupir, elle ouvrit un autre classeur.

Il avait fallu beaucoup de temps à Chance pour prendre conscience du changement qui s'était opéré dans sa vie à son insu. Pour la première fois depuis qu'il avait quitté l'armée, il avait l'impression que sa vie avait un sens, un sens qui lui avait complètement échappé pendant qu'il servait son pays et encore davantage après son retour.

C'était sans doute la raison pour laquelle il était passé de ranch en ranch, jamais satisfait de ce qu'il faisait, même lorsque tout allait bien apparemment. Il avait mis ce comportement sur le compte de son goût pour le nomadisme, mais il comprenait maintenant qu'en réalité, il cherchait un sens à sa vie. Depuis qu'il travaillait à Peter's Place, avec ces chevaux récupérés chez les uns ou les autres quand ce n'était pas à l'abattoir et ces enfants mal en point, son existence avait un but.

Et cela le rendait heureux. Ces gosses difficiles, prédélinquants, rebelles avaient fait beaucoup de chemin en peu de temps. Bien sûr, c'était grâce aux entretiens qu'ils avaient régulièrement avec Chloé, mais c'était aussi grâce à lui. C'était cette évolution qui lui donnait envie de se lever le matin.

Quelques semaines plus tôt, il n'aurait jamais imaginé pouvoir à nouveau ressentir cela. Il avait cru que chaque fois qu'il rouvrirait les yeux, ce serait avec l'épuisement d'avoir lutté toute la nuit contre les forces obscures qui cherchaient à le détruire. Jusqu'à ces derniers temps, il avait le sentiment d'avoir perdu son âme. Oui, il était persuadé que c'était là son destin et qu'il devrait le subir jusqu'à la fin de ses jours.

Désormais, il savait que ce n'était pas vrai, qu'il pouvait en être autrement. Que, déjà, il en était autrement.

Alors, si le fait de travailler avec des gamins et des chevaux qui avaient été rejetés de la société avec l'étiquette « inaptes », voire « dangereux », avait redonné un sens à sa vie, pourquoi n'en serait-il pas de même pour d'autres militaires qui s'efforçaient sans succès de retrouver une place dans la société ?

Cette idée lui parut intéressante.

À l'occasion, il faudra qu'il en parle à Graham pour avoir son opinion.

D'ailleurs, pourquoi attendre ?

Quelques minutes plus tard, il frappait à la porte du bureau de Graham.

— Entrez !

— Vous auriez un moment ? demanda-t-il depuis le pas de la porte.

Graham lui fit signe de s'avancer.

— Bien sûr, entrez donc.

Il se détourna de l'ordinateur sur lequel il était en train de travailler.

— Vous avez un souci ? Un problème avec l'un des garçons ?

— Non, tout va bien de ce côté-là. Très bien, même.

Cela dit, il chercha les mots qu'il avait répétés en venant mais ils lui avaient échappé. Tant pis ! Il allait improviser.

— En fait, c'est même parce que tout va bien que je viens vous trouver.

— Asseyez-vous, proposa Graham.

Chance obéit mais demeura raide comme un piquet sur sa chaise. Il n'avait pas la parole facile, et les seules conversations qu'il avait eues avec son patron avaient eu lieu à l'écurie, le domaine où il se sentait le plus à l'aise. En ce moment, assis dans ce bureau, il avait bien du mal à exprimer ce qui s'était imposé tout à l'heure à son esprit avec tant de clarté.

Graham attendait, le fixant non sans une certaine inquiétude.

— Vous ne venez pas m'annoncer que vous quittez Peter's Place ?

Chance secoua la tête.

— Oh non ! Je n'en ai pas la moindre envie. À moins bien sûr que vous ne soyez pas satisfait de mon travail…, ajouta-t-il, soudain inquiet.

— Je ne sais pas ce que le ranch deviendrait sans vous car je suis plus que satisfait de votre participation. Dites-moi ce qui vous amène ici.

Chance toussota, cherchant ses mots. Pour justifier sa proposition, il allait être obligé de faire ce qu'il détestait entre tout, c'est-à-dire parler de lui-même. Mais il n'avait pas le choix. Le meilleur moyen de convaincre Graham était de lui donner un exemple vécu, et bien entendu, le meilleur exemple était le sien.

— Voici le but de ma visite. Quand j'ai quitté l'armée, j'étais complètement démoralisé par les horreurs auxquelles j'avais assisté. En fait, j'ai même connu une assez longue phase de dépression. Quand on a vu tant de vies fauchées en un clin d'œil, il est difficile ensuite de s'intéresser à quoi que ce soit. Plus rien ne me paraissait avoir d'importance. Il me semblait que je n'avais plus ma place dans le monde où je venais de revenir.

Tout en parlant, il avait planté son regard dans celui de Graham, comme pour mieux lui faire comprendre l'intensité du désarroi qu'il avait connu.

— Je ne me sentais bien nulle part.

— Continuez, l'encouragea Graham. Je vous écoute avec attention.

— Mais quand je suis arrivé ici et que j'ai commencé à travailler avec ces quatre gosses en difficulté que vous accueillez en ce moment, avec ces chevaux dont plus personne ne voulait, tout a commencé à se mettre en place. Tout a commencé à prendre du sens.

Peu à peu, sa voix se faisait plus chaude, plus convaincante.

— Beaucoup de mes compagnons qui sont revenus au pays ont laissé une partie d'eux-mêmes sur les lieux où ils ont combattu. Parfois un morceau de leur corps, souvent une partie de leur âme. Et leur cœur est revenu blessé au point de les empêcher de reprendre une vie normale.

— Je comprends…

Chance prit une profonde inspiration et poursuivit :

— Alors, j'ai eu une idée…

— Laquelle ?

— Eh bien, il me semble que si j'éprouve ce que je viens de vous décrire grâce au travail que je fais ici, il n'y a pas de raison pour que cela ne marche pas également avec d'autres militaires.

Graham le fixa avec une attention nouvelle.

— Allez jusqu'au bout de votre idée, Chance.

— Qu'est-ce que vous penseriez d'ouvrir un nouveau Peter's Place pour vétérans ?

Puis, soucieux de ne pas exercer de pression sur l'homme qui lui avait donné une seconde chance dans la vie, il ajouta :

— L'idée vous paraît bizarre sans doute ?

— Pas du tout.

— Vraiment ?

— Absolument. Et d'autant plus que j'ai toujours

pensé que le travail que nous faisons ici pourrait s'ouvrir à d'autres buts que celui de la réinsertion des adolescents en difficulté. Accordez-moi un peu de temps pour voir si je peux trouver des fonds pour créer un nouvel établissement ou si nous envisageons de construire ici même, ce qui réunirait les vétérans et les adolescents.

Chance n'aurait jamais espéré recevoir une réponse aussi encourageante. Bien sûr, il s'attendait à ce que Graham l'écoute avec bienveillance, mais certainement pas à ce qu'il accepte si vite d'envisager de donner une suite rapide à sa proposition. Il était enchanté.

Graham, lui, paraissait tout à fait enthousiaste.

— La Fortune Foundation nous a déjà accordé des subventions pour agrandir Peter's Place, expliqua-t-il. C'est pour cela que nous avons fait appel à vous et à Chloé pour renforcer l'équipe de base. Je pense que le moment est idéal pour demander des crédits supplémentaires puisque les donateurs approuvent notre phase d'expansion.

Il se carra dans son fauteuil et considéra Chance avec bienveillance.

— Vous avez d'autres suggestions ?

— Non. C'est tout pour l'instant.

— En tout cas, si jamais d'autres idées vous viennent, n'hésitez pas à m'en faire part, je serai très heureux de vous écouter.

Chance lui répondit par un large sourire, enchanté d'avoir reçu pareil accueil. Quantité de ses anciens patrons l'avaient considéré comme un simple cow-boy dépourvu de matière grise, un « Monsieur Muscle à cheval », et chacune des suggestions qu'il avait faites pour améliorer la gestion du ranch dans lequel il travaillait avait été rejetée avec hauteur. C'était vraiment agréable de travailler avec quelqu'un qui le considérait comme une personne à part entière !

— Je n'y manquerai pas, Graham. Merci beaucoup pour votre proposition.

Sur ce, il sortit, enchanté de cette entrevue et plein d'optimisme pour la suite.

Chloé s'était rendue à l'écurie pour sa leçon d'équitation et avait commencé à seller son cheval. Comme Chance, qui était toujours là avant elle, n'était pas là, elle s'était demandé s'il ne s'était pas lassé de lui donner des leçons. Après tout, cela lui prenait toute sa fin d'après-midi alors qu'il avait sans doute bien d'autres choses à faire.

Pour elle au contraire, ces cours étaient devenus le meilleur moment de sa journée. Elle les attendait avec une impatience de plus en plus grande, mais bien sûr, elle imaginait sans difficulté qu'il puisse en être autrement pour Chance.

Elle s'était inquiétée pour rien puisqu'il arrivait, le sourire aux lèvres.

— Tu as l'air drôlement content ! lui fit-elle remarquer.

— Je suis *très* content, en effet !

À la suite de la réponse de Graham, il avait senti une énergie toute nouvelle prendre possession de lui. Malgré sa taille et son poids, il était si heureux qu'il avait l'impression de se déplacer sur un nuage ! Tant et si bien qu'il oublia complètement de respecter le code de bonne conduite qu'il avait institué dans ses relations avec Chloé et qu'il respectait à la lettre depuis leur baiser au bord du lac. Au lieu de se tenir à distance respectueuse comme il le faisait désormais, il l'embrassa avant d'avoir réalisé ce qu'il était en train de faire.

Son baiser était plein d'enthousiasme et de joie de vivre, mais pas seulement. Il ressentait en même temps l'impression extraordinaire que quelque chose était en train de cicatriser au fond de lui. Une blessure ancienne et profonde dont il pensait qu'elle ne se refermerait jamais.

Tout à coup, il prit conscience de ce qu'il était en train de faire. Encore une fois, il s'était laissé emporter…

Il faut dire qu'avec Chloé, c'était facile, de perdre la tête !

Il la relâcha mais ne recula pas tout de suite. Au contraire, il plongea son regard dans le sien afin de découvrir s'il allait y lire un reproche ou si, ce qu'il espérait contre tout espoir, il allait y trouver un consentement…

Sous le baiser inattendu de Chance, Chloé avait été emportée dans un vertige délicieux. Comme la première fois, elle était bouleversée autant qu'une adolescente qui vient de recevoir son premier baiser.

Il lui fallut un moment pour recouvrer ses esprits et se sentir capable de demander :

— Tu peux me dire ce qui te rend si heureux ?

— Bien sûr ! Je viens de parler à Graham de la possibilité de fonder un centre dans le style de Peter's Place pour aider les vétérans à retrouver leur place dans la société après les traumatismes de la guerre.

Chloé approuva d'un signe de tête. Elle trouvait l'idée excellente.

— Qu'est-ce qu'il t'a répondu ?

— Qu'il allait y réfléchir. Mais il m'a paru enthousiaste. Il doit voir avec la Fortune Foundation.

Graham allait certainement y donner suite, songea Chloé. Ce qui, en toute logique, aurait dû la réjouir.

Au contraire, elle se sentit déchirée entre deux sentiments.

Elle était heureuse pour Chance et malheureuse pour elle. Si cette suggestion trouvait un écho auprès des donateurs, si Graham montait effectivement un établissement pour vétérans, elle perdrait Chance. Il partirait, elle en était sûre.

Elle se reprocha son égoïsme, bien sûr, mais les émotions ne se commandaient pas…

— Est-ce que tu partiras ? ne put-elle s'empêcher de demander.

Chance ne s'était pas posé la question mais la réponse jaillit.

— Non. Je ne veux pas quitter Peter's Place.

— Mais… Si tu t'occupes de ce nouveau centre, tu n'y seras pas obligé ?

Il ne voulait pas penser à tout cela pour l'instant. Pour cela, il devait faire taire Chloé. Comment y réussir ?

En l'embrassant, tout simplement.

14

C'est alors que Chloé comprit que l'explosion de sensations qu'elle avait éprouvée lors du baiser près du lac n'était pas un accident lié au romantisme du lieu ou à la fatigue qui aurait émoussé ses défenses. Non, pas du tout, car cette fois, ce fut carrément un feu d'artifice qui éclata dans sa tête et dans son corps. C'était encore plus violent et délicieux que la première fois.

Mille fois plus violent et délicieux…

C'était presque trop. Réellement trop. Une vague de panique la submergea. Jusqu'où irait-elle s'ils continuaient ?

Cette fois, ce fut elle qui mit fin au baiser et s'écarta d'un pas.

Comme Chance la regardait sans comprendre, elle se raccrocha à la première excuse qui lui passa par la tête.

— Quelqu'un pourrait nous voir…

Chance laissa échapper un soupir. Elle avait raison. Quel démon s'était emparé de lui pour qu'il se comporte de telle manière sur son lieu de travail ? Ils étaient l'un et l'autre comme des modèles à suivre pour les gamins déboussolés dont ils s'occupaient. Si l'un d'entre eux les découvrait en train de s'embrasser comme deux adolescents incapables de maîtriser leur poussée d'hormones…

— Oui, tu as raison, murmura-t-il en s'efforçant de

reprendre le contrôle de lui-même. Je ne sais pas à quoi je pensais. Excuse-moi.

En fait, il savait parfaitement à quoi il pensait ! Avoir Chloé dans son lit et lui faire l'amour des heures durant. Le pire, c'est qu'il y pensait encore…

Mais il était hors de question de lui imposer son propre désir. Si, pour une raison ou pour une autre, elle n'éprouvait pas la même envie que lui, il en resterait là, voilà tout.

Et leur histoire s'arrêterait avant d'avoir commencé.

Pourtant… Il repensait à leur moment près du lac, et au baiser qu'ils venaient de partager à l'instant. Il avait la certitude que son imagination ne lui jouait pas des tours, Chloé lui avait bel et bien rendu son baiser, et avec une passion qu'il n'inventait pas.

Peut-être lui suffirait-il de se montrer patient ?

— Tu es sans doute en train de penser que ce que nous venons de faire prouve tout simplement que nous sommes humains, et je suis bien d'accord, dit Chloé. Mais ici, dans l'intérêt des garçons, nous devons être plus que cela. Tu es à leurs yeux une figure paternelle qu'ils doivent continuer à admirer pour avoir envie de la reproduire.

Comme les deux chevaux étaient sellés, Chloé se mit en selle sur Mirabel et fit marcher la jument en direction de la porte de l'écurie.

— Je crois que tu vas un peu loin dans l'analyse de ma relation avec les gamins, déclara Chance en sautant sur son étalon pour sortir à la suite de Chloé.

— Eh bien, tu as tort, répliqua-t-elle, très sérieuse.

Elle savait mieux que personne combien il est douloureux de grandir sans père, elle savait reconnaître les symptômes de ce manque chez ces quatre gosses qui se raccrochaient à Chance comme à une bouée qui les aiderait à sortir de leur malaise.

— Je sais de quoi je parle, Chance, et je trouve que c'est une bonne chose qu'il en soit ainsi. Tu ne peux pas imaginer à quel point c'est abominable pour un enfant de ne pas avoir de modèle paternel dans sa vie.

Chance resta silencieux un moment. Chloé n'avait pas dit cela gratuitement, pour parler. Sa voix changeait quand elle évoquait un sujet qui la touchait particulièrement. Il n'était pas au courant de sa vie. Il ne savait rien de ce qu'avait été sa relation avec les Fortune. Bien sûr, cela ne le regardait pas mais il sentait qu'elle avait envie de lui en parler.

— Tu as connu ton père longtemps ? demanda-t-il.

Elle se mit à rire, mais ce rire résonna comme une souffrance aux oreilles de Chance qui devina qu'elle n'avait pas eu une enfance heureuse.

— Il est parti avant ma naissance.

— Oh… Je suis désolé.

C'était la phrase classique que l'on utilisait quand on apprenait ce genre de nouvelle. Il était gêné de sa platitude mais rien de mieux ne lui était venu à l'esprit.

Il savait que le père de Chloé était toujours en vie, ce qui était encore pire que s'il était mort, en quelque sorte.

Malgré la formule toute faite, Chloé sentit que Chance avait parlé avec sincérité. Elle lui en fut reconnaissante mais ne se lança pas dans d'autres détails. L'histoire de son enfance était trop lamentable pour qu'elle ait envie de l'évoquer. En ce moment, elle s'efforçait de redémarrer dans la vie en aidant des adolescents à se reconstruire. Et eux, en retour et sans le savoir, l'aidaient à se reconstruire. Jusqu'à maintenant, elle avait réussi à se concentrer sur le présent pour éviter de se perdre dans les méandres affligeants du passé.

— Il a plus perdu que moi dans l'histoire ! lança-t-elle soudain. Quand il a appris que ma mère était enceinte, il est parti sans laisser d'adresse et elle n'a plus jamais entendu parler de lui.

Visiblement, Chance cherchait quelque chose d'approprié à lui dire mais il ne trouva rien. De toute façon, est-ce que des mots existaient pour commenter cette situation ? Certainement pas.

— Peu importe, poursuivit-elle. J'ai surmonté cela, maintenant, même si pendant longtemps j'ai espéré qu'il réapparaîtrait dans ma vie à un moment ou à un autre. Un peu comme dans ces films où tout se termine bien. Malheureusement, ça ne se passe pas comme ça dans la réalité !

Elle soupira et haussa les épaules avant d'avouer :

— Il m'a beaucoup manqué. Tout au moins, jusqu'à mes douze ans.

— Qu'est-ce qui s'est passé à ce moment-là ?

Aussitôt sa question posée, Chance la regretta. N'était-il pas en train de se montrer intrusif ? Chloé allait peut-être se sentir obligée de lui raconter un événement traumatisant qu'il vaudrait mieux ne pas évoquer. Il ne se sentait pas de taille à lui offrir le réconfort dont elle aurait besoin si cette situation se produisait.

— J'ai décidé qu'il perdait plus que moi dans cette histoire, voilà tout ! répondit-elle d'un ton léger.

Chance se mit à rire, ce qui ne l'empêchait pas d'être plein d'admiration pour la Chloé de douze ans. Déjà à cet âge, elle faisait preuve d'une grande force de caractère.

— Finalement, tu es bien plus bagarreuse que je n'aurais cru !

— C'est comme ça que l'on devient quand on n'a qu'un seul parent et que l'on est obligée de s'élever en partie toute seule.

Elle laissa passer quelques secondes avant d'ajouter :

— Ne crois pas pour autant que j'ai eu le même genre d'enfance que Will. J'adorais ma mère ! Jusqu'à sa mort, elle est restée ma meilleure amie. Elle a toujours fait son possible pour être à la fois ma mère *et* mon père. Mais, malgré son courage, je dois bien avouer que j'ai souvent regretté de ne pas avoir un père à la maison comme mes copines.

— Et maintenant ? Comment gères-tu tout ça ?

— Maintenant ? Qu'est-ce que tu veux dire ?

— Tu sais que tu fais partie de la famille Fortune désormais. Cela a dû changer bien des choses dans ta vie, non ?

— Oui. D'une certaine façon.

Chloé chercha les mots qui lui permettraient d'expliquer à Chance la confusion des sentiments dans laquelle elle se trouvait.

— Honnêtement, je ne peux pas dire que tout le monde m'a sauté au cou ! s'exclama-t-elle en riant.

— Graham t'a proposé de travailler à Peter's Place. Cela prouve qu'il t'a intégrée à la famille Fortune, non ?

— C'est vrai. C'est sûr que le lien de parenté qui nous unit n'est pas pour rien dans sa proposition. Mais certains membres que j'ai eu l'occasion de rencontrer lors de la soirée chez Kate Fortune il y a quelque temps n'ont pas hésité à me considérer comme une étrangère, voire carrément une intrigante ! Ils m'ont clairement montré qu'ils se méfiaient de moi.

— Tu en es sûre ? C'est peut-être seulement ton imagination qui te fait croire ça.

— Oh non ! J'ai réellement eu le sentiment qu'ils pensaient que j'attendais autre chose d'eux que la simple reconnaissance du lien de parenté qui nous unit. Une reconnaissance financière, si tu vois ce que je veux dire.

Sophie Fortune Robinson, par exemple, s'était montrée particulièrement désagréable et soupçonneuse à son égard. Et elle avait été tellement perturbée qu'elle n'avait pas encore réussi à surmonter l'humiliation qu'elle avait éprouvée lors de cette rencontre.

Tout à coup, elle eut l'impression qu'elle parlait trop. Ce n'était pas dans ses habitudes de se livrer aussi librement. Elle conclut en haussant les épaules pour bien montrer que cela ne l'affectait guère :

— Peu importe ! Je suis seule depuis si longtemps que j'en ai pris l'habitude. C'est agréable d'avoir une famille, c'est vrai, mais si pour une raison ou pour une autre cela changeait, je m'y ferais très bien.

Chance ne fit aucun commentaire. Il était loin d'accorder foi à ces paroles apparemment désinvoltes, démenties par son regard triste, blessé, las. Sans doute n'en était-elle même pas consciente, mais lui le percevait nettement.

En revanche, ce qu'il ne devinait pas, c'était la raison de cette tristesse. Il lui avait semblé comprendre qu'elle avait perdu un être cher car elle avait évoqué cette situation une fois devant lui, mais tant qu'elle n'éprouverait pas le besoin de lui en dire plus, il ne la questionnerait pas à ce sujet.

Ils venaient d'arriver au bord du lac, à l'endroit où ils s'étaient embrassés.

— Si nous faisions une halte ici ? proposa-t-il.

— Oui, pourquoi pas ?

L'endroit lui paraissait aussi agréable que la première fois. À vrai dire, il était même devenu son lieu préféré. Elle mit pied à terre avec une aisance récemment acquise, fruit de ses leçons assidues.

Chance en fit autant et détacha une couverture de sa selle.

— J'ai pensé que nous pourrions nous asseoir un moment ici pour admirer le coucher du soleil, expliqua-t-il en l'étalant sur le sol.

— J'ai eu la même idée !

Chance lui jeta un regard interrogatif.

— Regarde, j'ai préparé quelques sandwichs à cette intention, dit-elle en les sortant de sa sacoche avec deux bouteilles d'eau.

Ils s'assirent côte à côte sur la couverture, face au lac, pour contempler le coucher du soleil qui illuminait lentement le ciel.

— On a vraiment l'impression que le soleil se noie dans le lac ! fit-elle remarquer.

— C'est exactement ça, et chaque fois que je viens, c'est encore plus beau…, murmura-t-il en se tournant vers elle.

Elle se dit que son imagination était trop fertile, qu'elle imaginait des choses auxquelles Chance ne pensait certainement pas, mais il lui sembla qu'il n'évoquait pas seulement le coucher de soleil en parlant de cette manière…

À cette idée, elle sentit son sang s'échauffer dans ses veines.

— Tu trouves ?

Chance chercha ses mots pour répondre et décida d'utiliser un autre langage qui exprimerait bien mieux ce qu'il ressentait.

À l'instant où il embrassa Chloé, il retrouva aussitôt l'ivresse qu'il avait découverte lors de leur premier baiser, la saveur de sa bouche, la douceur de son souffle… Et il se perdit avec délices dans ce que Chloé avait de plus intime et de plus délicieux…

Le soleil continuait à descendre, jusqu'au moment où il leur donna l'impression de s'attarder un peu pour leur faire profiter encore un instant de toute sa gloire. Puis il disparut dans l'eau.

En dépit du superbe spectacle que lui offrait la nature, Chance n'avait d'yeux que pour la femme qu'il tenait dans ses bras. Ses lèvres délicieusement douces, son corps pressé contre le sien lui paraissaient une invitation.

Comme il la désirait !

Leurs baisers se firent plus longs, plus langoureux. Plus profonds.

Et à chaque instant, son désir augmentait.

Son corps lui commandait d'aller plus vite, de profiter de l'occasion qui lui était offerte. Pourtant, il réussit à s'imposer d'aller lentement, de ne pas juste profiter de Chloé mais de laisser à celle-ci le temps de réaliser ce qui leur arrivait, et la possibilité de dire non à tout moment si elle en avait envie.

Malgré tout, il espérait vivement que cela ne lui viendrait pas à l'esprit !

Plus il la caressait, plus il se familiarisait avec les courbes de son corps, douces et affolantes, plus il avait envie d'elle.

Son cœur battait à coups redoublés lorsqu'il l'allongea sur la couverture. Lentement, il commença à explorer chaque centimètre de sa peau. Chaque découverte lui procurait un plaisir nouveau, encore accru quand il comprit que Chloé le partageait avec lui.

Oui, Chloé adorait les caresses sensuelles de Chance, et pourtant elle essayait de résister à ce qu'elles lui promettaient. Non parce qu'elle ne souhaitait pas faire l'amour avec Chance, mais au contraire, parce qu'elle le désirait de tout son cœur.

Et le sentiment de culpabilité qu'elle ressentait mena-çait de mettre fin au moment délicieux qu'elle était en train de vivre. Autrefois, elle s'était donnée à un homme, et cet homme n'était plus là aujourd'hui pour lui dire qu'elle lui appartenait…

Malgré tout, la chaleur qui inondait son corps lui paraissait exquise. Comme ce sentiment de plénitude lui avait manqué ! Pour la première fois depuis deux longues années, elle se sentait vivre. Oui, elle était vivante ! Elle l'avait oublié.

Faire l'amour lui avait manqué. Ô combien !

Plus les caresses de Chance se faisaient hardies, plus son sang battait dans ses veines. Plus le vertige sensuel qui s'était emparé d'elle devenait irrésistible…

Elle ne put dire à quel moment elle retira ses vêtements, et encore moins quand Chance fit de même avec les siens. Et pourtant, cela avait bien dû se produire puisqu'ils se retrouvèrent tous les deux nus sur la couverture, leurs jambes emmêlées, leurs corps enlacés sous la clarté de la lune, assoiffés l'un de l'autre, incapables de se rassasier de la volupté qu'ils s'offraient sans compter.

Elle se mordit les lèvres pour retenir un cri de plaisir lorsque la bouche sensuelle de Chance courut sur sa peau, s'appropriant chaque parcelle qu'il embrassait, y laissant un sillon brûlant.

Toutes ses sensations qu'elle redécouvrait vrillaient son corps jusqu'au plus secret de son ventre comme une spirale de plaisir qui semblait ne jamais devoir se terminer. Elle avait du mal à reprendre sa respiration. Ses idées s'échappaient dans mille directions différentes, ce qui était parfait. Elle ne voulait pas réfléchir parce que chaque fois qu'elle réfléchissait, elle se faisait des reproches. Penser lui amenait toujours un sentiment de culpabilité. Elle préférait se contenter de jouir de ses sensations. Là, elle se sentait libre, elle pouvait s'envoler plus haut que les nuages ! Elle était libre et légère comme un oiseau !

Au bout d'un moment, elle se mit à califourchon sur Chance. Elle voulait lui rendre un peu du plaisir intense qu'il lui procurait. Elle n'avait connu qu'un homme dans sa vie alors que Chance avait eu certainement de nombreuses partenaires mais elle fit de son mieux pour lui prouver sa gratitude pour le cadeau merveilleux qu'il était en train de lui faire.

Après un moment d'échange qui les laissa tous deux au bord du plaisir extrême, Chance la fit passer à nouveau sous lui et positionna son grand corps sur le sien. Lorsque leurs regards se rencontrèrent, ils éprouvèrent l'un et l'autre un moment de communion parfaite sans que le moindre mot soit échangé.

Chance l'embrassa. Et l'embrassa encore…

L'excitation qu'elle ressentait au creux de son corps grandissait de seconde en seconde…

Elle l'attendait.

Lorsque le genou de Chance lui écarta les jambes, elle était prête à l'accueillir. Et lorsqu'il la pénétra, ils ne formèrent plus qu'un.

Le corps de Chance se mit à bouger au-dessus du sien, avec ce rythme voluptueux qu'elle attendait. Elle s'accorda à son mouvement qui peu à peu se fit plus rapide, plus fort, plus ample, comme si chacun préparait le suivant, et brusquement ils atteignirent leur but, cette explosion de volupté qu'ils attendaient l'un et l'autre.

Il leur sembla que leur extase durait des siècles tant elle fut intense. Quand ils la sentirent arriver, ils s'accrochèrent l'un à l'autre avec autant de violence que si la fin du monde était en train de se produire.

Chloé frissonnait de tout son corps. Les fusées d'artifice décroissaient lentement pour laisser place à une béatitude heureuse. Elle resta allongée au creux du bras de Chance, émerveillée et stupéfaite.

Trop fatiguée pour se demander pourquoi cela s'était produit maintenant, elle se laissa porter par les bruits de la nature environnante, le chant des grillons, le froissement des feuilles des arbres sous la brise, le clapotis de l'eau toute proche. Comme tout cela était apaisant…

Elle se laissa plonger dans une détente bienheureuse. Même si ce n'était que pour quelques instants.

15

Une main posée sur son épaule secouait doucement
Chloé. Surprise, elle ouvrit les yeux. Elle ne s'était pas
rendu compte qu'elle s'était endormie.

— Ça va, Chloé ? murmura Chance.

Elle le regarda, surprise d'abord, puis gênée. Mon
Dieu, c'est vrai… Ils avaient fait l'amour, et ensuite…
Elle s'était endormie ! Comme le dernier des goujats !
Qu'avait-il dû penser d'elle ?

— Je… Oui, bien sûr.

Le sourire soulagé qui fleurit sur les lèvres de Chance
ne fut pas sans la surprendre.

— Tu t'inquiétais ? s'enquit-elle.

— Oui. Je me demandais si tu n'étais pas en train
de faire semblant de dormir.

— *Semblant ?* Mais pourquoi donc ?

— Parce que…

Chance n'aimait pas parler, surtout de choses intimes.
Il préférait agir. D'ailleurs, ce soir, il l'avait prouvé ! Mais
il savait que les hommes et les femmes ne réagissaient
pas de la même manière aux mêmes événements.

— Tu ne regrettes pas ? demanda-t-il.

— Regretter quoi ?

— Eh bien…

— Que nous ayons fait l'amour ?

— Oui.

Chloé s'efforçait de rassembler ses idées. Elle avait bien du mal à exprimer ce qu'elle ressentait. Pourtant, Chance attendait sa réponse.

— Écoute… Ce n'est pas quelque chose que j'avais prévu, dit-elle enfin. Et encore moins en pleine nature comme cela vient de nous arriver, mais non, franchement, je ne regrette rien.

— Tant mieux. Je ne voudrais surtout pas te causer de tracas. Et surtout pas dans ce domaine.

Lui causer du tracas ? Elle sourit. Ces mots maladroits lui allèrent droit au cœur.

— Tu es gentil de t'inquiéter pour moi.

— Gentil ? répéta Chance, tout étonné. Personne ne m'a jamais dit que j'étais gentil !

— Parce que personne n'a jamais pris la peine de te connaître.

Cela dit, elle se demanda si ce n'était pas un peu présomptueux d'affirmer pareille chose. Elle ne le connaissait pas non plus depuis des années !

— Évidemment, je ne prétends pas bien te connaître ! précisa-t-elle vivement. Je veux juste dire que… Enfin, dans la mesure où…

Elle s'embrouillait, ce qu'elle disait n'avait ni queue ni tête. Il allait la prendre pour une débile !

— Ne t'inquiète pas, j'ai très bien compris, murmura-t-il avec un sourire en coin.

Et il recommença à l'embrasser.

Et à nouveau le vertige, à nouveau le sang brûlant qui tapait à ses tempes, à nouveau le trouble délicieux qui faisait disparaître le monde autour d'elle…

Il lui fallut un bon moment avant de trouver la force d'écarter sa bouche de celle de Chance.

— Désolée, Chance, mais si nous recommençons ce petit jeu, jamais nous ne rentrerons au ranch ! Graham est capable d'envoyer une équipe de secours à notre recherche. Tu imagines leur tête ?

— Oui ! Surtout si…

Ils éclatèrent de rire, puis ils se regardèrent et furent pris d'un long fou rire qui leur coupa le souffle.

Chance la dévorait des yeux. Comme elle était belle ainsi, nue au clair de lune, encore auréolée des mille et une caresses qu'ils s'étaient données. Et les yeux encore pleins du plaisir qu'elle avait éprouvé.

Alors qu'avoir fait l'amour aurait pu diminuer l'attirance qu'elle exerçait sur lui, c'était exactement le contraire qui se produisait : il la désirait encore plus.

Ce qu'il venait de découvrir entre ses bras ne faisait qu'accroître son envie de recommencer, car maintenant il savait le plaisir qu'il retrouverait.

Alors qu'elle commençait à se rhabiller, il posa ses lèvres sur son épaule nue. Cela suffit pour les faire palpiter l'un et l'autre.

— Tu es sûre que l'on n'a pas juste une petite minute pour…

Chloé ferma les yeux, refusa de réfléchir.

— Pourquoi pas ?

Elle se lova dans les bras de Chance, et tout recommença : les frissons de plaisir, la griserie des baisers, l'enivrement des caresses, jusqu'à ce que tout se termine en une explosion d'étoiles jusque-là inconnues.

Chloé avait craint que croiser Chance plusieurs fois par jour au cours de leurs activités au ranch soit embarrassant, sans parler des repas au cours desquels ils allaient se retrouver régulièrement. Ce fut exactement le contraire qui se produisit.

C'était agréable. Très agréable, même.

Ni l'un ni l'autre ne se laissait aller à un geste familier, ni même à une plaisanterie qui ne concernerait qu'eux deux. Mais pour chacun, le simple fait de se trouver en présence de l'autre était un immense bonheur.

Pour rien au monde, Chloé n'aurait renoncé à ce sentiment nouveau de sécurité et de plénitude.

Grâce à cela, elle se sentait beaucoup moins seule maintenant. Elle était toujours la demi-sœur de Graham et la fille de Gérald Robinson — si toutefois ce dernier point signifiait quelque chose —, mais aucun de ces deux liens de parenté ne lui donnait le sentiment de faire partie d'un groupe en dépit de l'accueil que lui avaient réservé Graham et Sasha quand elle était arrivée au ranch.

En revanche, quand elle était près de Chance ou même seulement quand elle l'apercevait pendant la journée, elle se sentait faire partie d'un tout, d'une bulle de sécurité et de plénitude qui la comblait émotionnellement.

Elle était assez sage pourtant pour savoir qu'elle se laissait emporter par un sentiment grisant certes, mais qui ne pouvait être que temporaire. Pour l'instant, elle refusait de se poser des questions, bien déterminée à profiter aussi pleinement que possible de ces petits moments merveilleux qui lui étaient accordés. Cela durerait le temps que cela durerait, peu importait, elle aurait au moins connu cette période de bonheur.

Chloé avait dû mal entendre.

— Un pique-nique en famille ? répéta-t-elle.

C'est ce que venait de lui proposer Graham.

Les journées s'écoulaient sans heurt, aussi bien pendant ses heures de travail que pendant ses moments de détente. Il lui fallait seulement reconnaître qu'elle ne s'était guère rapprochée de son demi-frère et de sa famille. En dépit de leur lien biologique, elle continuait à voir Graham plus comme son employeur que quelqu'un de sa famille.

Et voilà que tout à coup, alors qu'elle ne s'y attendait pas du tout, il la conviait au pique-nique familial qu'il était en train d'organiser pour le dimanche suivant.

Le souvenir mitigé qu'elle avait conservé de la précédente réunion familiale la laissait sur la réserve. À quoi bon imposer sa présence à des gens qui n'avaient pas envie de la fréquenter ?

— Tu es bien sûr que tu as envie que j'y participe ?

— Évidemment. Il s'agit d'un pique-nique *familial*. Autrement dit, *tous* les membres de la famille Fortune y sont conviés ainsi que tous les membres de ma famille de travail. Il se trouve que tu fais partie des deux, tu es donc doublement invitée ! Sasha et moi tenons beaucoup à ta présence.

Comme elle paraissait dubitative, il ajouta :

— Et en plus, tu es parfaite avec Sydney et Maddie.

— Vous avez besoin d'une baby-sitter ?

— Si nous voulons une baby-sitter, nous en prendrons une ! Et ce ne sera pas toi. Je voulais seulement te dire que Sydney et Maddie seraient enchantées que tu participes à cette journée, et je précise bien, *en tant qu'invitée*, non pas comme nounou.

Cette clarification effectuée, il ajouta :

— Chance sera des nôtres, lui aussi.

— Il a déjà donné sa réponse ?

— Il acceptera quand il saura que tu viens. Je précise que j'ai également invité les quatre garçons. Eux aussi font partie de notre famille de travail.

Comment refuser, dans ces conditions ? Elle ne pouvait faire moins que d'accepter.

— Je ne peux décemment pas dire non à mon patron, ni à mon demi-frère, n'est-ce pas ? déclara-t-elle en riant.

— Et si tu me traitais de « frère », plutôt que de

« demi-frère » ? Je n'aime pas ce mot qui me donne l'impression d'avoir été coupé en deux pour te laisser choisir le morceau que tu préfères. Ce n'est pas très flatteur non ? Qu'est-ce que tu en penses ?

Chloé lui adressa son plus beau sourire.

— Je pense que je ne devrais pas avoir beaucoup de mal à faire ce que tu demandes…

— Bien ! Donc, tu acceptes de participer au pique-nique ?

— Comment est-ce que je pourrais refuser une invitation de mon *frère* ?

— Parfait ! conclut Graham en riant. Maintenant que j'ai ta réponse, je vais vite passer un coup de fil aux autres pour les inviter.

— Tu veux dire que je suis la première personne que tu as invitée ?

— Pas tout à fait. J'ai d'abord invité Sasha, répondit-il, pince-sans-rire. Mais c'était plutôt pour choisir le jour que pour lui faire part d'une invitation en bonne et due forme. Par conséquent, oui, on peut dire que tu es la première invitée.

Comme elle ne disait rien, il lui jeta un regard étonné et un peu inquiet.

— Cela ne te fait pas plaisir ? demanda-t-il.

— C'est que… Je n'ai pas l'habitude que l'on commence par moi. Normalement, c'est toujours moi qui passe en dernier. Je suis très touchée que tu aies inversé l'ordre auquel je suis habituée. Je… Merci !

— Inutile de me remercier. La vie fait évoluer bien des choses, pourquoi pas celle-ci ?

Lorsque Chance annonça aux quatre garçons qu'ils étaient invités à un grand pique-nique, ces derniers furent très surpris d'être conviés à ce qui était, à leurs yeux, une fête de famille.

— On a besoin de nous pour faire le service ? demanda Brandon, avec son éternel air renfrogné.

— Si vous voulez donner un coup de main, personne ne vous en voudra, mais que les choses soient claires : vous faites partie des invités, exactement comme tous les autres, alors personne ne vous demandera rien.

— C'est obligatoire d'y aller ? s'enquit Will qui, visiblement nerveux, passait d'un pied sur l'autre en regardant Chance.

— Il s'agit d'une invitation, pas d'une convocation, tu fais la différence, d'accord ?

— Si vous arrêtiez de faire les imbéciles, les mecs ? intervint Jonah. C'est trop difficile de mettre dans vos petites têtes qu'on nous propose seulement d'aller manger une bonne grillade avec des gens normaux ? Relax, les gars !

Sans doute rassuré par cette intervention, les joues de Will reprirent un peu de couleur.

— Tu as peut-être raison…, murmura-t-il.

Chance allait renchérir dans le sens de Jonah lorsqu'il aperçut Chloé qui sortait du box de Mirabel. Elle avait sûrement entendu toute la conversation et interviendrait si cela lui paraissait utile.

Ce qu'elle fit.

— Salut, les gars ! Difficile, d'oublier ses vieux réflexes, pas vrai ?

Les garçons se tournèrent tous les quatre vers elle. À voir leur tête, elle comprit qu'ils ne savaient pas qu'elle avait tout entendu.

— Ça vous paraît sans doute bizarre, mais il y a des gens qui sont sympas avec les autres sans rien attendre en échange, poursuivit-elle. Il va falloir vous y habituer ! Vous vous rendrez compte que cela arrive plus souvent qu'on ne croit. Seulement, il faut commencer par vous débarrasser de vos vieux réflexes de méfiance. Ça vaut le coup d'essayer au moins, non ?

Les adolescents ne pipaient mot.

— Alors, vous êtes de la partie ? demanda-t-elle.

Will leva ses épaules maigres d'un air indifférent.

— Bah… Pourquoi pas ?

— Oui, bien sûr ! répondit Ryan avec chaleur.

— Je viendrai, assura Jonah.

— Et toi, Brandon, qu'est-ce que tu décides ? demanda Chloé en se tournant vers le dernier compère qui restait silencieux, l'air bougon.

Il hésita encore un moment, puis, comme Will, haussa les épaules sans entrain.

— Ouais… Moi aussi, marmonna-t-il.

— Quel enthousiasme ! s'exclama Chloé pour le taquiner.

Et pour le féliciter de sa décision, elle l'attira rapidement contre elle.

— Bravo ! Tu fais des progrès…, lui murmura-t-elle à l'oreille.

— Je m'en fiche complètement ! répondit Brandon, toujours boudeur.

— Moi, pas du tout, répliqua-t-elle à voix basse.

Brandon se dégagea d'un geste brusque, mais il avait supporté le contact avec elle plus longtemps qu'elle ne s'y était attendue. Elle fut très heureuse de cette victoire sur les angoisses de l'adolescent. Petite victoire, certes, mais victoire tout de même, qui augurait bien de la suite.

— Allez, ciao, les mecs ! lança Brandon. J'ai du boulot qui m'attend.

— Alors file vite ! conclut Chance, très satisfait lui aussi du résultat de leur entrevue.

Puis, s'adressant aux autres.

— Et vous ? Vous avez fini ? Les box sont propres ?

— Plus propres que nos chambres, répondit Ryan.

— Dans ce cas, dépêchez-vous d'aller ranger vos chambres ! ordonna Chance.

Les quatre garçons obéirent aussitôt. Brandon prit la direction de l'écurie, les trois autres du dortoir.

— Je trouve qu'ils ont fait pas mal de progrès, déclara Chloé. Et toi, qu'est-ce que tu en penses ?

— Nous ne sommes pas au bout de nos peines…, répliqua Chance.

Il n'était pas le genre de personne à se laisser facilement griser par le succès, surtout quand le travail n'était pas terminé. À ses yeux, les progrès des quatre adolescents étaient exactement cela : une création en cours de réalisation. Il ne voulait pas se réjouir trop vite.

Pourtant, Chloé attendait visiblement une réponse positive.

Il soupira.

— Oui, c'est vrai, je trouve qu'ils avancent, dit-il. À vrai dire, je suis surpris qu'ils aient accepté de venir à ce pique-nique.

— Moi aussi et ça me paraît bon signe.

Il aurait aimé se montrer aussi optimiste qu'elle mais la vie l'avait tant et tant de fois jeté à terre que son réflexe était de toujours anticiper le pire.

— Il sera tout de même préférable que tu les surveilles de près ce jour-là, ajouta-t-il. Au cas où…

— Pourquoi ? Tu ne seras pas là ?

— C'est une réunion familiale.

— Pas *strictement* familiale, répliqua Chloé. Graham a été bien clair sur ce point. Et de toute façon, il a bien précisé qu'à ses yeux, les gens qui vivent à Peter's Place font partie de la famille, ce qui inclut les garçons. *Et* toi.

Comme Chance ne répondait rien, elle ajouta :

— Tu ne veux pas venir ? Pourquoi ?

Il fronça les sourcils, visiblement mal à l'aise.

— Je n'aime pas me trouver au milieu de beaucoup de gens.

— Qu'est-ce que tu racontes, là ? Trouve une meilleure excuse ! L'armée, oui, c'était beaucoup de monde autour de toi, on est bien d'accord, mais un pique-nique, même dans une grande famille, c'est bien différent !

— Peu importe. Je n'aime pas ces grands rassemblements, c'est tout.

À ses yeux, cette déclaration devait mettre fin à leur conversation.

Mais, évidemment, Chloé refusa de céder...

— Si tu ne viens pas, Graham, ton patron, va considérer ton absence comme un affront et le moment me paraît particulièrement mal choisi pour ça. Tu as oublié qu'il est en train de réfléchir à la possibilité de créer un centre pour les vétérans ?

Elle plongea son regard dans celui de Chance et s'y accrocha.

— Donc, tu es obligé de venir ! conclut-elle.

Chance affronta le regard noisette quelques secondes, puis se mit à rire.

Cette petite bonne femme avait de la suite dans les idées ! Le moins que l'on puisse dire, c'est que quand elle avait décidé quelque chose, elle ne lâchait pas facilement !

— Je capitule, Chloé. Tu sais trouver des arguments irrésistibles.

Chloé lui offrit un sourire rayonnant.

— Je fais seulement ce que je dois faire, c'est tout !

Sur ce, elle sortit de l'écurie en chantonnant.

- 16 -

Chance avait bien dit la vérité. Il n'était pas à son aise au milieu d'un trop grand nombre de personnes. Il préférait les immenses étendues que l'on pouvait parcourir toute une journée sans rencontrer âme qui vive. C'est pour cela qu'il aimait mieux passer le plus clair de son temps sur le dos d'un cheval qu'assis à une table à faire la conversation avec des gens qu'il ne connaissait pas et qu'il n'avait pas forcément envie de connaître.

Pourtant, il lui fallait bien admettre que ces derniers temps il avait commencé à élargir son horizon. Le travail qu'il effectuait auprès des garçons lui avait permis de réévaluer sa façon de voir les choses. À force de parler et de travailler avec ces jeunes rebelles, maussades et renfrognés, pour les aider à concevoir leur vie autrement que comme une frustration permanente, il avait évolué.

Et bien sûr, il y avait la présence de Chloé…

Malgré tout, il n'était pas à son aise aujourd'hui. Tous ces gens, bien que très différents les uns des autres, se trouvaient réunis parce qu'ils portaient le même nom ou partageaient le même patrimoine génétique.

Jérôme Fortune avait eu huit enfants avec sa femme Charlotte, auxquels étaient venus s'ajouter de nombreux enfants illégitimes. Tous se trouvaient rassemblés aujourd'hui et paraissaient s'entendre plutôt bien malgré la diversité de leurs origines et la vie assez dissolue menée par leur père commun.

Tant mieux s'il en était ainsi, se dit Chance, mais cela ne changeait rien à sa situation à lui. Il n'avait pas sa place dans ce grand rassemblement des Fortune Robinson.

Au bout d'une demi-heure, il commença à chercher le meilleur moyen de filer de manière aussi discrète que possible.

Comme il s'efforçait de rejoindre nonchalamment l'arrière du groupe, il sentit tout à coup un bras se glisser sous le sien.

— Je sais ce que tu penses, Chance Howell, déclara Chloé en lui offrant un sourire étincelant… et moqueur.

— Vraiment ? Dis un peu, que je voie si tu as le don de double vue ou si tu te vantes pour rien.

— Tu trouves qu'il y a beaucoup trop de monde ici et tu cherches à filer à l'anglaise, persuadé que personne ne remarquera ta disparition.

— Je reconnais que cette pensée m'a effleuré. Enfin, un peu plus qu'effleuré, précisa-t-il.

— Eh bien, je peux t'assurer que ton départ ne passerait pas inaperçu. En tout cas, pas de moi !

Dans les yeux noisette de Chloé brillait la même flamme que celle qu'il avait vue brûler l'autre soir, près du lac. Oh ! Comme il aurait aimé se trouver seul avec elle, là-bas, au lieu d'être obligé de supporter tous ces gens autour d'eux !

— Tu plaisantes ! répliqua-t-il. Il y a suffisamment de monde ici pour qu'un de plus ou un de moins ne fasse pas de différence.

— C'est possible. Mais tu penses à moi ? Tu oublies qu'à part Graham, Sasha et les garçons, tu es la seule personne que je connais ici.

— Il me semble que tu avais déjà rencontré tout ce petit monde au ranch de Kate Fortune, le mois dernier.

— Disons que je les ai *aperçus* au cours d'un repas. Il y a une grande différence entre apercevoir quelqu'un et faire sa connaissance. Je reconnais des visages, c'est tout. Et je peux y mettre un nom dessus. De là à les connaître…

— Reconnaître les visages et y mettre un nom dessus, c'est déjà un début.

Chloé soupira. Elle qui essayait de lui faire comprendre qu'il n'était pas un intrus, ce n'était pas très concluant !

— Allez, Chance, ne cherche pas à jouer au plus fin. Tu dis toi-même assez souvent que tu n'es pas doué pour la conversation. Permets-moi d'ajouter que tu n'es pas très doué non plus pour les mensonges de politesse.

— C'est vrai. Mais j'ai d'autres talents, n'est-ce pas ?

Sous son regard malicieux, elle se sentit rougir jusqu'à la racine des cheveux.

— Je le reconnais, admit-elle sans le regarder de peur de rougir de plus belle. Disons que si toi et tes *talents* nous honoraient un peu plus longuement de votre présence, j'en serais très heureuse. Et les garçons aussi.

Elle chercha des yeux les quatre adolescents, et les aperçut un peu plus loin, en pleine conversation avec l'un des membres de la famille, un homme d'une quarantaine d'années dont le nom lui échappait.

— Ils commencent à s'adapter à la vie en société, non ? fit-elle remarquer. Une journée comme celle-ci leur fait beaucoup de bien, j'ai l'impression.

— Tout à fait d'accord avec toi sur ce point, mais je ne vois pas le rapport entre ça et la nécessité pour moi de rester plus longtemps.

Décidément, il avait besoin qu'on lui mette les points sur les *i* !

— Tu n'as pas compris ? Tu es leur guide. Ils

calquent leur conduite sur la tienne. Si tu pars, ils s'en iront, eux aussi.

Chance grimaça. Chloé venait de poser sur ses épaules une bien lourde responsabilité.

— Et toi, alors ? demanda-t-il.

— Je reste, bien sûr.

— Non, ce que je veux dire, c'est que toi aussi, tu joues un grand rôle auprès d'eux. Ils viennent te parler de leurs problèmes les plus intimes. Pourquoi est-ce que tu ne pourrais pas leur servir de guide, aujourd'hui ?

Bien sûr, elle le pouvait, mais elle n'avait pas l'intention de céder.

— Désolée, mais les rôles ont été distribués depuis longtemps, Chance. Leur guide, c'est toi. Débrouille-toi avec ça ! ajouta-t-elle avec un grand sourire en l'entraînant vers le buffet. Allez, prends un sandwich et souris !

Chance étira ses lèvres mécaniquement pour bien montrer qu'il obéissait à contrecœur.

— Parfait, ça ira pour l'instant ! déclara-t-elle, décidée à se satisfaire de sa bonne volonté affichée.

— De toute manière, je ne connais absolument personne, ni les grands ni les petits ! marmonna-t-il. Qui sont tous ces gens ?

Chloé comprenait la mauvaise grâce de Chance d'autant plus facilement qu'elle s'efforçait de regarder la manifestation à travers son regard à lui. Pour un être habituellement solitaire comme il l'était, ce devait être assez pénible de se trouver entouré de tant de monde. Elle-même se sentait débordée par cette grande famille qui lui était tombée du ciel peu de temps auparavant.

Elle prit une grande inspiration et s'efforça de mettre quelques noms sur les visages les plus proches.

— Tu sais, je ne connais pas tout le monde, je te l'ai déjà dit. Mais juste à côté de Graham et Sasha, tu vois son frère Ben et sa femme Ella avec leur petite fille qui est née il y a deux mois.

— Sympa pour Sydney d'avoir une cousine presque de son âge, fit remarquer Chance.

Ravie de voir qu'il était de meilleure humeur, elle poursuivit :

— Un peu plus loin, tu aperçois un autre frère de Graham, Wes, et sa femme, Vivian. Et par ici…

Elle s'interrompit brusquement en reconnaissant celle qui lui avait donné si violemment l'impression de ne pas être à sa place lors de la soirée chez Kate. Un instant, elle envisagea de partir. Mais après le discours qu'elle venait de tenir à Chance, cela aurait été un peu difficile à justifier ! Aussi, au lieu de fuir, elle rassembla son courage pour faire face.

— Et par ici, reprit-elle, c'est Sophie Fortune Robinson et son fiancé, Mason Montgomery.

Cela dit, elle se hâta de regarder dans la direction opposée de manière à ce que Sophie ne l'aperçoive que de dos. De cette manière, elle ne serait qu'une silhouette blonde parmi bien d'autres et passerait inaperçue.

— Près du lac, c'est Zoé Fortune Robinson. En fait, elle est mariée maintenant et porte le nom de son mari qui se tient à côté d'elle, Joaquin Mendoza.

Sur sa lancée, elle continua à donner le nom des personnes qu'elle reconnaissait, tout en se disant que Chance se sentirait sûrement soulagé si elle arrêtait d'égrener ce chapelet de nom.

— Ah… Voici Olivia et Kieran, deux autres des enfants légitimes de Gérald Robinson. Et l'homme qui leur parle, c'est Keaton Fortune Whitfield…

Elle hésita un instant avant de préciser :

— Un descendant illégitime, comme moi. Il est anglais. À côté de lui, c'est sa fiancée, Francesca Harriman.

Des yeux, elle cherchait la dernière fille Robinson mais ne réussit pas à l'apercevoir.

— Je crois qu'il manque Rachel. Elle habite Horseback Hollow avec son mari, d'après ce que m'a dit Graham.

Chance hocha la tête sans un mot. Pour lui, il ne s'agissait là que de noms, mais puisque c'était important pour Chloé, il acceptait de supporter cette épreuve.

Toutefois, l'expression d'ennui qui se lisait sur le visage du dénommé Kieran retint son attention.

— Regarde, Chloé, en voilà un qui a l'air de se morfondre autant que moi !

— Qui donc ?

— Celui que tu as appelé « Kieran ».

Chloé fut assez surprise de découvrir que Chance l'avait écoutée avec plus d'attention qu'elle ne pensait. Elle jeta un coup d'œil sur Kieran et découvrit qu'il avait effectivement l'air extrêmement malheureux.

Après avoir réfléchi un instant, elle se rappela ce que lui avait confié Graham.

— Il n'est pas malheureux parce qu'il se trouve ici. Il se fait du souci pour Zach.

— Zach ? C'est la première fois que tu prononces ce nom. Je crois que je ferais bien de prendre des notes, ça devient trop compliqué pour moi !

— Zach est le meilleur ami de Kieran. Il est dans le coma depuis une semaine à la suite d'une chute de cheval. Fracture du crâne. J'en déduis que tout le monde ne réussit pas comme toi à ne faire qu'un avec son cheval…

— Le malheureux ! J'espère qu'il va s'en tirer.

— Pour l'instant, on n'en sait rien. Mais nous pouvons au moins prendre de ses nouvelles.

Elle prit Chance par la main et l'entraîna près de Kieran sans lui demander son avis.

Chance suivit Chloé de mauvaise grâce. Après tout,

cette histoire, aussi malheureuse soit-elle, ne le concernait pas. Il ne connaissait aucun des deux hommes qui en souffraient. Pourtant, il savait ce que l'on ressentait quand on s'inquiétait pour un ami…

Une fois arrivés près du petit groupe, ils entendirent Kieran qui expliquait :

— Son état est stationnaire. Il n'a pas ouvert les yeux depuis une semaine. Je vais le voir chaque jour à l'hôpital, et chaque fois j'espère le trouver assis sur son lit, prêt à m'accueillir avec un « Je t'ai bien fait peur, pas vrai ? » Mais je le trouve toujours allongé et sans connaissance…

— Qui s'occupe de sa petite fille, Rosabelle ? demanda quelqu'un. Elle vient juste d'avoir trois ans et il est son seul parent.

— Les parents de Zach s'en sont occupés jusqu'à maintenant, en priant chaque jour pour un miracle. C'est ce que nous faisons tous, d'ailleurs, ajouta Kieran à mi-voix.

— Et si jamais le miracle ne se produit pas ?

C'était Francesca qui avait posé à haute voix la question que personne n'osait formuler.

Kieran prit une profonde inspiration, comme pour y puiser la force de répondre. Malgré cela, sa voix sortit brisée, comme s'il refusait d'envisager cette éventualité.

— C'est moi qui élèverai Rosabelle. Zach m'avait demandé d'être son tuteur si jamais il lui arrivait quelque chose…

Il secoua la tête d'un air désolé et ajouta :

— Je me demande s'il avait bien tout son bon sens quand il m'a fait cette proposition.

— Ou, au contraire, s'il n'a pas fait preuve d'une grande intuition, intervint Chloé.

Kieran lui adressa un sourire de reconnaissance, bien triste néanmoins.

— C'est gentil de me dire ça.

Elle lui rendit son sourire et s'écarta du groupe.

— Comment as-tu eu l'idée de lui dire cela ? lui demanda Chance.

— C'est ce que j'aimerais entendre si j'étais dans sa situation. Il me semble que cela m'aiderait à me sentir mieux.

Chance la regarda un instant en silence et hocha la tête.

— Tu sais que tu es une femme remarquable, murmura-t-il.

— Et tu n'as pas tout vu ! répliqua-t-elle en riant. J'ai des talents cachés…

Au grand soulagement de Chloé, au fur et à mesure que l'après-midi s'écoulait, Chance avait de moins en moins l'attitude de quelqu'un qui avait envie de s'enfuir en courant. Et comme elle le sentait détendu, elle se détendait, elle aussi.

Le pique-nique paraissait ne jamais devoir se terminer mais c'était parce que chacun souhaitait qu'il dure le plus longtemps possible. Sans aucun doute, il allait rester dans la mémoire des participants comme un souvenir que l'on chérit de plus en plus avec le passage des ans.

Lorsque le jour commença à baisser, Chance et Chloé étaient toujours là. Les conversations, qui avaient abordé des sujets bien différents, tournaient maintenant autour d'Ariana Lamonte, une journaliste qui avait entrepris d'interviewer tous les membres de la famille Fortune dans le but d'écrire un ouvrage qu'elle avait l'intention d'intituler *Devenir un Fortune*.

D'après ce qu'elle avait entendu dire par les uns et les autres, Chloé trouvait que c'était là une intrusion dans l'intimité des gens, et apparemment, c'était aussi l'avis du petit groupe dont Chance et elle s'étaient rapprochés.

— Je n'apprécie pas l'angle sous lequel elle envisage ce récit, expliquait Sophie. Elle fait un grand nombre d'allusions au fait que notre mère… Tout au moins la mère de certains d'entre nous, corrigea-t-elle avec autant de tact que possible. Enfin elle sous-entend que Charlotte était bien plus au courant des aventures de son mari que ce qu'elle veut bien admettre.

— Ça t'étonne ? demanda Mason, le fiancé de Sophie. Charlotte est une femme intelligente. Il aurait fallu que Gérald Robinson l'enferme à double tour dans un placard ou au sommet d'une tour pour qu'elle ne soit pas plus ou moins au courant de ce qui se passait.

Chloé remarqua le regard furieux que Sophie adressa à Mason. Très vite pourtant, ce regard s'adoucit. Sans doute Sophie pensait-elle que Mason avait raison.

— Nous formons une drôle de famille…, conclut-elle tristement.

— Eh bien, moi, intervint Keaton, je ne trouve pas ça triste du tout. Parce que peu importe comment je suis venu au monde, peu importe qui m'a engendré, l'important, c'est que je suis vivant. Et c'est pareil pour vous tous ! Vous existez, vous respirez la vie à pleins poumons, vous tenez votre futur entre vos mains ! Qu'est-ce qu'il vous faut de plus ?

Il fit le tour de l'assemblée des yeux.

— Un peu de soutien de la part de la famille ? poursuivit-il. Regardez autour de vous ! Nous avons la chance d'être nombreux à pouvoir nous serrer les coudes en cas de besoin.

— Moi, reprit Sophie, je continue à avoir de la peine pour notre mère.

— Tu te fais du mal pour rien, lui assura Zoé. Je suis certaine qu'elle trouve bien des consolations dans le compte en banque qui lui permet de faire ses courses dans les belles boutiques qu'elle adore.

— Oh ! C'est abominable…, murmura Sasha à l'oreille de Graham.

Assez fort, toutefois, pour que sa remarque soit entendue.

— C'est la vie ! rétorqua Zoé. Tout le monde n'est pas aussi romantique que Sophie.

Atterrée par les critiques qu'elle entendait à propos d'une femme qu'elle n'avait jamais rencontrée, Chloé décida de donner son avis.

— Excusez-moi, mais il me semble que l'argent ne vous tient pas chaud au cœur, même s'il y en a beaucoup !

— Peut-être, mais grâce à lui, on peut s'offrir un super chauffage central ! lança une voix.

C'était une boutade, sans doute, mais pareille conversation mettait Chance mal à l'aise. Il estimait qu'elle ne le concernait pas et que, en outre, elle ne présentait aucun intérêt. En plus, il était persuadé qu'elle contrariait Chloé.

L'envie de la protéger s'empara soudain de lui. Ce n'était pas la peine de la laisser entendre des choses qui ne pouvaient que heurter sa sensibilité. Il la prit par la main et l'entraîna plus loin.

— Viens, allons chercher quelque chose de doux à boire ou à manger pour chasser le goût amer que ce que nous venons d'entendre nous a mis dans la bouche.

Ils retournèrent près du buffet pour lequel Sasha avait commandé une quantité tellement impressionnante de desserts variés qu'il en restait encore beaucoup.

Tout en s'éloignant, Chloé considéra le groupe qui continuait à parler. Bien sûr, elle n'était pas d'accord avec tout ce qui avait été dit, mais malgré cela, au cours des heures qui venaient de s'écouler, elle avait commencé à croire que, peut-être, elle réussirait à avoir tout ce qu'elle souhaitait dans la vie. Une carrière, une famille, et le plus important de tout, l'amour.

Le cœur gonflé d'espoir, elle jeta un regard sur Chance.

— Oui, tu as raison. C'est une très bonne idée. Allons chercher quelques douceurs.

— Chloé, je peux te parler un instant ?

Chloé, qui était sur le point de choisir une part de gâteau, se figea en reconnaissant la voix. La dernière fois qu'elle l'avait entendue, cela avait été pour s'entendre reprocher de venir gâcher une réunion de famille en prétendant être la fille de Gérald Robinson. D'autres mots peu aimables avaient suivi, mais Chloé avait mis fin à ce désagréable accrochage en quittant la soirée.

Se tourner pour affronter à nouveau Sophie Fortune Robinson lui demanda un réel effort, mais après une courte hésitation, elle décida de le faire. Pour s'en repentir très vite en sentant le malaise s'emparer d'elle. C'était le même que celui qu'elle avait éprouvé chez Kate lorsque Sophie, la plus jeune des enfants légitimes de Gérald, l'avait prise à l'écart pour lui faire toute une série de reproches — qu'elle avait estimés parfaitement injustifiés, soit dit en passant.

Se préparant au pire, elle répondit sur un ton neutre :

— Oui, je t'écoute.

À sa grande surprise, Sophie paraissait assez mal à l'aise, elle aussi. Elle jeta un coup d'œil à Chance, puis s'adressa à nouveau à Chloé.

— Je peux rester en tête à tête avec toi ?

Chloé se tourna vers Chance.

— Je peux rester si tu le souhaites, lui proposa-t-il.

Ou si tu préfères, je peux t'attendre à côté du buffet. À toi de décider.

Il avait parlé sans regarder Sophie, sans doute de manière à lui faire comprendre que ce n'était pas elle la maîtresse du jeu, songea Chloé.

Cette proposition lui donna le courage d'affronter ce que Sophie voulait lui dire.

— Si tu veux bien m'attendre, ce sera parfait, dit-elle.

— OK. Je reste à portée de voix au cas où tu aurais besoin de moi.

Cette fois, il regarda Sophie droit dans les yeux avant de s'éloigner.

Les deux jeunes femmes se dirigèrent vers un coin tranquille.

— Je t'écoute, Sophie. Qu'est-ce que tu veux me dire ?

— Je… Excuse-moi…

Chloé la regarda sans comprendre. Avait-elle bien entendu ?

— T'excuser ? Mais de quoi ?

— Pardonne-moi pour ce que je t'ai dit chez Kate, le jour où l'on a fait connaissance. Je suis désolée d'avoir déballé toutes ces horreurs sur toi. Je le regrette profondément. Tu comprends… Je venais de subir un véritable choc émotionnel.

— Quand tu as appris que Gérald Robinson était mon père ? Pour moi aussi, ça a été un choc !

Sophie hocha la tête.

— Je le comprends maintenant, mais sur le coup je ne pensais qu'à ce que moi, je ressentais. Ce n'était pas seulement la découverte de ton existence qui m'a perturbée, mais le fait d'apprendre que le père que j'avais adoré pendant toute mon enfance n'était pas l'homme que je croyais. Lui que j'imaginais parfaitement honorable venait de se révéler incapable de fidélité. Je me suis sentie trahie, blessée. Malheureusement, ma colère est tombée sur toi alors que je n'aurais jamais dû t'en vouloir. Voilà ce que je regrette de tout mon cœur. En fait, nous sommes toutes les deux dans le même bateau.

— Pas exactement. Pour toi, c'était le paquebot de grand luxe. Pour moi, une petite barque où j'ai dû ramer de toutes mes forces pendant des années. Tu as eu une enfance plutôt dorée, il me semble. Moi, ma mère m'a élevée seule. Sans compter que *notre* père l'a ni plus ni moins abandonnée quand il a appris qu'elle était enceinte de lui.

Sophie se mordit les lèvres.

— J'en suis bien consciente et je me sens encore plus mal à l'aise en y pensant…, murmura-t-elle.

— Ce n'est pas de ta faute. C'est celle de notre père. Quand ma mère m'a révélé que mon père n'était pas son amoureux du lycée, mort dans un accident de voiture avant de l'épouser comme elle me l'avait dit jusque-là, mais Gérald Robinson, elle m'a avoué qu'elle l'avait aimé à la folie. Quand il l'a quittée, elle a été complètement dévastée.

À cette évocation, elle sentit l'émotion lui serrer la gorge. Mais comme Sophie semblait être dans de bonnes dispositions, elle décida de poursuivre sa petite histoire.

— Elle m'a raconté qu'elle avait traversé une période abominable au cours de laquelle elle n'avait plus envie de vivre. Et puis elle s'est ressaisie parce que j'avais besoin d'elle. Elle a trouvé la force de construire une vie pour nous deux et de subvenir à nos besoins. Mais élever seule un enfant n'est pas facile.

Sophie l'écoutait avec attention, les yeux agrandis par la surprise. Elle découvrait sans doute que tout le monde n'avait pas eu une enfance protégée et insouciante, se dit Chloé. Cela ne pouvait lui faire que du bien !

— La force de caractère dont ma mère a fait preuve m'a appris au moins une chose, c'est que chacun est maître de sa destinée et que nous n'avons pas le droit de trouver des excuses à nos échecs en rejetant la responsabilité sur des événements extérieurs, conclut-elle.

Sophie, visiblement très émue, la regarda un instant en silence.

— Est-ce que tu me pardonnes ? murmura-t-elle.

— Il n'y a rien à pardonner. Tu étais bouleversée, je le comprends, maintenant.

— Je trouve que tu as fait preuve de beaucoup de courage en venant nous rencontrer, Chloé. Cela devait être bien difficile pour toi de te mêler à nous. Quand je pense que je t'ai agressée si méchamment alors que tu faisais cet effort !

— J'avoue que cela ne m'a pas aidée à me sentir à l'aise. Mais si j'avais été à ta place, j'aurais peut-être fait la même chose, qui sait ?

Sophie baissa la tête.

— Non, je ne crois pas… En tout cas, c'est vraiment gentil de me dire ça.

À peine avait-elle fini sa phrase qu'elle la serra dans ses bras.

Chloé, d'abord surprise, sentit ensuite une vague de joie la submerger. Cette fois, elle se sentait acceptée par la famille tout entière.

C'était merveilleux !

En se dégageant des bras de Sophie, elle aperçut Mason, non loin d'elles.

— Je crois que quelqu'un t'attend ; fit-elle remarquer.

Sophie se retourna et fit un petit signe à son fiancé.

— Il m'a beaucoup aidée à traverser cette période difficile, dit-elle. Tu verras, quand tu le connaîtras mieux, c'est un homme merveilleux. Tu es d'accord pour que nous nous retrouvions très vite ?

— Avec grand plaisir !

En la regardant rejoindre son fiancé, Chloé se dit que

c'était bien agréable, ma foi, que Sophie ne la considère plus comme une fauteuse de troubles mais comme un membre de la famille à part entière.

Puis elle retourna auprès de Chance qui avait suivi de loin leur entretien, prêt à intervenir en cas de besoin.

— Finalement, tu n'as pas eu besoin que je vole à ton secours, lui fit-il remarquer avec un petit sourire en coin. Tu t'es débrouillée toute seule.

— Mieux encore ! Figure-toi que Sophie voulait me présenter ses excuses.

— Pour son attitude lors du dîner chez Kate ?

— Oui, mais pas seulement. Elle voulait se faire pardonner de m'avoir traitée de menteuse. Pour elle, j'étais forcément une usurpatrice. Elle avait tellement idéalisé son père qu'à ses yeux, il était impossible que je sois la fille de Gérald.

— C'est l'histoire du colosse aux pieds d'argile.

— Ma mère éprouvait la même vénération pour Gérald. Il était son héros, son dieu. Tout au moins jusqu'à ce qu'il la laisse tomber à l'annonce de sa grossesse.

Elle fronça les sourcils. Bien des choses devenaient claires, maintenant. En particulier, le comportement de sa mère.

— C'est sûrement pour cette raison qu'elle ne s'est jamais remariée et n'a même jamais voulu avoir d'autre relation amoureuse, poursuivit-elle, comme pour elle-même. Ce qu'elle avait vécu avait été tellement intense et sa déception tellement grande qu'elle n'a jamais réussi à faire à nouveau confiance à un homme.

Chance écoutait en silence, se retenant de ne pas dire tout haut ce qu'il pensait.

À ses yeux, un homme dont la conduite avait gâché l'existence de tant de monde aurait mérité d'être fouetté à coups de cravache ! Au moins.

— Il a dû briser bien des cœurs puisque tu n'es pas son seul enfant illégitime, dit-il simplement.

— C'est vrai. Je ne sais pas combien nous sommes dans ma situation. Mes demi-frères sont encore en train de rechercher ses autres descendants.

— Quelle histoire !

Oui, en effet. Gérald ou Jérôme, quel que soit le prénom qu'il faille lui donner désormais, était certes son père mais elle n'éprouvait aucune tendresse pour lui. En revanche, elle ressentait de la pitié pour sa mère dont l'existence avait été gâchée par cet homme aux mœurs légères, profondément égoïste. Pourtant, critiquer celui que sa mère avait tant aimé, même pendant peu de temps, revenait à critiquer cette dernière, et elle refusait de se comporter de la sorte.

— Si nous allions retrouver les garçons pour voir s'ils ont profité de ce magnifique buffet ? demanda Chance, la tirant de ses pensées.

Il leur fallut un peu de temps pour les repérer mais lorsqu'ils les découvrirent, ce fut pour constater qu'ils passaient un bon moment en compagnie d'autres jeunes de leur âge. Apparemment, aucune tension ne régnait. Ils paraissaient tout à fait à leur aise, même s'ils se contentaient d'écouter les autres parler plutôt que d'intervenir eux-mêmes.

Chloé se sentit profondément récompensée des efforts qu'elle avait déployés auprès d'eux au cours des semaines précédentes. Heureuse aussi d'avoir insisté pour les faire venir. Cette journée marquait une date dans leurs progrès, elle saurait s'en souvenir lorsque, immanquablement, ils traverseraient à nouveau des périodes de doute et de rébellion.

Apparemment, dans bien des domaines ce pique-nique lui paraissait être un succès total.

Pourtant, une ombre l'empêchait de continuer à se réjouir…

Au début de la journée, elle s'était réjouie de constater que Chance se rendait à ses arguments et acceptait de rester au pique-nique au lieu de s'enfuir en douce comme il en avait eu l'intention. Ensuite, quand elle l'avait vu prêt à la soutenir en cas de problème avec Sophie, son cœur s'était gonflé de joie. Impossible d'imaginer un compagnon plus serviable ! Maintenant pourtant, elle était en train d'examiner les sentiments qu'elle éprouvait pour lui et se demandait ce qu'elle attendait de leur relation.

Quel que soit l'angle sous lequel elle envisageait cela, une conclusion s'imposait à elle : Chance était trop parfait pour être digne de confiance.

Cette constatation la pétrifia.

Car si cette phrase résonnait si fort dans sa tête, elle venait d'en trouver la raison. C'était celle, mot pour mot, que sa mère utilisait pour décrire Gérald Robinson, cet homme qui avait préféré abandonner la femme qui l'avait follement aimé et l'enfant qu'il avait engendré…

Elle frissonna. Comment aurait-elle réagi si elle avait été à la place de sa mère ? Elle n'en savait rien. En revanche, ce qu'elle savait avec certitude, c'est qu'elle refusait absolument de se mettre dans la même situation.

« Trop parfait pour être digne de confiance… »

L'écho de ces mots n'en finissait pas de retentir chaque fois qu'elle regardait Chance. Comment pouvait-elle espérer qu'un homme tel que lui s'attache à elle ? Qu'il soit amoureux d'elle ?

Hélas, il n'y avait qu'une réponse possible à cette question et elle la connaissait.

Il ne lui restait plus qu'une chose à faire pour éviter de se retrouver dans la même situation que sa mère, une seule : prendre les devants et frapper un grand coup pour se préserver et se mettre à l'abri.

Les jours suivants, cette certitude ne fit que croître au point d'occuper tout son esprit et de l'empêcher de se rendre disponible à quoi que ce soit d'autre, y compris à son travail.

— Miss Elliott, ça va ?

Une fois de plus, elle comprit qu'elle s'était laissé emporter par ses pensées. Cela lui arrivait de plus en plus souvent et à des moments tout à fait inopportuns. Par exemple, en ce moment, où elle aurait dû être attentive à ce que lui disait Will.

Désolée de son inattention, elle considéra l'adolescent qui attendait qu'elle reprenne le fil de leur entretien. Non, elle ne pouvait continuer à se laisser ainsi envahir par ses problèmes personnels au point d'en devenir obsédée. Ce n'était pas honnête vis-à-vis des garçons car elle risquait de mettre en danger les progrès qu'ils avaient faits jusqu'à maintenant. Et pas du tout professionnel.

— Excuse-moi, Will. Je crois que j'avais un peu la tête ailleurs…

— Oui, je m'en suis bien rendu compte ! Ça fait trois fois que je vous pose la même question et vous n'avez même pas entendu, précisa-t-il avec un petit sourire.

Stupéfaite, Chloé se redressa sur sa chaise.

— Trois fois ? C'est impardonnable ! Je suis vraiment désolée de mon étourderie, Will.

— C'était peut-être que deux fois, corrigea ce dernier en haussant ses frêles épaules. Mais vous aviez vraiment l'air d'être partie super loin d'ici.

— Je dois être un peu fatiguée… Je vais me ressaisir, promis.

— Si je peux vous aider, vous me le dites, OK ?

Décidément, Will avait fait beaucoup de progrès pour arriver à faire une proposition pareille ! Ce serait stupide de l'empêcher de continuer sur cette lancée sous prétexte qu'elle avait des soucis personnels !

— Non, je te remercie, mais tu es vraiment très gentil de me l'avoir proposé.

— Ne le dites pas aux autres, ils m'accuseraient de vous lécher les bottes…

— Rassure-toi, cela restera entre nous. Comme tout le reste, d'ailleurs. Tu peux être tranquille. Avec moi, tes secrets seront bien gardés.

Will hocha la tête, satisfait. Comme l'entretien était terminé, il se leva mais, avant de partir, il se tourna vers elle.

— C'est ce que vous nous avez dit dès le début, mais vous savez… Ça marche dans les deux sens.

Surprise, Chloé le dévisagea.

— Je ne suis pas sûre de comprendre, Will…

Au lieu de battre en retraite comme il l'aurait fait quelques semaines plus tôt, Will fit l'effort de s'expliquer.

— Je veux dire que si vous avez envie de parler à quelqu'un, je peux vous écouter. Et je vous jure que tout ce que vous direz restera entre nous.

Chloé avait envie de l'embrasser sur les deux joues mais elle se retint de crainte de le froisser. Dieu sait combien les adolescents ont horreur qu'on les traite comme des enfants ! Elle se contenta donc de hocher la tête.

— J'apprécie ta proposition, Will. Encore une fois, merci beaucoup.

Évidemment, il était hors de question qu'elle lui confie quoi que ce soit, d'autant plus qu'il s'agissait de Chance.

Toutefois, elle devait agir sans attendre. Et le plus vite possible.

Même si ce n'était pas facile.

Elle retourna cela dans sa tête toute la journée jusqu'à
ce qu'arrive enfin l'heure du rituel qu'ils avaient instauré,
Chance et elle, puisque tous les jours, leur travail terminé,
ils se retrouvaient pour faire une promenade à cheval.

Le moment était venu de faire ce qu'elle avait prévu. Il
ne fallait plus remettre à plus tard car plus elle attendait,
plus ce serait difficile…

Lorsque Chance arriva dans l'écurie, prêt à partir
pour leur balade quotidienne, il fut surpris de constater
que Chloé n'avait pas encore sellé son cheval.

— Tu viens juste d'arriver ? demanda-t-il.

Au moment où il posait cette question, il sentit que
quelque chose n'allait pas. Il y avait de la tension dans
l'air. Chloé était un modèle d'exactitude et ne l'avait jamais
fait attendre. Pourquoi était-ce différent aujourd'hui ?

— En fait, je suis ici depuis un moment, répondit-
elle. Je t'attendais.

Cette réponse n'aida pas Chance à mieux comprendre
ce qui se passait.

— Je vois que tu n'as pas préparé Mirabel, fit-il
remarquer. Tu n'as pas envie de monter ?

Chloé ne répondit pas tout de suite. Elle pouvait
encore réfléchir ? Changer d'avis ? Non. Ce qu'elle allait
dire lui arracherait le cœur, mais c'était le prix à payer
pour ne pas souffrir plus tard. Elle prit une profonde
inspiration et regarda Chance dans les yeux.

— Je pense qu'il vaut mieux que nous arrêtions nos
sorties à cheval, dit-elle.

— Ah… Tu préfères faire quelque chose d'autre à
la place ?

Presque chaque fois qu'ils rentraient de leur balade,
Chloé et lui allaient passer un long moment dans le

cottage où ils partageaient des moments de volupté parfaite.

Ce soir, toutefois, il avait le pressentiment qu'il n'en serait pas ainsi.

— Non, tu n'as pas compris, Chance. Je pense qu'il vaut mieux que nous ne fassions *plus rien* ensemble.

— Mais…

— Rien. Y compris ce que nous faisions chez moi en rentrant de nos promenades.

Chance s'approcha, encadra de ses mains le petit visage aux traits tendus.

— Je t'ai fait de la peine ? murmura-t-il. J'ai dit quelque chose qui t'a blessée ?

— Non, pas du tout. Au contraire, tu as été parfait ! s'exclama-t-elle en reculant vivement.

Pour respirer, elle avait besoin de s'éloigner de Chance. La proximité de leurs corps lui était insupportable car elle se sentait prête à tomber dans ses bras. Ce qui serait une grave erreur.

— Tu as toujours été parfait !

Chance comprenait de moins en moins.

Dans la bouche de Chloé, ces mots sonnaient comme un reproche, une accusation. À quoi jouait-elle ?

— Je n'aurais pas dû ? demanda-t-il.

Chloé sentit ses yeux se remplir de larmes. Elle détourna la tête pour que Chance ne la voie pas pleurer.

— Je t'en prie, ne rends pas les choses encore plus difficiles qu'elles ne sont ! dit-elle.

— Mais…

— Je ne veux plus te voir, c'est tout !

— Graham t'a dit quelque chose à mon sujet qui te déplaît ?

Chance avait beau se creuser la tête pour découvrir quelle règle de bonne conduite il n'avait pas respectée, quel impair il avait commis, il ne trouvait rien. S'il s'était mal conduit avec Chloé, s'il l'avait blessée sans le vouloir, il quitterait le ranch. Mais il voulait comprendre. Chloé occupait une place trop précieuse dans sa vie pour qu'il reste sur cette incertitude.

La scène qu'il était en train de vivre prenait des allures de désastre. Quand sa relation avec Chloé avait-elle dérapé ?

Grâce à cette femme hors du commun, il avait réussi à sortir de sa carapace, il avait réappris à créer des liens avec les gens, il avait accepté de laisser renaître ses émotions et sa sensibilité, enfouies au plus profond de lui-même depuis ses années passées dans l'armée. Et maintenant ? Maintenant, elle le rejetait !

— Non, ni Graham ni personne ne m'a rien dit sur toi, répondit-elle. Et tu n'as rien fait qui m'aurait déplu ou offensée.

À cet instant, sa voix se brisa.

— Je t'en prie, Chance, ne me pose pas davantage de questions.

Chance était en train de vivre un véritable supplice. Chloé venait de lui arracher le cœur, et il ne savait pas pourquoi.

Que pouvait-il faire ?

Se retirer le plus vite possible, tant que ses jambes étaient encore capables de le porter, c'était le plus raisonnable.

Pourtant, il restait figé sur place.

— D'accord. Je ne t'en poserai plus.

Ce furent les derniers mots qu'il prononça avant de partir.

Chloé le regarda s'éloigner mais une fois la porte de l'écurie refermée derrière lui, elle s'écroula sur le sol, secouée de sanglots trop longtemps retenus.

- 18 -

C'était mieux comme ça. Oui, c'était bien mieux comme ça. Mieux valait arrêter cette histoire maintenant avant d'être vraiment amoureuse. Et avant de se retrouver seule une fois de plus, et désespérée.

Chloé se disait et se répétait cela comme un mantra. Pourtant, tout en étant persuadée qu'elle avait pris la décision qui s'imposait, qu'elle avait fait ce qu'il fallait, ce n'était pas facile d'en supporter les conséquences. Pour lutter contre le chagrin, elle s'efforçait de se distraire en travaillant beaucoup mais la tristesse ne la quittait pas de la journée.

Les soirées surtout étaient éprouvantes. Elles paraissaient devoir s'étirer éternellement alors qu'il n'y a pas si longtemps encore, elles passaient comme dans un rêve. Un rêve heureux…

Cependant, le plus difficile était de se retrouver nez à nez avec Chance au détour d'un bâtiment ou dans un couloir. Leurs chemins se croisaient beaucoup moins souvent que par le passé mais, chaque fois que cela se produisait, elle se demandait si elle serait capable de surmonter la douleur qui lui traversait le cœur. On aurait dit qu'une épée venait fouiller au plus profond de sa plaie à vif.

Quand donc cette souffrance s'atténuerait-elle enfin ?

Quand réussirait-elle à passer une journée sans penser à Chance ?

Elle avait rompu avec lui pour éviter d'être malheureuse, et c'était exactement le contraire qui se produisait. Ce qu'elle endurait était un véritable martyre qui la rongeait de l'intérieur et la laissait sans force et sans joie de vivre.

Finalement, sa situation actuelle était aussi dévastatrice que lorsqu'elle avait compris que Donnie ne ferait plus jamais partie de sa vie.

Cette constatation l'amenà à se poser des questions.

Avait-elle agi de façon trop impulsive ? Dans son désir d'éviter d'avoir le cœur brisé comme sa mère, n'avait-elle pas au contraire ouvert la porte à une souffrance qui n'aurait jamais de fin ?

Elle ne savait plus que penser ! Tant de questions se bousculaient dans sa tête…

Tant de questions !

Et aucune réponse.

— Vous avez arrêté de monter à cheval avec Miss Elliott ? Qu'est-ce qui s'est passé ? demanda Brandon à Chance alors qu'ils se trouvaient tous les deux dans le corral en train d'apprivoiser le nouvel étalon que Graham venait de recueillir.

Chance avait choisi Brandon pour ce travail parce que, parmi les quatre adolescents, c'est lui qui montrait le plus de dispositions pour s'occuper des chevaux. Sa méfiance hostile envers les gens s'était beaucoup atténuée. La plupart du temps, il était même d'agréable compagnie. Aujourd'hui, apparemment, il avait décidé de se montrer curieux. Un peu trop curieux.

— Tu n'as pas à me poser ce genre de questions, Brandon.

— Pourtant, vous m'avez dit au début que je pouvais vous poser toutes les questions que je voulais.

Il avait pris un ton innocent, mais sa remarque l'était sans doute moins qu'il ne voulut le laisser supposer.

L'étalon, qui refusait avec obstination d'accepter le mors que Chance essayait de placer dans sa bouche, secouait la tête en reculant et serrait les dents avec entêtement. Chance quitta Brandon des yeux pour se concentrer sur l'animal.

— Oui, mais à propos de ta vie *à toi*, pas de la mienne, fit-il remarquer.

— Depuis que je suis ici, vous faites partie de ma vie ! Et Miss Elliott aussi.

Brandon s'interrompit un instant, réfléchit comme pour choisir ses mots et se lança à nouveau.

— Pourquoi on vous voit plus partir à cheval le soir tous les deux ?

— Parce que c'est mieux comme ça, voilà tout.

Chance espérait que cette réponse et le ton qu'il avait employé mettraient fin à leur conversation.

Il se trompait…

— Moi, je trouve que c'est le contraire, décréta Brandon, sûr de lui.

Il caressa doucement le museau de l'étalon dans l'espoir de l'amadouer et de permettre à Chance de lui faire accepter le mors.

— Vous avez l'air malheureux tous les deux maintenant, ajouta-t-il. Si c'était mieux, comme vous dites, vous ne feriez pas cette tête !

Chance soupira. Comment affirmer le contraire ?

— C'est compliqué…

— Ouais… On dit ça quand on refuse de parler de quelque chose. Ou quand on veut faire croire qu'on a raison alors qu'on s'est trompé.

Chance jeta un regard de biais vers cet adolescent

trop lucide. Allait-il bientôt arrêter de le tourner et retourner sur le gril ?

Hélas, Brandon n'en avait pas l'intention...

— Ce n'est pas si compliqué que ça, m'sieur ! Quand vous vous promeniez tous les deux, vous étiez heureux. Maintenant que vous avez arrêté, vous êtes malheureux. Conclusion ? Vous étiez mieux quand vous faisiez vos balades.

Finalement, le cheval accepta le mors. Chance le laissa souffler et lui flatta longuement l'encolure pour l'encourager à la docilité.

— Peut-être, mais nous n'avons pas l'intention de recommencer, dit-il.

Il tendit un morceau de sucre au cheval qui le renifla longuement avant de l'accepter. Sa méfiance était loin d'être vaincue, mais il faisait des progrès.

— Passe-moi le tapis de selle, s'il te plaît.

Brandon alla chercher le tapis installé au soleil sur la clôture.

— Vous pourriez lui présenter des excuses..., suggéra-t-il en le tendant à Chance.

Chance plaça le tapis sur le dos du cheval en fronçant les sourcils.

— Des excuses ? Mais pourquoi ?

— Au cas où vous lui auriez fait de la peine. C'est toujours bien de s'excuser. Il paraît que les femmes aiment ça.

Chance éclata de rire.

— Comment est-ce que tu sais ça, toi ?

— C'est mon grand frère qui me l'a dit, déclara Brandon le plus naturellement du monde.

Pourtant, cette réponse apparemment anodine fit tressaillir Chance. Jusqu'à maintenant, Brandon avait toujours refusé d'évoquer Blake, ce grand frère tué en Afghanistan. Depuis la mort de ce dernier, il n'en finissait pas de vivre en secret un deuil qui était la source de son agressivité et de sa dépression mais jamais encore il n'avait mentionné son prénom au cours d'une conversation.

— Et qu'est-ce qu'il t'a dit d'autre, ton grand frère ? insista Chance, désireux de mettre à profit cette confidence pour aider Brandon à se libérer du poids qui l'écrasait depuis si longtemps.

En posant cette question, il avait bien conscience de mettre sa propre intimité en jeu, mais les progrès de Brandon étaient plus importants que ses propres secrets.

Le regard soudain trop sérieux de l'adolescent se posa sur lui. Visiblement, il était en train de penser très fort à son frère.

— Il m'a dit que quand on désire quelque chose, il faut se battre pour l'obtenir. Que quand les choses tombent du ciel toutes seules, on les apprécie beaucoup moins que si on a lutté pour les avoir.

Brandon avait parlé sur un ton solennel que Chance ne lui connaissait pas.

— C'est ce que Blake m'a dit quand il s'est enrôlé dans l'armée au lieu d'aller à l'université comme c'était prévu, expliqua Brandon.

Il serra les dents et ajouta :

— Peut-être qu'il vous faut vous battre pour Miss Elliott ?

— Je ne pense pas que Miss Elliott en ait envie, répliqua Chance.

— Vous savez qu'elle est devenue très triste, ces derniers temps ? Et un peu bizarre. Will m'a dit qu'elle lui faisait répéter les mêmes questions plusieurs fois. Avec Ryan, c'est pareil. Vous trouvez ça normal ?

Chance lissa le tapis de selle sans répondre.

— Moi, reprit Brandon, je crois qu'il faut chercher ce qui vous empêche de faire ce qui vous rendait heureux tous les deux. En tout cas, c'est toujours ce qu'elle nous dit dans les entretiens.

Brandon s'interrompit quelques secondes, avant de conclure, triomphant :

— On se sent mieux quand on a éclairci les choses, non ?

Chance était stupéfait. Depuis des semaines, il essayait de toucher le point douloureux chez cet adolescent. Et voilà qu'aujourd'hui la situation s'était inversée ! C'était ce gosse cabossé par la vie qui avait mené la conversation à sa guise, jusqu'au cœur du problème !

— Tu n'as peut-être pas tort, marmonna-t-il. En attendant, il nous faut faire travailler ce cheval !

— Oh… Il peut attendre cinq minutes, non ?

— Brandon, file chercher la selle ! Souviens-toi qu'il faut toujours terminer ce que tu as commencé.

— Ouais, c'est vrai. Rappelez-vous ça, vous aussi, quand vous parlerez avec Miss Elliott !

Chance retint un juron. Quel démon s'était emparé de ce gamin ce matin pour qu'il mette dans la mille à chacune de ses phrases ?

Quand Brandon lui donna la selle, il la posa doucement sur le dos du cheval en dissimulant de son mieux le sourire qui naissait doucement sur ses lèvres. Le cheval regimba mais Brandon le maintint fermement pour l'obliger à rester tranquille. Ensuite, Chance attacha la sangle avec des gestes doux, sans trop la serrer pour ne pas affoler son nouveau pensionnaire.

— D'accord. Je tâcherai de m'en souvenir aussi, dit-il.

Pour la première fois depuis qu'il était à Peter's Place, il vit Brandon sourire.

— Entrez !

Quand Chloé leva les yeux de son dossier, la surprise

lui serra la gorge. Elle s'attendait à voir entrer dans son bureau l'un des quatre adolescents pour un entretien supplémentaire, mais c'était Chance qui se tenait devant elle.

Son cœur fit un bond dans sa poitrine, son sang se mit à bouillir dans ses veines. Pinçant les lèvres, elle afficha un air professionnel. Pas question de se laisser aller à des réactions déplacées. Elle avait rompu avec Chance, leur histoire était terminée avant d'avoir vraiment commencé. Point final.

D'ailleurs, depuis leur rupture, Chance n'avait jamais essayé de se rapprocher d'elle. Pas une seule fois. Cette réaction avait d'ailleurs confirmé la sagesse de sa décision. Elle avait bien fait de prendre les devants avant qu'il ne l'abandonne pour partir sous d'autres cieux, dans d'autres ranchs, chez d'autres femmes… Car s'il avait tenu à elle, ne serait-ce qu'un tout petit peu, il aurait au moins essayé de renouer dans l'espoir qu'elle lui accorderait une seconde chance.

Or il n'avait rien fait de tout cela.

Au contraire, il avait gardé ses distances avec une application remarquable. Même à table, lorsqu'ils prenaient leur repas en commun, il se débrouillait toujours pour ne pas lui adresser la parole.

Un homme amoureux ne se comportait pas de cette façon.

En revanche, un homme soulagé de s'être débarrassé d'une relation encombrante, oui !

Bien décidée à mener la conversation dans un sens qui lui convenait, elle n'attendit pas qu'il prenne la parole et s'adressa à lui… sur le ton aussi enjoué dont elle était capable.

— Bonjour, Chance. Il paraît qu'il faut te féliciter ?

Chance, qui essayait de trouver les mots avec lesquels

il allait aborder le sujet qui lui tenait à cœur, fut surpris de cet accueil.

— Ah bon ? Pourquoi ?

— Parce que Graham approuve ton idée. Il m'a même paru très enthousiaste.

Sans doute à cause du chagrin qui ne le quittait plus depuis que Chloé l'avait rejeté, il avait complètement oublié la proposition qu'il avait soumise à Graham quelque temps auparavant. Or, ce dernier avait remué ciel et terre pour trouver des subventions et ses efforts venaient d'être récompensés. Il avait récolté les fonds nécessaires pour agrandir Peter's Place à l'intention des vétérans. Des plans étaient déjà à l'étude pour la création d'un centre pour des militaires traumatisés de retour au pays.

— Ah oui. C'est vrai, merci, marmonna-t-il.

Chloé le regarda, étonnée. Elle s'attendait à une autre réaction de la part de Chance qu'à cette réponse plate, complètement dénuée d'enthousiasme.

— Ça n'a pas l'air de te faire plaisir, fit-elle remarquer. Graham a l'air beaucoup plus content que toi !

— C'est que… En ce moment, j'ai d'autres préoccupations, expliqua-t-il en la regardant dans les yeux.

Comme son visage était triste… Elle pensait que cette victoire lui aurait donné un air plus guilleret ! Mais pourquoi s'en soucier ? Cela ne la regardait pas. Inutile de se mettre elle-même au supplice.

— Je peux faire quelque chose pour t'aider ? s'enquit-elle.

Chloé lui avait parlé sur un ton vide de toute émotion, nota Chance. Comme si elle proposait un service à un simple collègue de travail, par conscience professionnelle.

Finalement, ce n'était pas une bonne idée d'être venu la trouver.

Mais maintenant qu'il était là, en face d'elle, mieux

valait aller jusqu'au bout de ce qu'il avait prévu de dire. Brandon ne manquerait pas de lui demander comment cette entrevue s'était passée. Et puis... Autant faire un dernier essai. Il n'aurait pas à regretter, plus tard, d'avoir baissé les bras trop vite.

Il s'éclaircit la voix et rassembla tous les arguments qu'il avait préparés. Ou, tout au moins, fit de son mieux pour les rassembler...

— Oui. Tu peux m'aider à comprendre pourquoi tu m'as rejeté brusquement sans explication. Il me semble pourtant que nous nous entendions bien, pas toi ?

Un instant d'arrêt pour trouver le courage d'aller jusqu'au bout.

— Bien sûr, je sais que je ne suis pas à la hauteur de l'homme qu'a été ton mari mais...

— Quoi ? Qu'est-ce que tu dis ? Qui t'a parlé de Donnie ?

Elle sentit son estomac se contracter. Jamais elle n'avait évoqué Donnie devant Chance, jamais elle ne lui avait avoué à quel point sa mort l'avait bouleversée. Et encore moins quel homme formidable il avait été ! Comment l'avait-il appris ?

— Sasha, répondit-il. Ne lui en veux pas, c'est moi qui lui ai posé des questions. Quand tu m'as rejeté sans rien m'expliquer, j'ai pensé qu'il y avait peut-être un homme dans ta vie, alors je suis allé la trouver. Il fallait que je sache si c'était cette raison qui t'avait poussée à refuser nos balades à cheval. Et à refuser tout le reste aussi.

Comme elle ne disait rien, il poursuivit :

— Elle m'a dit que la mort de ton mari t'avait anéantie.

Ce qu'il n'ajouta pas, c'est que, à partir de là, il avait mené son enquête sans rien dire à personne. Il s'était renseigné sur Donnie et sa conclusion ne faisait pas de doute à ses yeux : cet homme était quelqu'un de bien.

— Je sais que je ne vaux pas ton mari, mais je ne

souhaite pas prendre sa place. Je désire seulement être avec toi.

Son regard chercha une réponse dans les yeux noisette qui le fixaient froidement.

— Chloé, pourquoi est-ce que tu me rejettes ?

— Parce que tu es trop parfait ! s'exclama-t-elle brusquement. Très vite, tu vas t'apercevoir que tu peux fréquenter des femmes bien mieux que moi et tu partiras. Tu m'abandonneras, et moi je resterai seule et désespérée, comme ma mère. Comme après la mort de Donnie. Je n'ai pas la force de supporter une nouvelle séparation.

Elle baissa la voix et conclut :

— C'est mieux comme ça.

Chance n'en croyait pas ses oreilles. Jamais il ne se serait attendu à une telle excuse ! C'était lui qui ne se sentait pas digne d'elle, cela ne devait pas être l'inverse !

— Chloé, tu plaisantes, pas vrai ? Tu me crois *parfait* ? C'est une blague ! Tu ne peux pas être sérieuse.

— Bien sûr que si. Je suis très sérieuse.

— Eh bien… Tu te trompes. Je ne suis pas parfait, loin de là ! J'ai seulement essayé de te montrer mon meilleur côté. Tu comprends, j'ai fait des efforts parce que ce n'était pas évident qu'une jeune femme avec de l'éducation comme toi ait envie de fréquenter un cow-boy comme moi, brut de décoffrage. Sans compter que je trimballe une escorte de démons personnels…

Cette réponse la fit sourire.

— Tu n'es pas au courant ? Tu ne sais pas que c'est mon métier, d'exorciser les démons des gens ? répliqua-t-elle.

Puis, redevenant sérieuse, elle poursuivit :

— Tu ne m'as jamais laissée penser que tu étais autre chose qu'un grand cow-boy taciturne, comme on en voit dans les vieux westerns.

— Non, j'ai fait la guerre.

— Oui, mais au moins, toi, tu es revenu.

Pour lui, cela n'était pas forcément quelque chose de positif. Il lui semblait au contraire que survivre à ses compagnons avait posé sur ses épaules une croix trop lourde à porter.

— Parfois, il me semble que je n'aurais pas dû, murmura-t-il.

— Mais… Pourquoi ?

Au point où il en était arrivé de ses confidences, il décida d'aller jusqu'au bout.

— Parce que je n'ai pas pu sauver mon meilleur ami.

— Raconte-moi…

— Evan et moi étions amis depuis l'école primaire. Nous nous sommes enrôlés ensemble. Nous faisions tout ensemble. Et puis…

Il ferma les yeux quelques secondes et respira profondément avant de reprendre :

— Evan s'est trouvé pris entre moi et le feu ennemi. Il est mort dans mes bras. C'est moi qui aurais dû la prendre, cette balle… Depuis, je n'ai jamais pu trouver ma place nulle part…

Il prit une profonde inspiration.

— … jusqu'à ce que je te rencontre.

— Mais alors… Quand je t'ai dit qu'il valait mieux que nous ne nous fréquentions plus, pourquoi est-ce que tu as accepté sans discuter ? Si vraiment j'avais compté pour toi, tu aurais au moins essayé de me faire changer d'avis, non ?

— Je voulais avant tout que tu sois heureuse. Si ton bonheur passait par notre séparation, je l'acceptais, même si elle ne faisait pas mon bonheur à moi.

— Qu'est-ce qui t'a fait changer d'avis ?

Il laissa échapper un petit rire avant de répondre :

— Brandon.

— Brandon ?

Chloé n'en croyait pas ses oreilles. Brandon qui ne parlait presque jamais ? Qui était en colère contre le monde entier ?

— Qu'est-ce qu'il a bien pu te dire pour que tu reviennes sur ta décision ? demanda-t-elle.

— Il avait remarqué que j'étais triste, et que toi aussi, tu étais triste. Alors il m'a répété un conseil que son grand frère lui avait donné.

— Tu veux dire qu'il t'a parlé de Blake ? C'est incroyable !

— Oui, mais c'est ce qu'il a fait pourtant. Ce conseil était de lutter pour ce que l'on désire vraiment.

Il s'interrompit, plongea son regard dans celui de Chloé.

— Alors me voilà, reprit-il. Je suis venu me battre… pour obtenir ce que je veux.

Il contourna le bureau et prit les mains de Chloé pour la faire lever de sa chaise.

— Je suis venu me battre pour toi, conclut-il.

Il l'attira vers lui et posa ses lèvres sur les siennes.

Dans le cœur de Chloé, ce fut comme si le soleil jusque-là caché par un énorme nuage sombre venait de réapparaître. Comme elle avait désiré ce moment ! Comme Chance lui avait manqué !

Elle s'agrippa à son cou et l'embrassa avec toute la fougue qu'elle s'était efforcée de contenir au cours des derniers jours et qui débordait à flots, à présent.

Lorsque enfin il s'écarta d'elle, il avait retrouvé le sourire d'autrefois, celui des jours heureux.

— Et maintenant, tu accepterais de revenir monter à cheval avec moi ?

— Oui !

Une étincelle de malice brillait dans le regard redevenu très bleu quand il ajouta :

— Et… Tu accepterais le reste, aussi ?

— Oui, oui, oui !

— Attends, je n'ai pas fini de te poser des questions.

— Encore ? Et tu penses à quoi, si je peux me permettre ?

Chance savait qu'il devait aller jusqu'au bout avant que son courage ne l'abandonne. Il regrettait d'avoir les mains vides en ce moment si particulier, mais tant pis ! Cela ne l'empêcherait pas de continuer.

— Chloé, je n'ai pas grand-chose à t'offrir…

Chloé sursauta. Comment osait-il seulement penser une chose pareille ?

— Bien sûr que si ! Tu as plein de choses à m'offrir !

— Laisse-moi parler sans m'interrompre ou je ne vais plus oser…

— Vas-y, je t'écoute. Continue.

Il reprit, comme un élève qui s'est trompé dans sa récitation et qui est obligé de recommencer depuis le début pour retrouver le fil :

— Chloé, je n'ai pas grand-chose à t'offrir, mais je t'aime. Je ferai tout ce qui sera en mon pouvoir pour te rendre heureuse et pour que jamais, jamais, tu ne regrettes de m'avoir épousé.

Brusquement, il constata qu'il n'avait pas dit les choses dans le bon ordre… Fallait-il tout reprendre une fois de plus ?

— C'est-à-dire… Si tu veux bien m'épouser.

Il recula d'un pas pour mieux regarder le visage de Chloé.

— Est-ce que tu acceptes de m'épouser ? J'aurais dû commencer par ça, mais tu sais, je ne suis pas très doué pour les discours !

— Moi, je trouve que tu te débrouilles très bien, au contraire.

Mais Chance n'avait pas l'intention d'en dire davantage. S'il le faisait, il allait s'embrouiller et tout gâcher.

— J'ai terminé, dit-il. Tu peux me donner ta réponse si tu en as envie.

— Oui, j'en ai envie. J'en ai même très envie.

Bon, après tout, son laïus n'était pas totalement un désastre, songea-t-il, soulagé sur ce point. Mais il restait un autre point…

— Alors ? Tu acceptes de m'épouser ?

Les yeux de Chloé se plissèrent et elle éclata d'un rire malicieux.

— À ton avis ?

Bon sang ! Elle avait décidé de faire durer sa torture encore longtemps !

— Chloé, si tu ne me donnes pas tout de suite une réponse claire, je vais faire une crise cardiaque.

Elle afficha un visage faussement soucieux.

— Oh. Dans ces conditions, j'imagine qu'il vaut mieux que j'accepte.

Et tout à coup, elle lui offrit un sourire rayonnant.

— Oui, Chance, je veux bien t'épouser. Mille fois oui !

Et elle sauta dans ses bras.

— Une fois m'aurait suffi mais tant mieux si c'est mille fois ! s'exclama-t-il en riant.

Et pour être bien certain qu'elle ne changerait pas d'avis, il prit ses lèvres pour un interminable baiser.

Épilogue

— Qu'avez-vous éprouvé quand vous avez appris que votre père faisait partie de la célèbre famille des Fortune ?

La question était posée par Ariana Lamonte, la journaliste qui avait déjà interviewé plusieurs enfants de Gérald Robinson.

Elle était assise avec Chloé dans le petit salon du cottage et où plusieurs reporters étaient déjà venus l'interroger.

Au départ, Chloé avait voulu refuser cet entretien, puis, à la pensée que d'autres avaient déjà accepté, elle s'était dit qu'en faisant comme eux, elle signait son appartenance à la famille.

— Cela m'a paru très étrange, avoua-t-elle.

— Gérald Robinson ne s'était jamais manifesté au cours de votre enfance ?

— Non, jamais.

Ariana prenait des notes rapides sur son ordinateur portable.

— Et lorsque vous l'avez rencontré, qu'avez-vous pensé de lui ?

— Cela ne s'est encore jamais produit.

— Mais vous allez faire sa connaissance, n'est-ce pas ? Maintenant que vous savez qui il est, vous ne pouvez pas ne pas le rencontrer !

— Cette possibilité a été évoquée, en effet.

Effectivement, Gérald Robinson était entré en contact avec elle. Mais elle était encore tellement en colère contre lui à cause de son comportement envers sa mère qu'elle avait retardé le moment de leur face-à-face.

— Vous n'êtes pas curieuse de le connaître ?

— Un peu.

C'était vrai. Elle ne se sentirait pas humaine si elle n'éprouvait pas un minimum de curiosité envers celui qui l'avait engendrée.

Ariana posa la main sur son bras.

— Si j'étais à votre place et si je découvrais que mon père si longtemps absent est à la tête d'une véritable fortune…

— L'argent ne m'intéresse pas.

— Vous êtes une personne étonnante ! s'exclama Ariana.

— Il y a des choses que l'argent ne peut pas acheter. Disons plutôt que ce serait éventuellement pour lui l'occasion de m'expliquer sa conduite.

— Vous êtes une belle personne, Chloé Elliott. À moins que vous préfériez que je vous appelle « Chloé Fortune » ? Quelques-uns de vos frères et sœurs ont décidé de prendre ce nom.

— Appelez-moi « Chloé », tout simplement.

— Parfait.

Ariana referma son ordinateur.

— Quand vous aurez rencontré votre père, j'apprécierai que vous me passiez un coup de fil, dit-elle.

Chloé hocha la tête et raccompagna la journaliste à la porte.

— Je vous remercie de m'avoir consacré votre temps, déclara Ariana. Je vous enverrai par mail une copie de l'interview quand je l'aurai rédigée.

Comme elle sortait, elle se heurta à Chance qui s'apprêtait à frapper à la porte.

— Ah ! Je comprends mieux pourquoi vous étiez si pressée de mettre fin à cette interview ! s'exclama-t-elle en riant.

Elle sourit à Chance qui referma la porte sur elle.

— Alors ? Comment ça s'est passé ? demanda-t-il.

— Pas si mal que ce que je craignais. Bien sûr, elle m'a posé tout un tas de questions que j'ai trouvées assez indiscrètes, mais je me suis débrouillée pour ne répondre qu'à celles qui me convenaient.

— J'étais sûr que tu saurais te préserver, dit-il en effleurant ses lèvres d'un baiser.

— Et toi ? Ta discussion avec Graham ? Qu'est-ce que ça a donné ?

— L'affaire est lancée. Tellement bien qu'avec un peu de chance, le centre pour les vétérans ouvrira avant la date prévue. Si tu savais à quel point cela me fait du bien de savoir que ce projet va se réaliser !

— Je crois que je comprends.

— C'est presque aussi bon que de savoir que nous allons bientôt nous marier. À moins que tu aies changé d'avis ?

Chloé éclata de rire.

— Non, et cela n'arrivera pas !

— Alors, tu viens, on va faire un tour à cheval ?

Elle fronça les sourcils et fit mine de réfléchir.

— Voyons… Si nous sautions la partie balade pour passer directement à la deuxième partie du programme ?

— Tu es sûre ? Il me semble que tu m'as dit, il n'y a pas si longtemps, que la promenade à cheval était le meilleur moment de ta journée…

— Oui, c'était vrai… Autrefois. Maintenant, j'ai découvert une autre manière de me sentir bien. Et, ma foi, je me demande si…

Chance l'attira dans ses bras.

— Assez parlé !

Il posa sa bouche sur la sienne, et elle trouva juste le temps de murmurer :

— Tu as raison, assez parlé !

Enlacés, ils se dirigèrent vers la chambre sans prononcer un mot de plus.

Ne manquez pas dès le mois prochain

dans votre collection

Passions

votre nouvelle série inédite :

Passion à Manhattan

Trois frères. Trois héritiers.
Trois passions inattendues.

1 roman inédit à découvrir
chaque mois de mai à juillet 2018

Retrouvez en Mai 2018,
dans votre collection

Passions

Le passé entre nous, d'Andrea Laurence - N°719

En voyant Deacon Chase entrer dans la salle de réunion, Cecelia manque défaillir. Deacon – son grand amour de jeunesse, que ses parents l'ont obligée à quitter car il n'était pas du même monde – n'est autre que le propriétaire du nouveau complexe de luxe dont elle doit assurer la décoration intérieure. Et, sans même s'en rendre compte, il rallume en elle un feu qu'elle pensait éteint à jamais. Pourtant, elle doit faire taire ces sentiments troublants, Cecelia le sait : elle n'a pas le droit d'abandonner la vie parfaite qu'elle s'est construite auprès de son mari, le sénateur Ashford. Dès lors, comment faire pour honorer son contrat sans mettre en danger sa famille ?

De troublantes fiançailles, de Nancy Robards Thompson

Veux-tu m'épouser ? À ces mots, Olivia vacille, sous le choc. Car, si le sublime Alejandro Mendoza vient de lui demander sa main, c'est uniquement pour donner corps à la comédie de mariage qu'ils jouent depuis quelques jours devant leurs familles réunies. Comment en sont-ils arrivés à une telle extrémité ? Pourquoi, surtout, la folie de ces fiançailles insensées lui semble-t-elle soudain d'une douceur exquise ? À l'image des baisers brûlants qu'Alejandro lui offre, brouillant chaque fois davantage la frontière entre leur romance feinte et une réalité où ils ne sont plus que désir...

Un père presque parfait, de Barbara Dunlop - N°720

Lorsque Kate apprend le décès tragique de sa sœur bien-aimée, elle est totalement bouleversée. D'autant qu'à la douleur du deuil vient aussitôt s'ajouter une angoisse irrépressible... Car c'est désormais Quentin Roo, son beau-frère, qui veillera seul sur Annabelle, sa petite nièce de trois mois. Quentin, un noceur invétéré dont Kate s'est toujours méfiée, et contre lequel elle avait mis sa sœur en garde. Résolue à agir au plus vite pour obtenir la garde exclusive d'Annabelle, Kate décide d'espionner Quentin, dans l'espoir de recueillir contre lui les preuves de son inconséquence en tant qu'homme, mais aussi – et surtout – en tant que père...

Patron et célibataire, d'Elizabeth Bevarly

Pourquoi diable a-t-elle accepté de travailler dans le restaurant que possède Hogan Dempsey ? Depuis qu'elle côtoie jour après jour le célèbre et séduisant millionnaire, Chloé n'a de cesse de se le reprocher. Comment elle – la chef la plus en vogue de New York – va-t-elle faire pour supporter cet homme qui non seulement ne connaît rien à la gastronomie, mais qui, de surcroît, n'a de cesse de parler de son ex-compagne sans même la regarder... alors qu'une passion secrète pour lui la consume, depuis le tout premier regard ?

Un papa pour Marybeth, de Christine Rimmer - N°721

Ce soir, Jody ne décolère pas. Elle qui a dû rassembler tout son courage pour avouer à Seth Yancy qu'elle était tombée amoureuse de lui, se retrouve face à un mur. C'est à n'y rien comprendre : n'est-ce pas Seth qui a tant insisté pour veiller sur elle et sa petite Marybeth, en s'installant chez elle après la mort de son mari ? N'est-ce pas lui qui n'a cessé de multiplier les gestes tendres à son égard, au point de semer le trouble dans son cœur ? Se sentant trahie et surtout terriblement humiliée, Jody prend une décision irrévocable. Elle exigera que Seth quitte les lieux dès le lendemain matin...

Coup de foudre inattendu, de Sarah M. Anderson

Depuis qu'elle a interrogé l'agent du FBI Thomas Yellow Bird au tribunal, Caroline n'a qu'une obsession : le revoir. Viril, séduisant et intègre, Thomas représente à ses yeux l'homme idéal. Et puis, elle a besoin d'une protection rapprochée depuis qu'un intrus s'est introduit chez elle quelques semaines plus tôt. Pourtant, pour elle qui s'est toujours promis de ne mêler vie professionnelle et vie privée sous aucun prétexte, franchir le pas est absolument inenvisageable...

La magie d'une naissance, de Teri Wilson - N°722

SÉRIE : PASSION À MANHATTAN 1/3

Elle, enceinte ? En apprenant cette nouvelle inattendue, Ophelia ne sait comment réagir. Car l'unique nuit de passion qu'elle a partagée avec son patron – Artem Drake, le ténébreux et richissime héritier de l'empire de joaillerie Diamonds Drake – était une terrible erreur dont elle a tiré les leçons. Mais, surtout, leur étreinte devait rester sans conséquence... Que faire, désormais ? Doit-elle se risquer à annoncer la nouvelle à Artem ou au contraire taire son secret ? Quelle que soit sa décision, elle sait qu'elle risque de perdre ce travail auquel elle tient tant...

Captive d'un secret, de Cat Schield

Nate Tucker – le séduisant producteur du groupe de rock de sa sœur jumelle Ivy – veut qu'elle emménage chez lui à Las Vegas ? Lorsqu'il lui fait cette proposition, Mia se retrouve confrontée à un terrible dilemme. Bien sûr, elle est amoureuse de Nate et porte son enfant, mais cet homme n'est-il pas aussi celui que sa sœur lui a confié aimer en secret ? Et puis, ne s'était-elle pas promis de quitter Nate pour ne pas provoquer la colère d'Ivy si celle-ci venait à découvrir la vérité ?

Le goût de la vengeance, de Joanne Rock - N°723

Ian McNeill s'est inscrit sur le site de rencontres qu'elle a créé ! Lydia sent une colère irrépressible la gagner le jour où elle tombe par hasard sur le profil de l'homme qui l'a lâchement abandonnée un an plus tôt, alors qu'elle portait son enfant. Un enfant qu'elle a perdu et qu'elle pleure aujourd'hui encore. Aussitôt, une idée folle germe dans l'esprit de Lydia : ne tient-elle pas là l'occasion unique et idéale de se venger de Ian, en se créant un faux profil pour lui briser le cœur à son tour ?

Une mère pour Amy et Adele, de Katie Meyer

À l'instant où Tyler Jackson lui sourit, Dani sent le sol se dérober sous ses pieds. Car le séduisant propriétaire du magasin de jouets de la ville vient de l'inviter à dîner chez lui... et Amy et Adele, ses adorables jumelles de cinq ans, sautent de joie en la pressant d'accepter. Bien qu'émue par la joie des deux fillettes pour lesquelles elle éprouve beaucoup d'affection, Dani hésite à accepter : Tyler a beau sembler honnête, il n'en reste pas moins un homme. Un homme qui lui fait bien trop d'effet et qui risque de la faire souffrir, elle qui s'est promis de ne plus jamais tomber amoureuse...

Une héritière à séduire, de Fiona Brand - N°724

Enfin, Constantine Atraeus tient sa vengeance : il est sur le point de mettre la main sur la société des Perles Ambrosi. Pourtant, il veut plus, tellement plus... Et, en tout premier lieu, ramener dans son lit Sienna Ambrosi, l'héritière du luxueux empire en faillite, la seule femme qui soit parvenue à briser ses défenses, pour mieux se servir de lui ensuite. Aujourd'hui, Constantine la tient à sa merci et, sûr de son pouvoir sur elle, il fait à Sienna une proposition implacable : il effacera sa dette si elle l'épouse. Un mariage de pure convenance, certes, mais qu'il compte bien agrémenter de torrides étreintes...

Cette étincelle entre nous, de Victoria Pade

Depuis qu'elle a rencontré Hutch Kincaid, Issa se répète, encore et encore, les nombreuses raisons pour lesquelles elle ne doit pas céder au charme de son propriétaire. Tout d'abord, Hutch est un père célibataire débordé, visiblement peu désireux de s'engager dans une relation sentimentale. Ensuite, ils sont totalement différents l'un de l'autre – pour ne pas dire opposés. Serait-elle seulement capable de séduire un homme aussi troublant... sexy que lui ? Rien n'est moins sûr, d'autant qu'elle est enceinte d'un autre homme...

OFFRE DE BIENVENUE

Vous êtes fan de la collection Passions ?
Pour prolonger le plaisir, recevez gratuitement

◆ 1 livre Passions gratuit ◆
et 2 cadeaux surprise !

Une fois votre colis de bienvenue reçu, si vous souhaitez continuer à recevoir nos romans Passions, cela se fera automatiquement. Vous recevrez alors chaque mois 3 volumes doubles inédits de cette collection au tarif unitaire de 7,50€ (Frais de port France : 1,99€ - Frais de port Belgique : 3,99€).

➡ ET AUSSI DES AVANTAGES EXCLUSIFS :

➡ LES BONNES RAISONS DE S'ABONNER :

Aucun engagement de durée ni de minimum d'achat.
◆
Aucune adhésion à un club.
◆
Vos romans en avant-première.
◆
La livraison à domicile.

Des cadeaux tout au long de l'année.
◆
Des réductions sur vos romans par le biais de nombreuses promotions.
◆
Des romans exclusivement réédités notamment des sagas à succès.
◆
L'abonnement systématique et gratuit à notre magazine d'actu ROMANCE.
◆
Des points fidélité échangeables contre des livres ou des cadeaux.

➡ REJOIGNEZ-NOUS VITE EN COMPLÉTANT ET EN NOUS RENVOYANT LE BULLETIN ! ✂

N° d'abonnée (si vous en avez un) ⊔⊔⊔⊔⊔⊔⊔⊔

R8ZEA3
R8ZE3B

Mme ☐ Mlle ☐ Nom : .... Prénom : ....

Adresse : ....

CP : ⊔⊔⊔⊔⊔ Ville : ....

Pays : .... Téléphone : ⊔⊔⊔⊔⊔⊔⊔⊔⊔⊔

E-mail : ....

Date de naissance : ⊔⊔ ⊔⊔ ⊔⊔⊔⊔

☐ Oui, je souhaite être tenue informée par e-mail de l'actualité d'Harlequin.

☐ Oui, je souhaite bénéficier par e-mail des offres promotionnelles des partenaires d'Harlequin.

Renvoyez cette page à : Service Lectrices Harlequin – CS 20008 – 59718 Lille Cedex 9 - France

Date limite : **31 décembre 2018.** Vous recevrez votre colis environ 20 jours après réception de ce bon. Offre soumise à acceptation et réservée aux personnes majeures, résidant en France métropolitaine et Belgique. Prix susceptibles de modification en cours d'année. Conformément à la loi Informatique et libertés du 6 janvier 1978, vous disposez d'un droit d'accès et de rectification aux données personnelles vous concernant. Il vous suffit de nous écrire en nous indiquant vos nom, prénom et adresse à : Service Lectrices Harlequin - CS 20008 - 59718 LILLE Cedex 9. Harlequin® est une marque déposée du groupe HarperCollins France – 83/85, Bd Vincent Auriol – 75646 Paris cedex 13. Tél : 01 45 82 47 47. SA au capital de 1 120 000€ - R.C. Paris. Siret 31867159100069/APE5811Z.

Rendez-vous sur notre nouveau site
www.harlequin.fr

Et vivez chaque jour,
une nouvelle expérience de lectrice connectée.

- ♥ **Découvrez** toutes nos actualités,
  exclusivités, promotions, parutions à venir...
- ♥ **Partagez** vos avis sur vos dernières lectures...
- ♥ **Lisez** gratuitement en ligne, regardez des vidéos...
- ♥ **Échangez** avec d'autres lectrices sur le forum...
- ♥ **Retrouvez** vos abonnements, vos romans dédicacés,
  vos livres et vos ebooks en pré-commande...

L'application Harlequin
Achetez, synchronisez, lisez... Et emportez
vos ebooks Harlequin partout avec vous.

Suivez-nous ! f  facebook.com/HarlequinFrance
twitter.com/harlequinfrance

OFFRE DÉCOUVERTE !

Vous souhaitez découvrir nos collections ? Recevez **votre 1er colis gratuit*** avec **2 cadeaux surprise !** Une fois votre colis de bienvenue reçu, si vous souhaitez continuer à recevoir nos livres, cela se fera automatiquement. Vous recevrez alors vos livres inédits** en avant première.

Vous n'avez aucune obligation d'achat et cette offre est sans engagement de durée !

*1 livre offert + 2 cadeaux / 2 livres offerts pour la collection Azur + 2 cadeaux.
**Les livres Ispahan, Sagas, Hors-Série et Allegria sont des réédités.

☛ **COCHEZ** la collection choisie et renvoyez cette page au
Service Lectrices Harlequin – CS 20008 – 59718 Lille Cedex 9 – France

Collections	Références	Prix colis France* / Belgique*
❏ AZUR	Z8ZFA6/Z8ZF6B	6 livres par mois 28,19€ / 30,19€
❏ BLANCHE	B8ZFA3/B8ZF3B	3 livres par mois 23,20€ / 25,20€
❏ LES HISTORIQUES	H8ZFA2/H8ZF2B	2 livres par mois 16,29€ / 18,29€
❏ ISPAHAN	Y8ZFA3/Y8ZF3B	3 livres tous les deux mois 23,02€ / 25,02€
❏ HORS-SÉRIE	C8ZFA4/C8ZF4B	4 livres tous les deux mois 31,65€ / 33,65€
❏ PASSIONS	R8ZFA3/R8ZF3B	3 livres par mois 24,49€ / 26,49€
❏ SAGAS	N8ZFA4/N8ZF4B	4 livres tous les deux mois 33,69€ / 35,69€
❏ BLACK ROSE	I8ZFA3/I8ZF3B	3 livres par mois 24,49€ / 26,49€
❏ VICTORIA	V8ZFA3/V8ZF3B	3 livres tous les deux mois 25,69€ / 27,69€
❏ ALLEGRIA	A8ZFA2/A8ZF2B	2 livres tous les mois 16,37€ / 18,37€

N° d'abonnée Harlequin (si vous en avez un) ❘ ❘ ❘ ❘ ❘ ❘ ❘ ❘

Mme ❏ Mlle ❏   Nom : _____

Prénom : _____   Adresse : _____

Code Postal : ❘ ❘ ❘ ❘ ❘   Ville : _____

Pays : _____   Tél. : ❘ ❘ ❘ ❘ ❘ ❘ ❘ ❘ ❘ ❘

E-mail : _____

Date de naissance : _____

❏ Oui, je souhaite recevoir par e-mail les offres promotionnelles des éditions Harlequin.
❏ Oui, je souhaite recevoir par e-mail les offres promotionnelles des partenaires des éditions Harlequin.

Date limite : 31 décembre 2018. Vous recevrez votre colis environ 20 jours après réception de ce bon. Offre soumise à acceptation et réservée aux personnes majeures, résidant en France métropolitaine et Belgique, dans la limite des stocks disponibles. Prix susceptibles de modification en cours d'année. Conformément à la loi Informatique et libertés du 6 janvier 1978, vous disposez d'un droit d'accès et de rectification aux données personnelles vous concernant. Par notre intermédiaire, vous pouvez être amenée à recevoir des propositions d'autres entreprises. Si vous ne le souhaitez pas, il vous suffit de nous écrire en nous indiquant vos nom, prénom et adresse à : Service Lectrices Harlequin CS 20008 59718 LILLE Cedex 9. Service Lectrices disponible du lundi au vendredi de 8h à 17h : 01 45 82 47 47 ou 33 1 45 82 47 47 pour la Belgique.

Harlequin® est une marque déposée du groupe HarperCollins France – 83/85, Bd Vincent Auriol – 75646 Paris cedex 13. SA au capital de 1 120 000€ – R.C. Paris. Siret 31867159100069/APE5811Z.